21世纪中国纪实文学大系

2001卷

顾问：钱谷融
主编：桂国强

非常时刻

文匯出版社

编委会名单

总序

21 世纪是一个非同寻常的世纪。尽管这个世纪至今仅仅走过了十多年的历程，但在与人类朝夕相处的地球上，却已经发生了诸多惊天地、泣鬼神的重大事件，令世界格局发生了错综复杂的变化，给全世界留下了难以泯灭的记忆。

对于正在不断崛起的中国而言，21 世纪无疑是一个机遇与挑战并存、成就和困难共现的世纪——这已在中国社会的各个层面展现出来。

在刚刚过去的十多年里，中国正式加入 WTO，成功举办 2008 年北京奥运会和 2010 年上海世博会，国际地位显著提高；中国全面实施西部大开发战略，青藏铁路顺利开通，“西气东输”工程全线推进，高速铁路亦成功运行，国家建设硕果累累；中国高度重视科学发展，包括航天科技、农业科技、石油勘探等在内的科学技术取得了举世瞩目的辉煌成就；中国的新农村建设卓有成效，农业税费制度改革进一步推进，农村义务教育经费保障机制有力推行，农民的生活不断改善；中国的两岸关系有所突破，厦门金门实现直航，两岸春节包机适时通航，大陆居民赴台旅游更加便捷，两岸“大三通”已然实现……勤劳而智慧的中国人准确把握机遇，用自己的行动赢得了世界的尊重。

当然，在新世纪已经过去的十数年里，中国也面临着诸多挑战，遭遇了不少困难。譬如：2003 年的“非典”，2004 年的“禽流感”，2008 年的四川汶川大地震及这一年全球金融危机给中国带来的负面影响，2010 年的青海玉树地震，2011 年湖北、湖南、江西等地出现的大面积干旱……此外，还有环境污染、食品造假、海峡那边陈水扁的“台独”闹剧等等，凡此种种，都给中国的前进之路带来了挑战。

成就也好，挑战也罢，时至今日，都已在新世纪所发生的重要事件中显现出来。这些事件，有些已经成为历史，有些却还在延续。历史是一面镜子，对于后人，可以起到“以史为鉴”的作用；现实是当下的存在，研究它可以积累经验，帮助我们寻找到人类发展的正确路径——基于此，我们有必要将这些已经过去的或仍在延续的事件以及与这些事件有着密切关联的人物——用一种最为世人接受的文字形式记录下来，为今天和明天留下一份可供借鉴与启迪的珍贵资料。

我们之所以选择纪实文学作为承担“记录”重任的文字形式，是因为这种文体乃涉猎文学和新闻两大领域的一种独特的艺术样式，是兼具新闻真实和历史真实品格的艺术真实，它在很多方面弥补了现实新闻报道无法反映的空白，达到了相当的深度和广度——正是由于它能比一般的新闻报道更深地切入现实、切入人心、全景式地反映变革过程中某些本质的东西，因而，随着时间的推移，也就更能凸显其无可争辩的文献史料价值和文学欣赏价值。

新世纪以来，中国的纪实文学蓬勃发展。国家综合实力的提升，国际多边交往的频繁，国民生活水平的提高……都为纪实文学提供了丰富的创作素材，激发了纪实文学作家和各类媒体记者的创作热情，从而创作出一批又一批展示波澜壮阔历史画面、描绘跌宕起伏现实场景的精品力作，为反映中国的现实、记录中国的历史、繁荣中国的文学立下了不朽的功勋。

现在，呈现在读者面前的就是新世纪以来（自 2000 年开始）中国优秀纪实文学的精选、精编本。入选的文章中，有的获得中国报告文学奖，有的获得鲁迅文学奖，有的则荣获了各种类别的年度新闻奖……由于诸多事件的发生、发展都会经历一定的时间，有些还会延续几年甚至更长；从创作规律来说，一篇成功纪实文学作品的采访、创作和发表也需要相当的时间，很难保证当年的文章能与当年的事件完全同步。因此，在对文章的选择中，我们首先考虑的是能够反映该年度的重要事件及其相关人物，至于其具体的发表时间，则应当服从于事件和人物。

我们计划一年精编一本，每本都能比较客观、全面、及时地反映该年度中国所发生的重要事件及与之相关的重要人物，从而能凸显其独特的史料价值；我们同时又希望，书中所精选的纪实文学作品能给予读者朋友有益的启迪和思考，充分享受阅读的愉悦，从而真正领略纪实文学的艺术魅力。

迈着稳健而充满活力的步伐，向着明确而富有挑战的目标，中国依然在前进，中国的大地上依然在发生着历史性的深刻变化。因此，用文字记录中国、展示中国，依然是我们今后相当一段时期内义不容辞的重要任务。我们将不辱使命，勤奋工作，努力选编好一年一度的《21 世纪中国纪实文学大系》，为广大读者奉献上兼具史料和文学双重价值的精神产品。

（主　编）

2001年纪实文学概述

正如别林斯基在《论文学》中所说，文学必须与民族的历史有机地结合在一起，这样才具有自己的历史。2001年的纪实文学作品在不少方面实践着这一理念。

一

黄克俭的《中国申奥之旅大纪实》、雯子的《莱蒙湖作证——中国15年入世谈判史解密》和王伟的《纵论天下 · 中国成功举办博鳌亚洲论坛》，以纪实的方式，记录下新世纪中国人的表情。

在《中国申奥之旅大纪实》中，作者以中国申奥代表团成员的身份，介绍了许多不为人知的历史细节。在构思与邓亚萍陈述词配套的PPT时，设计者遇到了一个“瓶颈”：邓亚萍和国际奥委会委员们太熟了，他们不知该如何通过PPT表达一个“与众不同”的运动员申奥陈述。最终，灵感还是幸运地降临了。设计者在PPT里插入了一幅世界地图，并找来地理专家，在地图上精心地标注了曾经举办过奥运会的21个现代城市。为什么这么做呢？看了地图就知道了——这21个城市大部分集中在北美和欧洲，而在亚洲，只有东京和汉城，墨尔本和悉尼举办过两次，地图下部的南非和南美都是空白的。设计者想通过这幅地图告诉现场的委员们，奥运会的举办地存在三个盲区：亚洲的东南部、南非和南美。那么，他们暗示委员们，是否可以考虑让奥运之花也能在这些空白区开放？

除了“申奥”，“入世”是中国走向世界的另一大心结。2001年11月10日晚，卡塔尔首都多哈。经历了15年的奋争与期待，中国终于被世界贸易组织接纳。雯子在《莱蒙湖作证》中如是说：许多问题的解决都得靠外力推动，入世的政治意义大于经济意义。中国代表团成员让作者写事不写人，但是作者笔下的这些风云人物栩栩如生、不辱使命。负责入世谈判的中国代表龙永图的航空里程奖励积分足以飞往月球。他感慨:“入世谈判没有在我们这些人手上半途而废。”

因为亚洲论坛的举办，博鳌不再是被地图忽略的海滨小渔村，亚洲的声音将从这里发出。2001 年，博鳌亚洲论坛成立大会在海南举行，标志着精心培育了 20 年的海南特区一朝瓜熟蒂落。在王伟的笔下，海南跨越千年的历史长河，但精神的最后一跃却发生在短短一瞬。“闯海人精神”是海南千年跨越给予所有中国人的一笔财富，它提示今天的我们，“蓝海”才是龙的故乡。

二

历史的文学书写，在纪实文学这一文体中，有时需要以一种更原生态的质感呈现。目击现场的在场者，以文字来述说，这是纪实文学的生命所在。在 2001 年的纪实文学中，这种传统得以延续。以闾丘露薇的《凤凰卫视闾丘露薇采访手记》、庞哲的《逃出漆黑的华尔街——华人女记者“9・11”幸存记》，以及郝冀成、王宛山的《在夏威夷参加张学良老校长的葬礼》为代表，2001 年的纪实文学风采依旧。

作为凤凰卫视的战地女记者，闾丘露薇以战地日记、战地花絮的形式，记录了自己在阿富汗 25 个日日夜夜的生活。书中有政要专访，但更多的是关于阿富汗百姓的生活故事。战争将他们摧残得如此苍老，但也把他们的眼睛擦得雪亮。庞哲是凤凰卫视的另一位女记者。在“9・11”现场，她抓起电话，拨通了凤凰卫视的编辑部，进行现场联机报道。这次事件对所有人的冲击在很长时间内都难以平复。正如常在凤凰卫视节目中出现的纽约证交所交易员泰特所说，虽然五年过去了，但恐怖分子对美国袭击所造成的伤痕，永远都不会过去。

三

历史的记忆，不是冷冰冰的事件和材料的堆积，而是人性温暖的呼唤。沙志亮、崔伟光的《王伟的故事》、周勍的《中国呼唤建立大规模的“生命银行”》、哲夫的《叩问长江——对中华民族生态环境的一次生死访谈》和李青松的《共和国退耕还林》都是关于生命与礼赞的作品。

2001年4月1日上午，美国海军EP-3侦察机逼近我国领空实施侦察活动，两架中国战斗机紧急升空追踪监视。9时07分，美机突然向我军飞机转向，其机头和左翼与王伟驾驶的歼八II战机相碰，致使我军战机坠毁，飞行员王伟下落不明。王伟的故事牵动着全中国人民的心，王伟的生命传递着温暖的力量。

我国每年有400多万病患者等待着造血干细胞移植，仅白血病患者全国每年就新增4万人，主要发病年龄在32岁以下，其中一半以上是儿童。而每年只有400到500人能够接受干细胞移植手术治疗。2001年4月18日，在排除万难之后，天津一名女婴的出生宣告了中国第一家“生命银行”开始正式运营。如杰费里·希尔在《创造》中所说，靠血液我们得以生存，热的，冷的，去蹂躏、去赎回这世界，不再会有无血的神话了。《中国呼唤建立大规模的“生命银行”》像一块文字铸成的纪念碑，记录了中国的“生命银行”在新世纪的奠基。哲夫的《叩问长江》对生命的叩问，更加让我们深思。这是一部关于环境、关于生态、关于未来的现代“警世恒言”，也是作家行走长江两万里纵横江域十三省之后的所见所感、所思所想，读来令人怦然心动、忧心如焚！对生存环境同样忧心忡忡的是李青松的《共和国退耕还林》。前代留下的生态问题，我们应该想方设法去解决；更重要的是，我们不能给后代留下生态问题。好在20世纪末开始启动的“退耕还林”工程让我们看到，中国已经正视这个问题。2001年，是“中国森林年”，在一系列“关注森林”的活动中，也让我们来关注这篇文章。

2001年的纪实文学让更多的人记住了这一年发生的重大事件。还有李鸣生的《千古一梦——中国人第一次离开地球的故事》，为读者揭开了隐藏在“神舟”背后的航天人的精神面貌；李安导演的中文电影《卧虎藏龙》，在获得第73届奥斯卡包括最佳影片、最佳导演等十个奖项提名后，最终捧走了最佳外语片等四项大奖。这些，是中国人的骄傲，也使这一年的纪实文学充满激情。

（撰稿人：杨扬、朱军）

目录

中国申奥之旅大纪实

2001 年 7 月 13 日 22 时 08 分，北京获得了 2008 年奥运会的主办权。从这天起，中国开始全力准备。2008 那一年，中国将带着奥林匹克的圣火，带着崭新的面貌和东方神韵，向世界证明她的又一次神奇！

北京排在第“4”出场

2001 年 7 月 13 日，莫斯科当地时间 14 点刚过，穿着灰色西服的北京市市长、奥申委主席刘淇笑容满面地从莫斯科金环饭店门口刚刚走出来，就有一名中国记者冲上去问了一句：“请问市长，我们的陈述工作准备得怎么样了？”刘淇自信地回答：“当然是非常好！”刘淇身后，是统一穿着红色西服的北京申奥代表团的几十名成员。

北京代表团乘坐专用大巴，前往国贸中心参加下午的陈述。临出门，北京代表团留守的其他成员和出发的同事们握手告别，互相祝福，金环饭店门口的气氛立刻变得肃穆紧张。

我们集中坐车到了大使馆的电影厅。后来知道，我们进了大使馆后不久，北京陈述代表团进入陈述现场，莫斯科天空忽然下起了大雨，很突然的大雨。那场突如其来的伴着中国代表团入场的暴雨在平时的莫斯科极为少见，加上早晨北京那边传来的消息说，北京也下了场大雨，我们所有的人都为此感慨，开玩笑地说，我们中国人是龙的子孙，这次来到莫斯科算是真龙现身了。

北京“真龙”伴着风雨准时出现在了陈述现场。

下午 2 点半左右，身穿红色西服的奥申委副主席蒋效愚满面春风地出现在陈述现场的外大厅；紧接着，李岚清副总理在北京奥申委秘书长王伟的陪同下从大厅安全检查的另一侧进入大厅。等待了整整一个上午的中国记者，一直在看巴黎、多伦多、大阪的记者们神采飞扬地拍摄着他们的代表团，这次，他们终于有机会展现北京记者团的魅力了。在李岚清身后，挤着一群情绪饱满的中国记者，一时，闪光灯把大厅映得耀眼异常。

快到3点的时候，我和其他同事一起进了转播用的电影厅。北京申奥代表团还没有进场。我们坐在那里，专心致志地看起了CCTV5频道的转播视频。CCTV5正播放预先录制的何振梁先生的一个镜头。他正在说明此次申奥表决投票的一些细则。何振梁先生讲到这次中国排在第4位出场，他连续好几次提到了"4"这个数字，说如果一个城市被淘汰了，那还剩下"4"个城市，要接着投票。

我对身旁的北奥广告公司老总陈少云说："如果好好解释，这个'4'也没什么不好。这句话用英语表达就是'four China'，'four China'读起来是什么？那就是'for China'，不是for别人，言下之意，这就是为咱们中国专门举办的会议啊。所以说这个第4绝对是个好兆头，相信我！"我们说了许多，但都是给北京贴金的"4"字箴言。那天，关于"4"这个数字，成了我们一个挥之不去的话题。说实话，这个在中国人看来最不吉祥的阿拉伯数字，在申奥现场却有着许多惊人的巧合，又有许多意想不到的惊喜。

对我来说，如果把我的生日"4月4日"和第"4"个出场联系在一起去看，还有些牵强的话，那我的生日1956年4月4日，在随后的投票中把我再次引入无限的惊叹和感慨中。关于投票和"56"、"44"这些具体数字的关系，我将在后面的章节里提起。不过，对我来说，我第一次发现自己的生日在特殊的场合竟然有着如此特别的意义。那种个体和奥运因为某个巧合的数字而联系在一起的喜悦冲击着我和少云这些人，也许我们过于紧张，也许在那种举世瞩目的现场，一切小事都被我们无限放大。不过，那些数字和巧合给我们带来了诸多自信，一切都表明：我们中国一定能赢，我们具备实力，而种种吉祥的征兆同样启示着我们：我们具备了中国人所说的天时、地利与人和三种因素，我们相信，2008这朵奥运之花最终会落土中华大地——这个百年来中国人对奥运期盼的梦想，就要在今天成为现实。

一句话，奥运会是全人类的，是全中国的，是全北京的……

同时，奥运会也是每一个人的，是你的，是我的，是他的，是车流滚滚之中任何一个陌生人的。

看不到的“48 秒动画”

2001 年 7 月 13 日下午 3 点，略带疲惫的萨马兰奇主席站在主席台前宣布“next is Beijing”的时候，我坐在中国驻俄罗斯大使馆电影院的大厅里，紧张地收看现场直播的大屏幕。

通过大屏幕的直播画面，我看到现场有很多国际奥委会的官员还站在那里三三两两地交谈，没有按时回到自己的座位上。现场的情形跟我们当初预设的完全一样，看来那精心设计的“48 秒动画”要发挥它的作用了。眼见北京代表团入场了，我有些疑惑，心里默默地念叨着动画片、动画片。这时，我就听到了熟悉的旋律，动画短片开始了。因为机位选择和导播的原因，屏幕上没有直接看到动画的画面。直播画面一直是北京代表团走进陈述大厅的场景，但配合着代表团进场的声音正是那“48 秒动画片”的声音，我知道精彩的“48 秒动画”已经开始在现场“跳跃”起来了。通过现场的大屏幕，委员们都能看到那变幻莫测的五种颜色组成的画面。伴着精心设计的激昂的音乐，伴着设计新颖的动画短片，李岚清带领着 16 个陈述人员沉稳地走上了前台。听着音乐，我就知道大屏幕的画面上五种绚烂的颜色正在音乐中翩翩起舞，紧接着，它们就要汇成一个美丽的五环。

陈述人员陆续就座。

那些站着的或者离开自己座位的奥委会委员开始安静下来，走回自己的座位。

一切都按照我们事前预想的那样，有条不紊地展开了：48 秒的动画音乐过去，陈述团准时在台上整齐地坐了下来。现场一片严肃，北京代表团来了！这个时候，电视屏幕上出现的已经是我们申奥的会徽了。镜头一切，再看场地里面，所有的国际奥委会委员也都坐下来了。此时，会场一片安静，所有人的注意力都被集中到主席台上那一排北京陈述代表团人员的身上。在镜头中，我们可以清楚地看到代表团成员眼中流露出的强烈自信，我分明听到一个声音在现场呐喊：“奥运，2008，北京，是的，我们是北京，我们又来了！”

眼见现场的陈述按照既定程序平稳地推进，我却莫名其妙地紧张了起来。我在担心负责后台操作的周旭辉和于红，生怕他们俩会出一点什么差错。毕竟，这个环节才是我最关心、最熟悉、投入感情最多的一块。

我们一共有四个技术人员来到莫斯科，奥组委经过细致分析和研究决定，从我们四个人当中选择周旭辉和于红去陈述现场后台实际操作PPT。在排练阶段，于红因为有事在身，不能够如期参加我们的排练。在排练现场的我很着急，于是，我想了一个“笨办法”：在测试的稿件上，按照语速和稿件上的内容，在每一个应该切换片子的英文字母前面打上一个钩。这样，于红在具体操作时，看着这个符号，就立刻切换到下一张。这个土办法收到的效果非常好，加上于红她们俩非常敬业，“7·13”之前的最后一次演练，两人的操作非常成功，让我们感到很自信。

可在那样紧张的氛围中，我又有了另外一种担心：如果她们没有把稿子熟背下来，就可能会一边看稿子，一边操作演示稿。这样做的不利之处就是不能专心致志地看着主屏幕、看着现场。这样在实际操作上以及在对突发事件的应付上，可能会出现一些问题。因为屏幕和稿子之间是有关联的，操作者是左手按着稿子，右手操作键盘，走一张就要轻轻点击一下鼠标，一旦不慎，不小心连续点击两下，整个屏幕的秩序就会变乱，整个播放次序甚至都会被打乱。在排练的时候，我尽量要求于红把手上的稿子和关键的几个人的陈述背诵下来，在脑子中把多媒体演示稿和具体的文稿清晰无误地对应上。事前的演练证明，她们对这份重要的工作把握得非常好。可我还是多多少少有些担心，我脑子里的弦绷得紧紧的，我甚至后悔没有多进行几次排练。

长期从事电视行业的人知道，电视的出点和入点不会是固定不变的。画面和声音的同步看起来很容易，但在实际操作过程中，操作者是不能看着画面再去做动作的，这样就可能会晚一拍。要做好这个切换十分不容易，你甚至要摸清陈述人说话的风格、语调和习惯，要根据他的呼吸提前半拍或者慢半拍操作。如果操作得很完美，视频和人物陈述配合所产生的效果就会像好莱坞剪的片子一样。我们对自己的要求是，务必把陈述现场和多媒体演示同步得尽善尽美、天衣无缝，我们要齐心协力完成一场很完美的演出。为了完成这样一个高质量的同步，我看了几十部电影，试图从电视、电影的剪辑里寻找到方法和技巧。事实证明，我们真的做到了，就像电影那样准确。举个例子来说，就好像电视画面中的人轻轻扣动一把枪的扳机，而旁边的音响就“砰”发出了一声枪响。

除了同步，还有许多问题让我担心。在莫斯科准备的那几天，能想到的问题我们都想到了，比如电脑中毒了怎么办，电脑硬件出问题了怎么办。为了对付这两个问题，我们在现场运作的两台 IBM 机器都是全新的，里面除了演示用的文稿，一个多余的文件都没有放进去。除了这个文件，电脑上是白茫茫的一片，十分干净。而且，最后我们定下的方案是，两个机器在现场陈述时要并行操作，随时准备在出现意外的情况下做切换！

排练的时候，我还想到一个很重要的问题，那就是 PPT 放完了怎么办。按照常规的节奏，PPT 放完了，屏幕是漆黑的一片，那将会是一团糟的局面；如果操作人员不小心，放映完了习惯性地再按一次鼠标，那还是漆黑一片。为了避免这个情况的发生，我特意把最后一张 PPT 重复放了三张在那里，这样的话，如果不小心按了鼠标或键盘，大屏幕上显示的还是那张 PPT，坐在台下的委员们是看不出来的。在 16 个 PPT 中间，我都加入了这样的防护，效果非常好。我不知道大阪、巴黎有没有采用这样的方法，至少在我们北京方面看来，所有细节问题都考虑到了，我们的要求不是百分之多少的把握，而是力求万无一失。

北京代表团陈述那天的正常顺序是：

首先由何振梁主持北京代表团的陈述，然后是李岚清发言，李岚清陈述完之后是刘淇陈述，刘淇之后是袁伟民，袁伟民陈述完以后，就立即切入我们的第一个宣传片。我记得那片子的第一句话是：1984年在洛杉矶射击场，走进了中国的奥运梯队，这是中国重返奥运会的第一次。

第二段是楼大鹏和王伟的陈述。王伟陈述过后，出现的是第二个片子，那就是《新北京新奥运》。

之后是运动员代表邓亚萍和杨凌的陈述。接着，杨澜出场。杨澜陈述完之后便是申奥短片《万众期待》。这个片子有很强的视觉冲击力，可以在最后阶段给观众带来巨大的震撼感。

上面这些陈述的程序，我已经烂熟于胸。知道多了反而更紧张，坐在大使馆的电影厅里，我丝毫不觉得轻松，脑子高速运转，反复地想，我们哪些地方可能会出现问题，哪些地方从我自己的角度出发并不感到特别有把握。

“48 秒动画”很精彩，可惜，出于对代表团的尊重，出于现场转播的需要，电视观众并没有看到这个短片，但它所发挥的巨大作用却是谁也不能抹煞的，“随风潜入夜，润物细无声”，这恰恰是那鲜为人知的“48 秒动画”的作用。动画短片一结束，北京奥申委主席何振梁用流利的法语开始了我们的陈述：

主席先生，亲爱的同事：

今天，我谨代表我的祖国和对这次会议充满希望的13亿人民，荣幸地介绍北京第二次申办奥运会的情况。自第一次申办2000年奥运会，八年已经过去了。在此期间，我们国家在现代化发展和社会进步方面取得了巨大进展。正如评估团所评价的，北京有能力举办一届出色的奥运会，北京的奥运会将为中国和体育留下一份独特的遗产。

在我右侧落座的是北京代表团，他们将向您陈述我们的申办。

首先，我向大家介绍的是中华人民共和国副总理李岚清先生，他是中国最高领导人之一，奥林匹克运动的好朋友。现在有请李副总理。

李岚清副总理的陈述

按照事先定好的进程，何振梁先生介绍完之后就该李岚清副总理做陈述了。

李岚清是代表中国政府向大会作陈述发言的，他的陈述词的立场是从官方角度出发的，定的高度很高，又针对奥运主题，我们形象地称之为“两专”：“国家之专”和“奥运之专”。李岚清为了他的这份陈述稿，亲自动手，改了一遍又一遍，一言一语都花费了巨大的心血。

李岚清副总理的陈述词如下：

主席先生，国际奥委会委员，女士们，先生们：

我谨代表中国政府重申，我们坚决支持北京申办2008年奥运会。

中国政府尊重并赞赏国际奥委会评估团所作的结论，我们已经制定了详细的计划，确保在北京举办一届成功的奥运会。

对于北京申办过程中所作出的每一项承诺，中国政府都是支持的，而且将尽一切努力协助北京兑现其承诺。

中国崇尚奥林匹克精神，一贯坚定地支持国际奥委会各项动议。

在过去的几十年中，全国性的“全民健身活动”使中国人民的健康水平得到了很大的提高，人均寿命从35岁提高到70岁。另外，中国运动员的运动水平也在逐步提高，他们在国际奥委会主持的体育赛事中表现得很出色。

为进一步弘扬奥林匹克精神，中国在体育设施方面给予发展中国家很大支持和帮助。例如，我们曾帮助发展中国家建设了36个体育场馆。

女士们，先生们，我谨借此机会向你们保证，如果北京奥运会有赢余，我们将用这赢余建立奥林匹克友谊合作基金，用以资助发展中国家体育事业的发展。如果出现财政赤字，中国政府将予以弥补。

改革开放20年，中国成为世界经济发展最快的一支力量。中国的政治稳定，社会进步，经济繁荣。

北京奥运会不仅符合中国人民的根本利益，而且将进一步促进奥林匹克精神的弘扬，促进和平与友谊，促进世界的稳定与发展。

世界上很多人都有一个梦想，希望有一天能到中国、到北京来，我的同胞们渴望着在北京举办一届将会对奥林匹克运动作出巨大贡献的伟大的奥运会。因此，我从心底希望你们，尊敬的国际奥委会委员们，帮助他们实现这一长期的愿望。

中国的一位圣人孔夫子说过:“有朋自远方来，不亦乐乎！”确实，我们期待着2008年在北京张开双臂欢迎各位的到来。我保证，北京的奥运会将是一届伟大的奥运会。

谢谢。

当时，如何把李岚清副总理的陈述变成富有创意和激情的PPT，我反复思考过许多次。毕竟李岚清副总理代表的是中国政府，配合他陈述用的演示稿必须要慎重再慎重，精致再精致，每一张图片的嵌入、每一种字体的选取、每一个英文单词的措词都让我思量再三。

给李岚清副总理做PPT时还发生了一件事情，这件事也许在许多人看来不值一提，但李岚清副总理不这么认为。这件小事给我触动很大，也直接影响了我制作的主题演示文稿。

李岚清副总理的陈述词中有这样一段:“在过去的几十年中，全国性的‘全民健身活动’使中国人民的健康水平得到了很大的提高，人均寿命从35岁提高到70岁。”

为了配合这段文字，我们费了很大力气找图片，想用图片来表达中国人全民健身的成果。我们发动许多人去找，最后还真找来了一幅图片。这幅图片曾发表在《人民中国》杂志上，估计很多人对这张图片有印象：一个老头带着孙子开心地蹲在天安门城楼下。照片上，老人的笑和孙子的笑，谁都能看出是发自内心的笑，是一种自然的笑，没有任何矫揉造作和扭捏。

我们一致认为这张照片照得非常好，嵌在演示文件中的非它莫属。我把这张图片连同修改好的PPT亲自送到李岚清副总理那里。李岚清副总理看了之后，当场就说，他对这张图片不是太满意。为什么副总理对这张图片会有“看法”？直到他说出来，我才明白过来。图片中的老人笑得开心不假，笑得自然也不假，可问题在于，他中间的两颗门牙掉了。到了岁数的老人掉牙齿是常见的，甚至更能显示出照片的自然来，但是李岚清副总理说：确实，这张照片中的爷孙俩很精神，照得也非常好，把老人和孩子可爱的一面都表达出来了，但他的两颗牙齿掉了，这就不太好了，这说明我们有许多人不注重对牙齿的日常护理。爱护牙齿是一个生活习惯，也是健康的一个表现，一个国家全民健身其实就应该注重护理牙齿这样的小细节，如果国际奥委会的委员们注意到这个细节，反问我们，那就不太好了。

我回到奥申委仔细一想，牙齿掉了确实可能会被西方评委误解为“不健康”。但这张照片实在太有魅力了，它把中国传统建筑和人民的情感和谐地表达出来，我们实在不忍心放弃它。我们赶紧找来最好的技术人员，让他用PHOTOSHOP把老人的两颗牙齿补上。技术人员补得非常好，第一次看这张图片的人，是无论如何也看不出来老人的牙齿是补上去的。

我们把修改后的图片再次送给李岚清副总理。他看了后，对我们说：我们不要作假，还是换一张照片吧。

这件事对我触动很大。经常听周围的人说“实事求是，一切从实际出发”，遇到这件事，我才知道什么叫真正的实事求是。副总理PPT中的每一张图片都是真实的。他讲到援助非洲建设的体育馆，背景就是在非洲拍的体育馆，一点都没有作假，说的和做的一样，做的和播放的一样。把最真实的一面展示给世界，我想我们确实做到了。

后来，这张“老人和孙子”的图片换成了一帮人晨练时打太极拳的图片。事实证明，这张图片的选取同样很成功，它吸引了当时在场的所有委员的兴趣，毕竟，中国对于他们来说，太极拳、武术一直是中国特色之一，是最富有魅力和传奇性的“全民健身”。

有了这个小插曲，我就明白了副总理的演示文稿应该怎么做。比如上面说到的援助非洲建设体育场馆的事，当时为了寻找那几张真实的图片，我花了许多工夫，找了许多人帮忙，才最终把真实的非洲体育场馆图片嵌入演示文稿中。

7月13日那天，李岚清第一个出场，陈述得非常成功。他陈述时用的是英语。整个四分多钟的陈述中，李岚清对英语发音的准确把握、陈述语言的流畅程度，令在座的各位委员大为惊讶。有些人见识过李岚清的英语水平，再次咂嘴称赞；但现场更多的委员是第一次听李岚清的报告，他们感叹，作为中国的副总理，作为中国的国家领导人，李岚清的英语水平是如此地高。现场直播有几次切到奥委会委员们的近镜头，我可以清晰地看到委员们惊讶的神情。

伴着李岚清的陈述，PPT要同步进行播放了——这才是我最关心的。

我仔细看着李岚清身后的大屏幕，当他讲到“在过去的几十年中，全国性的‘全民健身活动’使中国人民的健康水平得到了很大的提高，人均寿命从35岁提高到70岁”时，我看到屏幕上出现了一张以前和李岚清一起打网球的照片——好，太好了，现场同步了，没有问题了！接着，现场同步如水银泻地一样流畅，没任何问题，我的担忧完全是多余的。当李岚清说到中国将帮助其他发展中国家完善其体育设施，例如，我们已经帮助他们建设了36座体育场馆，今后还将继续这样做时，后方的屏幕上出现的是33个场馆的画面；当他讲到过去20年改革开放的过程中中国已经成为世界上经济增长最快的国家之一时，屏幕上出现的是一条GDP增长的曲线。

那条熟悉的曲线让我感到自信心倍增，心中十分得意。为啥？因为配合陈述用的那条曲线是按照人民币做标值的，所以GDP曲线是一直往上的。而在1993年的时候，人民币兑换美元的比例经过了一个从5%到8%的过程，如果用美元做标值的话，那个曲线就会出现一个下滑的波段，这样的话，曲线也就不好看了——在那种场合看到自己设计出的作品，看到自己的创意借助这样一个平台向全世界展示，我心中平添许多自豪。

演示文稿和现场的陈述就像是同一个人操作一样。同步了，没有问题了，一切都顺利地往下进行，大屏幕里流畅的画面让我会心一笑。我往椅背上一靠，心情顿时开朗。说实话，自进入奥申委以后，我始终处在巨大的压力中，从没有想到那一刻的心静如水，从没有想到面对奥运还可以平静自得。我一直担心的同步问题，却被我们操作得那么好，像一杯温茶一样，一点一点滋润着现场每一个人的心。现在回想起来，那种期待已久的流畅真是让人激动。

让我们共享这份独特的遗产

按照顺序，第二个发言的是北京奥申委主席、北京市市长刘淇。

值得一提的是刘淇在申奥时为了这次陈述所下的苦功夫：努力学习英语。由于国际奥委会的官方语言是英语和法语，因此，奥申委的工作人员，尤其是陈述人员，至少必须会说英语和法语中的一门。刘淇在赴俄罗斯前，学英语可谓是到了痴迷的程度。当时他是政府公务和申奥工作两边忙，事情很多，几乎没有时间去学习外语；同时，以他那样的年龄去学一门语言，难度也是非常大的，毕竟学习一门语言不是一朝一夕的事情。让人感叹的是，为了顺利陈述申奥，刘淇利用一切闲下来的时间，突击学习英语，真的把“不可能”变成了“可能”。

在申奥进入最后关键阶段的时候，刘淇甚至将办公室从市政府搬到了奥申委，加大了学习英语的力度。他每天朗读英语的时间将近一个小时，而且还要背下其中某些段落。到后来，在奥申委的办公楼里，刘淇看见谁就会用英语跟谁说话，要人家听听他的发音是否标准。当时，在奥申委里面有很多人英语说得不错，比如杨澜，她是英语科班出身，又在美国读了几年书，英语很是了得，刘淇跟她学了不少。奥申委也请了许多外国专家，诸如前悉尼组委会首席执行官、来自美国亚特兰大的一些专家等等。经过一番努力学习，当我们在莫斯科准备陈述时，刘淇用英语做陈述报告已经没有任何问题了。

刘淇的陈述词中有“我们的市民，无论老幼，正积极学习外语，以便以熟悉而友好的语言来欢迎各国来宾，正如您注意到的，我现在正在学习英语”这一句。也许别人听着没什么感觉，但对刘淇本人来说，这简简单单的一句话背后却是不懈的努力和艰辛的付出。

当时，在设计刘淇的陈述词时，我们有许多不同的意见，但最后大家一致赞同，让刘淇的陈述词用数字说话。现场的委员很多没来过中国，如果仅仅是浮光掠影地介绍一些北京的发展情况，简简单单地表达一下我们的渴望和愿望，可能不会给委员们留下深刻的印象，所以要在他简单的发言里，加入许多数据性的材料，让数据说话，用最直观的文字让没来过北京的委员们了解北京，记住北京。刘淇的陈述词如下：

主席先生，尊敬的国际奥委会委员，女士们，先生们：

"新北京，新奥运"表达了我们在新世纪里由一个既有古老文化传统又具有现代化魅力的城市来举办一届伟大的奥运会的愿望。

我们申办的三个主题为：绿色奥运、科技奥运和人文奥运。我们的目标是在我们的人民，尤其是在4亿青少年中传播奥林匹克理想。

95％以上的人民支持申办——因为他们相信举办2008年奥运会将有助于提高他们的生活质量。

50万以上的志愿者随时准备投入到奥运会的所有工作中。我们的市民，无论老幼，正积极学习外语，以便以熟悉而友好的语言来欢迎各国来宾，正如您注意到的，我现在正在学习英语。

1998年，我们开始了一个120亿美元的十年计划，用于改善环境。我们将在所有的奥运工程中采用最先进可靠的技术。

北京组委会完全有能力履行主办城市合同的所有义务，满足奥林匹克大家庭的所有需要。

我们承诺，解决《评估团报告》中提出的每个挑战性问题。

我想指出：北京2008年奥运会有如下特点：

——它将有助于推动经济发展和社会进步，并将有益于我们人权事业的进一步发展。

——它将推动中国文化与世界其他文化的广泛交流。

——它将在奥林匹克理想普及方面，迈出重要的一步。

女士们，先生们，我非常有信心，北京将在2008年举办一届出色的奥运会，并为中国及世界体育留下一份独特的遗产。让我们共享这份独特的遗产。

谢谢。

“共享这份独特的遗产”，这是多么具有气势和雄心壮志的发言！

在刘淇短短500多字的陈述报告中，就包括了“在4亿青少年中传播奥林匹克理想”、“开始了一个120亿美元的十年计划”、“95%以上的人民支持申办奥运”、“50万以上的志愿者随时准备投入到奥运会”等具体数字，这些数字给现场的国际奥委会的委员们留下了深刻的印象。尽管他们没有来过北京，但是这些数字已经足够在他们的脑海里搭建起一个2008年的北京，搭建起一个现代化奥林匹克承办城市的风貌。

精心设计的“奥运盲区”

按照当日各申办城市的陈述规矩，是要派有影响力的运动员参加陈述的，比如巴黎派出了齐达内。北京这边的运动员代表是乒乓球大满贯冠军邓亚萍——四次奥运会冠军的获得者和1996年奥运会的射击冠军杨凌。邓亚萍负责主陈述。邓亚萍的陈述词充满了激情和对体育的深厚感情，加上她丰富的国际体育大赛的经验，使得她的陈述受到格外关注。

在设计与邓亚萍陈述词配套的PPT时，我遇到了一个“瓶颈”：邓亚萍和国际奥委会委员们太熟了，她的陈述稿件情感太浓烈了，我一时不知该如何设计PPT，才能表达一个“与众不同”的运动员申奥陈述。最终，灵感还是幸运地降临了。我在邓亚萍陈述用的PPT里，插入了一幅世界地图，并找来地理专家，在地图上精心地标注了曾经举办过奥运会的21个现代城市。为什么要这么做？因为邓亚萍独特的个人经历使得她的足迹几乎踏遍了整个地球，为了乒乓球运动征战四海。她在陈述中也讲：“我作为一个运动员，两次参加奥林匹克运动会，参加了世界上很多次的世界级的比赛，十几次世界锦标赛，我到了世界各地，得到了各个国家热情的招待，今天请允许给我一个机会，给我一点时间，让我也尽尽地主之谊，让你们享受到中国人民的热情。”邓亚萍的这番话非常有感染力。为了配合这番话，为了配合她“受到各个国家和人民的接待，一心期盼回报这些国家和人民”的心愿，我把这些举办过奥运会的城市圈点出来，并给现场的委员一些直观的警示：以前20多届奥运会的21个举办城市大部分集中在北美和欧洲，而在亚洲，仅仅只有东京和汉城，墨尔本和悉尼办过两次，底下的南非和南美都是空白的——这样，奥运会的举办地就存在三个盲区：亚洲的东南部、南非和南美。通过这样一张富有创意的幻灯片，一，表达了我们对于奥运会举办城市研究得非常透彻；二，中国这块古老的土地确实需要奥林匹克精神的眷顾；三，也是最重要的一点，通过对南非和南美“奥运盲区”的圈点，来争取当地国际奥委会委员们的票，假如北京申奥成功，那说明，这两个“盲区”里的国家和人民同样有资格申请奥运、举办奥运。

通过别出心裁的“奥运盲区”的圈定，邓亚萍的陈述十分成功。加上她在陈述里又讲了“一个小男孩，当他触摸到火炬时，眼睛立刻就亮了”这样一个小故事，现场的委员对北京的陈述大为赞赏。邓亚萍那段激动人心的陈述词如下：

亲爱的主席先生，国际奥委会委员，朋友们：

我是邓亚萍，四次奥运会乒乓球冠军。我的朋友杨凌是两次奥运会射击冠军。今天，我们谨代表全体中国运动员和4亿中国青少年，站在这里向您陈述。我们知道，奥运会已经在世界20多个城市举行过。中国运动员受到了许多奥运会举办城市的友好欢迎。我本人曾在巴塞罗那、亚特兰大和悉尼作为中国代表团的成员亲身经历了这种友好和欢迎。我们梦想着有一天能够在北京举办奥运会，让我们有机会回报全世界朋友们的友好和情谊。

让我与您及我的朋友杨凌分享我在悉尼参加火炬接力时的一段经历。人们高兴地欢笑着。一个小男孩向我走来，当他触摸到火炬时，眼睛一下子就亮了。我能感觉到，在那个时候，他的一生发生了变化。如果奥运圣火能够来到中国，在4亿青少年的心中点燃，那该有多好啊！

北京将成为运动员理想的比赛场地。运动员将有条件优越的比赛场馆、奥运村，以及一个崭新的和独特的文化经历，尤其是超过想象的众多观众。

现在，我们请您给我们一个亲身经历一届伟大的奥运会的机会。北京的奥运会将成为奥林匹克历史和中国历史中的一个里程碑。这将是激动人心的时刻，现在，我想与我的朋友一起与您分享这一激动人心的时刻。

现场的反应证明，“奥运盲区”的圈定起到了非常大的作用。

通过这样一幅画面，给在场的国际奥委会委员一个警示：是不是这些空白地区的国家也有权办奥运？是否可以考虑让奥运之花也能在这样的空白区开放？

美丽的杨澜和美丽的火炬传递

杨澜的多媒体制作是我们创作出的水平相对较高的一组幻灯片。当时，我们在火炬接力的演示稿中，嵌入了一个三层的 Flash，一个非常大的高精度的地图配合着杨澜的发言，配合着火炬接力的路线。路线需要不断平移，在平移的同时，还需要展示出火炬从雅典出发后所经过的五个文明古国。当地图的线路平移到具体的文明古国时，在图的左下角会出现一个关于这个古国的代表性图片。这是一个由小到大的过程。针对这一组技术含量很高的幻灯片，我们在后期电脑合成上下了大功夫、苦功夫。设计这个嵌入了三层 Flash 的幻灯片，对我们来说，技术层面存在着一些问题，同时，最大的问题在于电脑硬件。当时的电脑 CPU 速度还没达到较高的水平，播放这样一个大容量的幻灯片经常死机，虽然后来我们一再处理，但为了保持较好的效果，容量依然很大，在排练时，就出现过经常死机的现象，这不能不引起我们的担忧。

因为诸多原因，从一开始理念设计到最后成熟嵌入，从人气到技术环节，可谓困难重重。虽然事先做了许多排练，我心里还是没有十足的底气。所以，杨澜一上场，我就开始担心起来：PPT 会不会卡住？会不会不同步？假如不同步我们该怎么办？那么多地点，那么多闪烁的亮点，如果快了怎么办？如果慢了又当如何？

杨澜走向陈述台的时候，我的心一下子就提到了嗓子眼上。那天，美丽的杨澜以一袭亮丽的中国传统旗袍亮相。她在陈述时那流畅自如、淡定自信的气质吸引了在场的所有人，至今仍有许多人对那画面印象深刻。负责现场转播的国际奥委会的工作人员，对重点把握得特别好，在杨澜陈述到"火炬接力"时，他自然而然地把镜头切到了杨澜背后的大屏幕上。我精神高度紧张起来。

火炬接力路线一点点平移，没有问题……当杨澜讲到火炬将跨越珠穆朗玛峰的时候，后面 PPT 的图片也顺利出来了。之后，杨澜陈述，中国的奥运圣火将通过西藏，穿过长江和黄河，踏上长城，途经香港、澳门、台湾，在组成我们国家的 56 个民族中传递。这个时候，电视画面完全被杨澜所吸引，又切回到杨澜身上去了。此时，我不知道杨澜身后大屏幕上的 PPT 会不会发生什么情况。一直到杨澜把这一段讲完，这个镜头都没有切回去。当时，我很着急，不知道那段 PPT 有没有出问题。当然，现在看起来完全是杞人忧天，但在当时的确是很揪人的。

回国以后，我在铺天盖地的媒体报道中看到了对杨澜陈述的盛赞，尤其是她陈述词中有一段对马可 · 波罗的引用，更是让无数人欢欣鼓舞。杨澜发言如下：

主席先生，女士们，先生们：

下午好！

在向各位介绍我们的文化安排之前，我想先告诉大家，你们 2008 年将在北京度过愉快的时光。

中国拥有自己的体育传统。大约在公元 11 世纪宋朝的时候，人们开始玩一种叫做“蹴鞠”的游戏。这个游戏被认为是古代足球的起源，在当时非常流行，女性们也自成一队，玩得兴高采烈。现在，您该明白为什么我们现在的女子足球队那么厉害了。

在新北京，有许许多多精彩纷呈的事情在恭候您，这是一座充满活力的现代都市，3 000 年的历史文化与都市的繁荣相互交织。除了紫禁城、天坛和万里长城这几个标志性建筑，北京拥有无数的戏院、博物馆和迪斯科厅，各种各样的餐厅和购物场所。这一切的一切，都会令您感到惊奇和高兴。除此之外，北京城里还有千千万万友善的人民，热爱与世界各地的人民相处。北京人民相信，在北京举办 2008 年奥运会将推动我们的文化与全世界各种文化的交流。他们将向您和您所领导的奥林匹克运动尽情表达他们对奥运会的感激之情。

在我们的文化计划中，教育交流将是我们的首要重点。我们将在全国弘扬奥运精神，以留下一笔精神和体育财富。

从 2005 年至 2008 年，我们每年将定期举办文化活动。我们将开展多元文化活动，如有全世界青少年参加的音乐会、展览、艺术比赛和野营。在奥运会期间，这些文化活动将同时在奥运村和全市范围内展开，以方便运动员们参与。

我们的开、闭幕式将为中国和世界杰出艺术家提供舞台，讴歌人类的共同理想、我们独特的文化和奥林匹克运动。

基于丝绸之路带来的灵感，我们的火炬接力将开创新局面，从奥林匹亚山，途经人类古老的文明发源地——希腊、罗马、埃及、拜占庭、美索不达尼亚、波斯、阿拉伯、印度和中国。以“共享和平，共享奥运”为主题，奥运永恒不息的火焰将穿越喜马拉雅山脉，到达世界最高峰——珠穆朗玛峰，也就是Mt. Everest，从而达到一个新的高度。在中国，奥运圣火将通过西藏，穿过长江和黄河，踏上长城，途经香港、澳门、台湾，并在组成我们国家的56个民族中传递。通过这样的路线，比以往任何一次接力数量都多的人民将目睹火炬，并受到鼓舞。

如此短的时间实在是难以展现我们文化计划的全貌。在我陈述结束前，我想告诉您一个故事。700年前，惊奇于他有关那个美丽的遥远国度的描述，人们问马可·波罗：您那些有关中国的故事是真的吗？他回答道：我只不过将我所见到的向你们描述了一半而已。事实上，今天我们向您展示的也仅仅是正在恭候您到来的北京一隅。

女士们，先生们，我相信北京将向运动员、观众以及全世界的电视观众证明：这是一块神奇的土地。到我们中间来吧。

谢谢主席先生，谢谢大家！

杨澜发言完毕，就该何振梁先生出场了。

感人至深的结束语

在那次陈述会上作最后总结发言的是何振梁先生。

按照程序，何振梁发言完毕后，接下来就是北京代表团最后一个陈述程序：播放申奥短片《万众期待》。放完这个近五分钟的短片，我们的陈述就结束了。当时呈现给电视观众的陈述排列顺序和我们当初设计的程序是不同的：在一开始设计整个陈述稿时，我们曾有意识地把何振梁的讲话放在整个陈述之外——把他的陈述放在最后面，放在申奥短片后面。

为什么当初会有这样的安排呢？

我们的宣传片具有很强的视觉冲击力，四分多钟的短片融合了诸多的中国元素和奥运元素，加上短片对音乐、画面的精致剪裁、搭配，它无疑会给现场委员们带来强烈的感官刺激和心灵震撼。如果短片一结束我们就让何老出场，那就能让委员们在兴奋之后体验语言的脉脉温情、抑扬顿挫、一张一弛，更能打动人心。

此外，何振梁的身份和代表团里其他陈述人不同，他有双重身份：一是北京奥申委的成员，是整个中国申奥陈述的主持人；一是国际奥委会的执委会委员。他陈述文的开场和其他所有人都不同，前面陈述人的开场是："尊敬的主席，尊敬的各位委员……"何振梁的开头却需要这样说："尊敬的主席先生，亲爱的同事们……"事实上，何振梁的发言非常感人，他说："我为了奥林匹克运动贡献了一生，所以我希望在我的职业生涯中，把奥林匹克带回我的祖国，带给我祖国的人民。"在那样庄严的场合作这种发言，会给台下的委员带来一种情感碰撞，这种情感碰撞，说到底，来自心底最柔软的部分。每个人都需要这样的感情，每个人都会被这种感情触动。

把何振梁的发言安排在短片之前还是短片之后，大家有些分歧。最终，还是把何振梁的发言放在短片之前。12号那天，最后一次排练完了，我心中不是特别满意，赶紧去找敬民主席，跟他说，当初我们给何老设计的位置是放在最后的。我又把自己的看法说给他听。敬民一听有些着急，他问为什么不早说。我说，刚开始我们就是这么设计的，来到这边时间紧张，调整之后未来得及坐下来好好想想。他问我还能不能改。我想了想，对他说：能改！

我们真的就开车去了现场。等我们开车到了后台，才发现晚了，后台已经戒严了，任何人都不允许再进去，没办法，时间顺序的安排最终还是这么定下来了。但最终的陈述效果还是特别好，我们依然获得了成功。

现在，我常常回忆起何振梁那段感人肺腑的陈述。当时，我坐在电影厅里看直播，听到何老动情的发言，眼泪竟哗哗落下，何老真的为了奥林匹克贡献了自己的一生，其间，他的努力，他的付出，他所忍受的初次申奥失利的种种苦痛，是常人无法想象的。甚至在初次申奥陈述时，何老还随身携带了速效救心丸。我相信，像何老那种出自内心的发言，浓缩自己一生的陈述，打动了在场的所有委员，当说到那句"在我的职业生涯中，我一直梦想将奥运会带到中国，我也想让我的同胞们在祖国体验奥林匹克梦想永恒的魅力"的陈述词时，现场一片寂静，所有人都被台上那个深情的老人打动了，被他们那个温和的同事打动了。从那以后，我坚信，语言的魅力来自人，来自人对个体、生命的浓缩，来自人内心深处最真实最诚恳的那一部分。何振梁的发言如下：

2001年7月13日，国际奥委会第112次全会在莫斯科举行。大阪、巴黎、多伦多、北京、伊斯坦布尔五个城市的申奥代表团在莫斯科世界贸易中心进行了陈述。这是中国奥委会名誉主席何振梁在陈述会上发言。（王长山/摄，图片来源：新华社）

主席先生，亲爱的同事们：

无论你们今天做出什么样的选择，都将载入历史。但是，有一个决定必将创造历史。你们今天这个决定将通过运动促进世界和中国的友谊，从而为全人类造福。

近50年前，我第一次参加了赫尔辛基的奥林匹克运动会。从那时起，我就深深地被奥运精神所感染。和祖国的许多同胞一样，我认为奥运的价值是普遍的，它的圣火照亮了人类共同前进的道路。

在我的职业生涯中，我一直梦想将奥运会带到中国。我也想让我的同胞们在祖国体验奥林匹克梦想永恒的魅力。

选择北京，你们将在奥运史上第一次将奥运会带到一个拥有世界上五分之一人口的国家，让十多亿人民有机会用他们的创造力和奉献精神为奥林匹克运动服务。

亲爱的同事们，您今天所传递的信息将意味着一个全球团结新纪元的开始。

如果举办2008年奥运会的荣誉能够授予北京，亲爱的同事们，我可以向你们保证，七年后的北京会让你们为今天的决定而自豪。

谢谢。

大屏幕里，何振梁的发言像涓涓细流，一点一点流淌到现场每个委员的心里。

在设计何振梁的陈述用多媒体演示稿时，我们下了很大的功夫，在他的演示稿中特意采用了英、法文互现的方式。何振梁的外语素养非常高，精通法语和英语，如何体现何老的这种语言才华，是我们设计 PPT 时必须考虑到的一个重要因素。何振梁在陈述过程中要交替用法语和英语陈述，我就想，那为何不把 PPT 也设计成两种语言的呢？何老用法语陈述，我们就把标注英文的 PPT 切换上去；何老用英语陈述，我们就把标注法文的 PPT 切换上去。这样，现场的委员们都能够很好地把握何振梁的陈述词。

何振梁对中国申奥事业所作出的巨大贡献，所付出的努力，真是常人无法想象的。他为中国奥林匹克事业奉献了一生，他为把奥林匹克带回中国作出了艰辛的努力，他的经历让我想起了《钢铁是怎样炼成的》中最著名的那句话："一个人的生命应该这样度过：当他回首往事时，不会因虚度年华而悔恨，也不会因碌碌无为而羞耻。"我想，何振梁先生真可以骄傲地对我们说："我的整个生命和全部精力，都已献给了世界上最壮丽的事业——为奥林匹克事业而奉献我的一生。"

令人大跌眼镜的第一轮投票

如果说，上午大阪、巴黎和多伦多的陈述我还能耐心地听下去，到了我们陈述完之后的最后一个申办城市伊斯坦布尔，我已经完全无法集中精神去听他们说的每一个字了。之前，看我们自己的陈述精神太过兴奋，能量消耗很大。到伊斯坦布尔陈述时，我甚至感觉到自己的手臂肌肉软弱无力，连水杯都端不起来了。

和我这种心情相同的是我的那些同事们。

我们完全沉浸在北京代表团一个小时流畅的陈述中，兴奋、紧张，又颇为担心——最后的结果出来之前，谁也不能肯定我们就是最后的胜利者。

我的这种担心并不是没来由的。

在 7 月 12 日，《纽约时报》"不合时宜"地刊发了一篇分析文章，着重提醒北京要耐心等候结果，谨防"高票落选"。他们甚至举出例子来说明在申办奥运的历史上

“高票落选”现象并非没有发生过。例如2000年奥运会，北京当时呼声最高，却在最后以两票之差输给悉尼；1996年亚特兰大奥运会，原本被一致看好的雅典最终输给了亚特兰大。

公说公有理，婆说婆有理。

在最终投票结果出来之前，这些消息都会依据“事实”把可能会出现的结果分析得头头是道。谁的分析最准确？能够回答这个问题的只有最终结果——那个将从五个城市中脱颖而出的幸运者。

眼中看着伊斯坦布尔的陈述，我反复回味的却是我们自己的陈述。无论是陈述环节、申奥短片的播放，还是最后的问题回答，我们都表现得非常好。对我们来说，我们的工作已经完成了，剩下的只是静心等待，等待那个非凡时刻。对我个人来说，几个月的冲刺申奥其实就是经历着一场漫长的等待。过去一百多天的等待并不觉得有多苦，有多难熬，紧张的氛围、高效的节奏容不得我去想等待的漫长。可就在结果出来前的一刹那，我突然无法安下心来，熬不下去了，整个人的精神处于崩溃的边缘，头脑前所未有地清晰，同时又变得模糊一片，那种滋味令人难以忍受。

伊斯坦布尔很快就完成了他们的陈述，甚至比规定的45分钟时间还要短。委员们问的问题也都很简单，不痛不痒，大有比我还疲惫的架势，这更加让我们坚信伊斯坦布尔并不具备和北京竞争的能力。

按照国际奥委会第113届全委会的议程，在五个城市结束陈述后，由评估小组进行评估报告。值得一提的是，评估报告中特别指出对北京的评价:“奥运会由北京主办可为中国及未来整个体育发展留下一笔特殊而意义深远的遗产。”而国际奥委会主席萨马兰奇在评估小组出发前特别提示小组成员，评估团要从各项技术性条件出发来完成评估。这些也都被视为北京的胜选有了好的开始。国际奥委会评估团主席维尔布鲁根对五个申办城市进行评估报告。谈到北京时，维尔布鲁根说:“北京举办奥运会可以为中国、为运动界留下宝贵的遗产，而且北京也能举办很好的奥运会。从风险来讲，没有太大的风险，主要是经济增长、人口增长和环境，可能有一些影响。我们还是维持我们过去的决定，根据我们报告当中所说的，它能举办一个很好的奥运会。”结果分为：表现较优的第一类，有北京、多伦多、巴黎三个城市；表现较差、主办奥运会可能有风险的第二类，有大阪、伊斯坦布尔。

投票马上就要开始了。

从这一届的奥运会申办开始，投票方式发生了改变。以前奥运申办投票采用的是手写方式，1993 年北京申办失利的那次就是采用手写方式投票的。手写方式投票的缺点是太慢，写票、计票、统票工作都需要工作人员手工操作，相对繁琐。如果第一、二轮选不出来，要鏖战到第三甚至第四轮才能出结果，那么采用手写方式投票将会用去好几个小时的时间。

为此，国际奥委会的技术委员会专门为这届执委会的投票过程设计了电子投票系统。在投票前，国际奥委会发给在场的每位委员一个电子投票机。投票机上有五个城市的编号——按照陈述顺序进行的编号，1 为大阪，2 为巴黎，3 为多伦多，4 是北京，5 则是伊斯坦布尔。评委们只需在投票机上按下相应的号码，再按“发送”键就完成了全部的投票操作。这样做的好处是节省时间，减少可能会出现的人为误差，尽可能快地把结果公布出来。

国际奥委会的投票是不记名投票，高度保证投票委员的隐私。就是说，投完票之后，投票记录要被当场销毁，除了投票人本人之外，不会有第二个人知道他把自己手中的那一票投给了谁。整个过程是这样的：当奥委会的委员们按完投票电钮，个人选中的投票结果会被立刻传到监票人那里，与此同时，电脑系统会将投票人的个人记录立即销毁。

那一届的奥委会执委会为了监督投票结果的公正有效，更选派三名监票人，分别是德国的巴赫、塞内加尔的姆巴依和菲律宾的艾里扎尔德；投票结果在三位委员的监督下统计之后再打印出来，交给萨马兰奇主席当场宣布结果。

北京能不能在第一轮胜出是我们对第一轮投票最为关心的一个结果。当时，对第一轮投票结果的预测，虽然每个人都持不同的意见，但舆论大致上存在着一个相对明确的排序：排在第一的是北京，第二为巴黎，第三为多伦多，第四为大阪，而第五的位置无疑是留给伊斯坦布尔的。

莫斯科时间 17:52，第一轮投票开始。

当日，共有 122 位国际奥委会委员出席 112 次全会，除去萨马兰奇和各申办城市国际奥委会委员外，共有 108 位委员进行首轮投票。按照国际奥委会的规定，如果第一轮投票中有候选城市选票过半，那就表明它将获得 2008 年奥运会的主办权。可如果要在这一轮投票中胜出，就意味着该城市需要获得 54 张以上的投票，其他四个城市的选票总和不能超过54张，难度很大。

几分钟后，第一轮选举结果出来了。

委员们通过各自手中的电子选票机把自己心目中的城市发送出去。经过三位监票员紧张的核对统计，第一轮投票的结果出来了。从姆巴依和其他监票人平静的表情可以看出，第一轮投票应该没有城市胜出——结果没有什么值得期待的。但大使馆电影厅里的每个人都很紧张：没有结果，说明还要投下去，到了第二轮投票，那自然更加紧张。

投票现场，萨马兰奇站在主席台上公布了第一轮的结果——第一轮没有城市胜出，第一轮被淘汰出局的是日本大阪。黑马出现了，伊斯坦布尔悲情战术奏效了。当时，我们并不知道第一轮每个城市的具体票数，按照奥委会事先的规定，当场不会公布每个城市的得票数，只公布是否有城市胜出以及被淘汰出局的城市。

大阪，做了精心准备的大阪，以欧美标准来执行申奥进程的大阪，在第一轮就惨遭淘汰。事后，当我知道了第一轮每个申办城市所得的票数之后，我再次为伊斯坦布尔这座城市而惊讶。第一轮的具体结果是：北京44票，多伦多20票，伊斯坦布尔17票，而呼声很高的巴黎居然只有区区15票，最后一名大阪只有6票，刚及伊斯坦布尔得票数的三分之一多一点。

谁都能想到，第一轮得票最多的非北京莫属。

可在这个“第一非北京莫属”之外，谁能想到第一轮被淘汰的会是日本大阪？谁能想到巴黎在第一轮投票中仅仅排在第四的位置，比伊斯坦布尔还要少2票？谁又能想到伊斯坦布尔会在首轮投票中瞬间成为黑马，以17票位列第三，比第二的多伦多只少3票？

白纸黑字不容更改，事实成了对各个城市陈述的最好评价：44票、20票、17票、15票、6票，五个城市，五种命运，就这样写在了奥运会申办史上。

令人大跌眼镜的首轮投票，让其余四个城市中除伊斯坦布尔之外的三个都快乐不起来。伊斯坦布尔虽然排在第三，但依然笑得很开心，因为他们成功地实现了他们战前的目标：“我们知道自己会输，但请不要让我们输得太惨。”与之相反的是大阪人的情感失落：“我们知道自己会输，但哪里想到我们会输得这么惨！”

后来，日本媒体沮丧地评价这一结果说：“尽管申办失败对很多人来说并不意外，但在第一轮投票中仅仅获得6票，令很多日本人感到震惊。”日本大阪为申奥投入了大量的资金，请了诸多欧美专家，但结果令人失望。大阪一个反对申奥的市民团体甚至发表声明，要举行集会，要求大阪奥申委主席、市长矶村隆文引咎辞职。

第一轮投票没有城市过半。

按照规定，执委会马上开始进行第二轮投票，又一次扣人心弦的投票开始了。

巅峰时刻：我的4456

大阪在第一轮被淘汰出局，多多少少出乎我的意料；伊斯坦布尔在第一轮投票中的“超常发挥”自然也出乎了我的意料。不过我仔细一想，联系我们陈述之前对投票结果的预测和分析，自信心又增加了几分。

第一轮投票，伊斯坦布尔17票中大部分应该为“同情票”，有些委员认为第一轮不会有结果，为了顾及伊斯坦布尔人的情绪，所以把票投给了伊斯坦布尔，好让他们增加对申奥的信心；到了第二轮，不出意外，结果就会出来，这些委员们必须要认真起来，对自己手中的一票负责。这样，本来投给伊斯坦布尔的同情会分流给最具备实力的北京。

此外，大阪被淘汰，投给它的6票如果不出意外，也大部分会分流给北京。

伊斯坦布尔分流来的票、大阪被淘汰出局后6票中的一些票，加上北京在第一轮的良好表现，此次申奥投票应该会在这一轮结束——而结果自然就是我们北京。

第一轮投票是熬人的。

第二轮投票更让我饱受煎熬。

第二轮的投票刚开始就出了点小问题，投票机出了点小故障，奥组委的工作人员赶紧抢修，现场气氛很紧张。

这个意外的插曲，使观看现场直播的电影厅里的现场气氛也非常紧张，整个电影厅静得像沉到了海底，我能够听到自己心跳的声音，能够听到手腕上手表指针转动的声音。

很快，投票机的故障排除了，据说是因为操作人员操作不当所致，并无大碍。

第二轮投票开始了。

当时，我和陈述组的四个人坐在电影厅里的第一排。眼见三名监票人紧张地核对着第二轮的结果，然后，其中之一走过去把投票结果从打印机里抽出来，他略略看了看，眼角稍稍流露出一些喜悦的神情，这个转瞬即逝的表情立刻被我们捕捉到了——有了，一定是我们。我们四个立刻跳起来。

在那种高度紧张的气氛下，人的第六感觉显得十分敏锐，那一个不经意间的喜悦眼神，足以让我们相信，我们赢了。我们跳起来，招致现场其他人的不满，后面的人大声嚷嚷让我们坐下。我们哪里还能安心坐下？“气势汹汹”地和后面的人辩了几句，心不甘情不愿地再次坐下。

投票现场的程序还在一步一步来。

结果还没宣布，但我们已经感觉出了结果。为什么我们这么肯定那个负责打印的奥委会委员善意的微笑眼神是给北京报喜？那个委员不是别人，正是负责监票的塞内加尔委员姆巴依。出于职业习惯和前期得到的一些信息，我们知道，姆巴依是北京申办奥运会的有力支持者，他拿到投票结果的一瞬间，朝会场不经意地看了一眼，流露出的表情看似很“平淡”，但还是被我们这些人解读出来了：“投票结束了，你们北京赢了。”姆巴依在那样的场合“泄露天机”的行为非常正常，就像所有人一样，得到了一个自己期望中的结果，得到了一个自己满意的结果，通过表情流露出来是非常自然的。

他把打印出来的结果交给奥委会负责法律事务的委员。那位负责法律事务的委员郑重其事地把结果装到信封里，然后把信封封上（第一轮投票没有封上信封），转交给萨马兰奇主席。这一连串的程序说明，这一届奥运会申办的投票工作已经结束，申办2008年奥运会的城市已经确定，那个信封里就装着这个全世界都迫切想知道的结果。萨马兰奇和那个委员简单交谈了几句后，拿起信封起身向发言讲台走去。同姆巴依相比，萨马兰奇的表情要冷静许多，从他的脸上丝毫也揣测不出信封里到底装着哪一个城市。

萨马兰奇站在了主席台上——尽管我们相信一定是北京，但是不到萨马兰奇宣布是北京的那一刻，我们还是很紧张。

离结果只有十几秒钟甚至只有几秒钟的工夫，我们注意力高度集中，我和其他三个同事不由自主把手放在了一起。我们谁也没有注意到，我们这个不经意的叠手动作已经被旁边的摄影师抓拍下来了。摄影师的捕捉是独到的，因为几秒钟之后，他们再也无法拍摄到这样“理性”的喜悦镜头。81岁高龄的奥委会主席萨马兰奇那一声“北京”刚一脱口，整个电影厅里就已经哭成一片。伴着哭声的是不可抑制的欢呼与呐喊。

我们几个把手叠在一起，也抱在一起哭起来。我现在还不时想起几十个成年人一起哭泣的“丢人”场面。那种哭不是嚎啕大哭，是强烈的幸福冲击情感后控制不住的哭泣——谁都能看出来，这种哭泣代表的是一种无法抵挡的喜悦和幸福——这一幕同样被摄影师抓拍下来。

我们回国后才发现，宣布结果几秒前的那个叠手动作，还有宣布结果后“眼泪横飞”的场面，都被刊登在了《北京晚报》上。图片的标题是“决战莫斯科——感受那一刻心跳”。

我不得不佩服写出这行文字的人，那一刻，也许真的只能用“感受心跳”这样的字眼来形容；接着，这两张照片又被无数的平面媒体和网络媒体转载。

几秒钟前，我们感到了幸福即将降临。

几秒钟之后，我们用横飞的眼泪向北京、向祖国宣告：我们不辱使命，我们赢了，北京获得了 2008 年奥运会的主办权。

当时，在那种场合，谁也不去关心北京在第二轮投票中究竟得了多少票，反正票数多少已经没有实质性的意义，对我们来说，结果最为重要。过了几天，我知道了第二轮投票的结果，惊讶地大张嘴巴。太巧合，太巧合了。男儿有泪不轻弹，我这次又轻易地为这个投票结果流下了眼泪。第二轮投票的结果对我来说，意义非凡，它具有永久的纪念意义，它用它的神秘和神奇给我带来了幸福和喜悦，甚至是惊讶和振奋。

第二轮的投票结果是：北京得了 56 票，多伦多得 22 票，巴黎得 18 票，伊斯坦布尔得 9 票。结果同我们在第二轮投票前预测的相吻合，一些出于同情心的委员把第一轮投给伊斯坦布尔的票转投给了我们，我们以 56 票高居第一，并以超过半数的 52 票获胜。

第一轮 44，第二轮 56，这两个数字让我如何能够平静下来？联想到在北京开始陈述之前我和北奥广告有限公司的老总陈少云一起讨论北京排在第“4”位置陈述的插曲，我只能为之惊讶：1956 年 4 月 4 日，这个我写无数次简历时必须要写出的几个数字，居然在如此重要的场合出现了。申奥巅峰时刻，我通过那些数字，敏感地意识到，它和我息息相关，不仅仅是我曾为此忙碌，为此彻夜不眠，更重要的是，

2001年7月13日，在莫斯科举行的国际奥委会第112次全会上，国际奥委会主席萨马兰奇宣布，北京市获得2008年奥运会主办权。（图片来源：新华社）

北京申奥代表团欢呼北京市获得2008年奥运会主办权。（赵迎新/摄，图片来源：新华社）

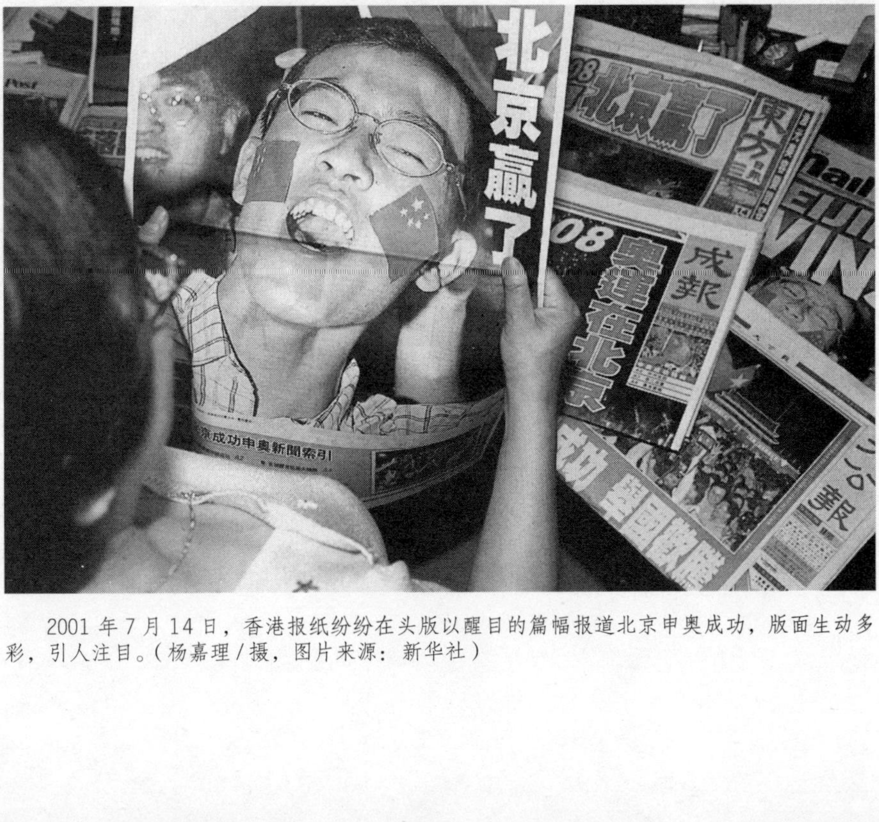

2001 年 7 月 14 日，香港报纸纷纷在头版以醒目的篇幅报道北京申奥成功，版面生动多彩，引人注目。（杨嘉理/摄，图片来源：新华社）

那些给北京和中国人带来巨大喜悦和幸福的数字恰恰组成了我的生命——我的生日是1956年4月4日。

我们如愿成了最后的胜利者！

我们在莫斯科城把百年梦想实现了！

56票获胜对中国来说，更有一个特别的意义，因为在这片富饶的土地上，共同生活着56个勤劳善良的民族。

（选自2008年第7期《时代文学》，有删节，作者：黄克俭）

莱蒙湖作证

——中国15年入世谈判史解密

2001年11月10日晚，卡塔尔首都多哈。随着一声槌响，世界贸易组织（WTO）第四届部长级会议审议通过了中国入世法律文件。它意味着，历经15年的奋争与期待，中国终于被WTO所接纳。然而，中国入世谈判究竟经历了怎样的一种艰辛？长达15年的谈判究竟经历过哪些惊心动魄的交锋、哪些鲜为人知的内幕、哪些难以忘怀的场面？

在瑞士西南部的日内瓦城，横卧着一片清澈如月的湖泊——莱蒙湖，又称日内瓦湖。看上去，此湖面积不大，波澜不惊，与欧洲众多的湖泊没有什么区别。然而，这里却蓄积着醇厚久远的文明底蕴，不断创造着推促人类前进的伟大动力。

千百年来，莱蒙湖始终是智者的天堂。曾几何时，卢梭在湖畔漫步，拜伦在湖上泛舟，斐迪南·德在湖尽头的私宅里构思社会学著作，卡尔·马克思面对水光山色续写他那震古烁今的《资本论》……而在20世纪末至21世纪初，中国与世界则在这儿上演了一场历时15年的智者对话和较量。

莱蒙湖的北岸楼舍林立，藏幽纳胜，是联合国欧洲总部和诸多国际组织的所在地。这其中，有一座建筑属于昔日的关贸总协定（GATT）、今日的世界贸易组织（WTO）。它有两扇不太高大但挺厚重的正门，是用加拿大原木制成的。一些人说门很好推，一些人却说门很难推，关键在于开关的诀窍。近15年，莱蒙湖见证了一群执著的中国人在用力叩击这两扇门。有一天，在又一次的碰撞与磨合中，门被不知不觉地推开了——

1971年10月25日，联合国通过著名的2758号决议，恢复中华人民共和国在联合国的合法席位。外交部长乔冠华在会场开怀大笑的镜头成为新闻摄影史上的经典。接着，中国在其他国际组织的席位很快被恢复了。

然而，中国在关贸总协定中的席位仍然空缺着。

20多年后，当中国复关谈判进入异常艰苦的阶段，人们一度感到困惑：假设2758号决议通过后不久中国马上就提出复关申请，借助当时的形势，是否会比以后少一点阻碍和波折?

历史是不容假设的。70年代初的中国面对西方的经济封锁和变幻莫测的冷战态势，仍在实行封闭的中央计划经济，对外贸易高度垄断，外商投资更是零。而关贸总协定要求开放市场，让外国产品最大限度地进入。双方的距离差之千里。

国务院发展研究中心高级研究员季崇威对我讲述过这么一件事：70年代中期，中国政府一个代表团访问美国，在参观福特公司时，对方提出愿意与中国合资办企业。中方官员却吓出一身冷汗：你是资本家，我是共产党，怎么可以合作呢?

观念和体制上的南辕北辙，使中国与GATT第一次失之交臂。

1982年11月，中国政府代表团首次以观察员身份列席了GATT第38届缔约国大会。代表团团长卜昭敏会见了总干事邓克尔。这是中国与关贸总协定的第一次对话。同年12月，国务院批准经贸部《关于参加关贸总协定的请示》。坚冰，总算开始消融了。

经过长达四年的酝酿、观察和准备，中国政府于1986年作出决定：正式申请恢复在关贸总协定中的缔约国地位。7月10日，中国常驻日内瓦联合国机构及其他国际组织代表团大使钱嘉东通过GATT副总干事马吐向总干事邓克尔递交了申请照会。四个月之后，GATT新一轮谈判——乌拉圭回合谈判拉开帷幕。邓克尔说："中国的申请是获得参加新一轮谈判的钥匙。"

2001年初冬，就在中国入世的几天后，我找到了当年钱嘉东递交的照会原文：

尊敬的总干事先生：

我荣幸地通知阁下，中华人民共和国政府，忆及中国是关税和贸易总协定的创始缔约国之一，现已决定要求恢复中国在总协定的缔约国地位。

中国目前正在执行对外开放、对内搞活经济的基本国策，并将在未来坚持这项政策。中华人民共和国政府坚信，正在进行的经济改革进程将有助于扩大同缔约各国的经济贸易关系，中国作为一个缔约国参加总协定的工作将有助于实现总协定的目标。中国是一个发展中国家。中国政府期望得到与其他发展中缔约国同等的待遇。

中国准备同缔约各方就恢复缔约国地位问题进行谈判。为此目的，它将提供有关经济制度和对外贸易制度的情况。

阁下如能将中华人民共和国政府的要求转达缔约方全体，加以考虑，我将对此深表谢意。

顺致崇高敬意！

中华人民共和国常驻日内瓦联合国机构及其他国际组织代表团大使　钱嘉东

1986 年 7 月 10 日

对谈判时间表的预测令各成员大跌眼镜。“白菜豆腐”并不好咽。吉拉德到头来竟干了十四年半！

毫无疑问，中国复关和入世谈判是多边贸易体制史上最艰难的一次较量，在世界谈判史上也极为罕见。

自 1986 年至 2001 年，在双边谈判中，中国与要求谈判的 GATT（后为 WTO）37 个成员开始了旷日持久的拉锯式较量。

这 37 个成员是：美国、欧盟、加拿大、日本、韩国、澳大利亚、新西兰、菲律宾、新加坡、印尼、斯里兰卡、马来西亚、泰国、土耳其、印度、巴基斯坦、吉尔吉斯、拉脱维亚、阿根廷、巴西、智利、哥伦比亚、委内瑞拉、乌拉圭、墨西哥、危地马拉、厄瓜多尔、哥斯达黎加、秘鲁、古巴、瑞士、挪威、波兰、冰岛、匈牙利、捷克、斯洛伐克。从 1997 年 5 月与匈牙利最先达成协议，到 2001 年 9 月 13 日与最末一个谈判对手墨西哥达成协议，这期间起伏跌宕，变数频现，时而山重水复，时而峰回路转。有人曾作过一个比喻：这场谈判就像打一个靶子，每次中方瞄准靶心时，靶子却总是莫名其妙地移动开去。

但是，中国最主要的对手是美国，其次是欧盟。前者与中国谈了 25 轮，后者与中国谈了 15 轮。

双边和多边相结合是复关和入世谈判的特质。工作组作为多边框架，其工作基础是申请方与缔约方的双边磋商，同时这种双边磋商的结果最终要多边化，即得到所有工作组成员的首肯。中国提出复关申请后，非常重视与主要缔约方，特别是美国的双边磋商。尽管根据总协定的加入程序，最终要理事会以三分之二多数投票决定是否批准加入国的申请，但那只是形式而已，工作组在提交理事会投票之前，必须在全体工作组成员之间达成共识。而如果一个主要缔约方不同意的话，工作组根本不可能进入到投票程序。正因如此，与主要缔约方的双边磋商十分重要。

国务委员吴仪在她担任外经贸部部长时多次说过，一个积极分子申请入党必须经过党支部表决同意，WTO相当于一个党支部，美国就是支部书记，欧盟就是组织委员，虽然中国要想加入进去得让多数成员点头，但假如支部书记和组织委员不同

1986年7月11日——中国正式照会关贸总协定总干事，要求恢复中国总协定缔约国地位。这是关贸总协定的成员在东京开会。（图片来源：新华社）

意的话，这一关绝对过不了。

石广生曾向我透露：在双边谈判的37个对手中，其他成员都是在某一个或某几个方面提条件，比如泰国，只要你中国多进点他的香米就行，厄瓜多尔无非让你多买他几串香蕉，委内瑞拉只关心乳化沥青，菲律宾的主攻目标是椰子油，只有美国和欧盟的谈判是包罗万象，事无巨细，剪不断，理还乱。

江泽民的十六字方针："不急不躁，顺其自然，因势利导，水到渠成。"李岚清说："如果客人带清洁纸还可以，大功率的吸尘器我们吃不消。"

1993年，江泽民在西雅图会议上与克林顿首次会面时，亲自给这场谈判确定了三条原则：

一、没有中国参与是不完整的；

二、中国必须作为发展中国家加入；

三、坚持权利和义务的平衡。

针对美欧等西方国家在谈判中的高要价，江泽民还确立了十六字方针："不急不躁，顺其自然，因势利导，水到渠成。"

这些原则和方针，对复关和入世谈判指导意义非同小可，使中方在谈判中一步步扫清各种障碍，一步步走向预期目标。

这里，我们不妨重点解剖一下中美谈判和中欧谈判。

美国也好，欧盟也罢，无非是要求中国开放市场。而中国随着实力增强和开放度的提高，也需要逐步开放市场。问题就在于如何开放市场。

外经贸部首席谈判代表龙永图坦陈：谈了15年，我们在原则问题上坚持了15年。

如果我们什么都答应的话，谈判早就结束了。谈判过程之难，拖延时间之长，正说明我国为维护自身根本利益所付出的巨大努力。另一方面，谈判多打几个回合，也为国内产业和企业争取了固本强体的缓冲期。

我记得1998年10月29日，早已升任国务院副总理的李岚清在人民大会堂东大厅会见来访的欧盟主席桑特时，双方曾有一段饶有趣味的谈话：

桑特："希望中国尽快向欧盟的投资者发出具体的开放市场信号，这样做有利于中国加入 WTO。”

李岚清：“中国改革开放的最大特点是要有一个渐进的过程。为什么必须是渐进的呢？因为受到各种条件的制约。我们中国人有个传统，请客人的时候，要把房间打扫干净，打扫干净四个人的地方，就请四个客人；打扫干净八个人的地方，就请八个人。我们不希望客人把衣服弄脏了。有些朋友说，没关系，客人可以带大功率吸尘器。我们说，如果客人带清洁纸还可以，大功率的吸尘器我们吃不消，尤其是索罗斯那样的‘吸尘器’我们最害怕。我们今后有办法对付大功率吸尘器时，可以对索罗斯开放，但不是今天。”

中方一贯坚持，开放市场的条件和速度必须与中国的经济发展水平相一致，中国必须以发展中国家的地位加入 WTO。谈判的焦点就在这个上头。中方同意的市场开放是逐步的、有条件的。中方提出，在电信、金融等一些事关国计民生的重要领域，合资企业中方要掌握主导权，外方不能控股。有的行业不能马上放开，要经过 3 年、5 年、7 年的过渡期。

双方争的就是这些条件。

中国和美国，这对历史上曾经兵刃相见的冤家，在和平年代的贸易关系变得难解难分。一个是最大的发展中国家，一个是最大的发达国家。1978 年，中美贸易额仅为 19 亿美元，2000 年增长到 745 亿美元，双方互为最重要的贸易伙伴。

由于社会制度和文化背景的不同，中美之间存在诸多分歧。但贸易是超越意识形态障碍的桥梁。虽说贸易关系常常会被用来作为政治斗争的筹码，但其本身的魅力无可阻挡。美国商人不会忘记，近 20 年来，中国共买了美国上亿吨小麦、近千架飞机。

中美谈判范围广、内容多、难度大。美国凭借其经济实力，要价很高，态度强硬，谈判还不断受扰于各种政治因素。如果把谈判过程记录下来的话，将是一套很有意思的文献，可以作为一流大学有关院系的教学“宝典”。在整理本文的写作思绪时，面对厚厚几大本中美谈判原始资料，我有些不知所措，只能选取两个“有始有终”的时段来试加描述：一个是 1986 年中美第一轮谈判，一个是 1999 年中美最后一轮谈判。其间跨越了 13 年的艰辛和摩擦，令人平添岁月蹉跎之叹。

中美第一轮双边磋商，纽柯克提出“五项基本原则”。看了深圳和厦门，美方更不愿意承认中国是发展中国家。

1986年11月，中美第一轮双边磋商在北京举行。

美国负责关贸总协定事务的助理贸易代表纽柯克率美国代表团于11月18日乘国泰330航班自香港抵京，随行人员共五人：美国贸易代表办公室关贸总协定处处长克莱茵女士，中国处处长威廉·阿布内特，美国国务院中国处副处长白莉德女士，美国商务部关贸总协定事务办公室主任波默纶斯女士，美国商务部中国和香港处官员李杰飞。美驻华使馆经济参赞魏德曼和一秘唐瀛洲也参加磋商。

中国代表团由沈觉人率领，成员有王天策、李国栋、陈炳华、吴家煌、陈健、施建新、董尚明、姜韧、傅自应、朱鸿杰和王世春。

20日，磋商开始。沈觉人简短致辞后，纽柯克发言。40岁出头的纽柯克说话语调迟缓，并不总是直视对方。与他的后任道斯金相比，谈判风格有很大的不同。纽柯克给人以较为务实的感觉，不像道斯金那样骄横跋扈。

纽柯克说：没有任何一个国家像美国这样欢迎和希望中国进入关贸总协定，美国将同中国手拉手地进行谈判，而不是互相指责和争吵。美国相信，中国参加国际贸易体制将给各方带来积极成果，也有助于中国努力实现经济现代化。

纽柯克说：美国完全赞同中国增加市场机制，下放管理权，采用反映供求关系的价格体制，美国也认识到中国是在决心实施改革的形势下寻求获得关贸总协定的缔约方地位，但是，由于很多因素会影响中国改革的程度和速度，缔约方还不了解中国改革的进程，也无法设想这些改革将会很快产生一个更具市场机制的经贸体制。关贸总协定的条款是建立在进出口贸易适应市场价格变化的设想之上的，进出口商根据价格尺度自由作出商业决策。由于中央计划经济国家不是根据市场情况作出买卖决策，没有完善的价格机制，人们普遍认为这些国家不能承担通常的关贸总协定义务，因此，从法律意义上说，它们参加关贸总协定本身并不能扩大市场准入，所以，以往对于中央计划经济国家，或是根据其加入文件中的特殊规定，或是在临时基础上加入的。基于上述原因，美国和其他缔约国将要在谈判过程中同中国讨论如何处理缔约方所提的各种问题的途径。

纽柯克概述了美国在处理中国加入GATT问题上的五项基本要点，并认为应当反映在加入的文件即议定书中。这五项要点包括：

1. 统一性

关于中国贸易制度的统一性问题。纽指出，中国参加关贸总协定的条件，应在中国境内所有地区，对来自所有国家的进口同样地加以适用。目前，中国在不同地区以不同的方式对进口产品实行许可证、估价、边境收费和技术规章，这在关贸总协定中是不允许的。

2. 透明度

关贸总协定第10条规定，一切法律、司法判决、普遍适用的行政裁决和其他贸易管理规章都必须公布，并使关贸总协定缔约国及其商人可以获得；在贸易待遇方面的变化也必须正式公布。目前在中国获取贸易机会和贸易规章方面的情况是捉摸不定的，这种状况必须改进。透明度问题还包括提供贸易和其他有关经济数据，因为缔约方需要更好地了解中国的情况。

3. 非关税措施

中国在海关估价、许可证、数量限制等方面的现行做法与关贸总协定条款不一致，需要改变。中国长期中断在关贸总协定中的活动，现在应考虑参加东京回合达成的非关税壁垒守则问题。

4. 价格改革

关贸总协定条款要求缔约国的价格体制反映生产要素和整个供求关系。中国目前显然还未在全面的基础上建立起这种价格体制。中国应在载有其参加关贸总协定条件的文件即议定书中提及实行这种体制改革的计划，并说明这种体制改革的时间表和范围。这一点对中国如何加入关贸总协定是至关紧要的。以往缺少真正价格体制的国家加入关贸总协定，是基于承认关贸总协定条款不可能对其充分实施这一事实之上的。因此，中国正式承诺最终实行这种以价格为基础的经济改革是极为重要的。

5. 特殊保障条款

中国正在向一个价格真正有效的经济体制过渡，但在中国建立起以市场价格为导向的经济体制之前，缔约方需要用其他方法来确保在中国市场上获得关贸总协定所规定的权利。因此有必要在中国参加条件方面列入一项市场扰乱条款，适当地解决争端的程序和对中国的进展进行年度审议的规定，直到不再需要这些规定时为止。

关于中国加入谈判的方式和时间，纽柯克说：中国是恢复还是加入的问题现在可不必谈，先谈实质性义务问题，这类问题解决之后，方式问题就很容易处理了。中国的恢复是一个独特的问题，在关贸总协定的历史上没有先例，我们也不需要先例。

纽柯克还对中国准备提交关贸秘书处的外贸制度备忘录草稿发表了评论，建议备忘录应当少用概念性措辞，更多地写入有关进出口政策与管理的具体内容。

沈觉人首先阐明了中国在解决关贸总协定缔约国地位问题方面的基本立场，即以恢复的方式、承担关税减让的基本义务和享受发展中国家地位，然后对美方的五项要点作了简要的反应：

1. 中国的贸易政策和关税制度是全国统一的。除了在四个经济特区执行比其他地区更加优惠的政策和具有更大灵活性之外，中国在全国范围内实施统一的贸易政策、措施和关税制度。如果出现不一致情况，那是执行过程中的问题，将予纠正。

（美方听后，并不太信服。白莉德半开玩笑地说，下次谈判要到地方上去核实此点。）

2. 中国将按照关贸总协定第10条的规定，递交和公布有关贸易法规和资料。在开放过程中尽量做到已有的法规透明，尚待制订的规章，今后在制订后将及时公布。

（沈当场还向美代表团每位成员赠送了尚未公开发行的最新版《1986年中国对外经济贸易年鉴》。）

3. 关于非关税措施，有的涉及东京回合的守则，这些守则并不是关贸总协定的组成部分，但是中国也正在对有关守则进行认真研究，将根据研究结果考虑是否参加。

4. 中国正在进行价格体制改革。这是中国自身经济体制改革和现代化建设的需要。到1990年，中国价格改革将逐步做到，除极少数主要商品由国家定价外，其余商品价格逐步放开，由企业根据生产成本和供求关系来自行决定。

5. 关于价格改革目标实现以前的过渡期的有关措施，在一定条件下定期审议中国的改革情况是可以考虑的。关于增加市场扰乱条款，中国认为根据关贸总协定第19条保障条款足以处理市场扰乱情况，要求中国接受纯中央计划经济国家的做法是不合适的。

至于中国恢复的时间问题，沈提到在乌拉圭与美国贸易谈判代表尤特会谈时，尤特曾期望中国在一年内解决恢复的问题，但如果谈判需要更长的时间，中国也是有耐心的。沈还表示在外贸制度备忘录的最后修改稿中，将尽量反映美方所提的具体建议。最后，沈提出，美国应消除国内立法障碍，履行其国际义务，按照关贸总协定的规定，在中美之间实施无条件的最惠国待遇。对此，纽柯克回避未作答复。

中美第一轮双边磋商，双方均表明了谈判的立场。纽柯克来华之前，曾分别到欧共体总部布鲁塞尔、加拿大和日本交换意见，欧、日、加都表示愿意由美国率先与中国磋商。美方所发表的意见在很大程度上也反映了其他主要缔约方对中国复关的立场。由于初步了解了各自的立场，双方都对磋商结果表示满意。

22日，首次来华的纽柯克等人在游览了长城和十三陵之后，乘中国民航425航班经东京回国。自然，纽柯克和沈觉人并不知道，当这场双边谈判画上句号时，已是13年后。

其后不到半年时间里，中美又进行了两轮磋商。

这儿要提一笔的是，1987年4月，美国代表团先后参观了深圳和厦门，以了解中国的经济特区情况。深、厦之行对美国代表产生了两个客观作用：一是看到中国经济体制改革的成效；二是因为深感特区发展速度之快，而未与其他落后地区相比较，代表们更不愿意承认中国的发展中国家地位了。纽柯克说："在深圳、蛇口和厦门，我们看到了中国通过实施市场原则是何等有力地发展了经济贸易。经济特区调动了各方面的活力。""我们相信，如果在其他地区也适用这些特区已经形成的条件，这将是中国美好的未来。"同时他又说："我在这一次访问特区过程中看到了中国的情况，使我怀疑中国是否真的要寻求'欠发达'这个称号。"

中美最后一轮磋商好像捉迷藏。石广生拍案而起："中国人怕外国人发火的时代一去不复返了！"巴舍夫斯基躲到洗手间给克林顿打电话。朱镕基亲临现场。江泽民说：不打不相识。

1999年11月，中美第25轮双边磋商在北京举行。谁也不敢肯定，这是中美最后一轮谈判。

当年4月，朱镕基访美。各方都寄望于朱的美利坚之行能够终结中美谈判。之前，中方派出先遣组，与美方就大部分问题达成共识。眼看大功告成，然而，克林顿政府慑于国内反华势力的高压，临阵退缩，失去了达成双边协议的机会。

朱镕基离开美国后，美国工商界似是大梦初醒，意识到美国政府错失大好机缘，一些商业巨子质问克林顿："你这次为什么不跟中国签协议？！"

5月8日，美国轰炸中国驻南斯拉夫使馆，中美WTO谈判中断，两国关系降到了建交20年来的最低点。

此后，美方多次要求恢复谈判。8月27日，克林顿致信江泽民希望讲和。中方高层从中美关系大局出发，在炸馆事件得到初步解决后，最终同意恢复谈判。9月10日，外经贸部部长石广生和美国贸易代表巴舍夫斯基利用APEC会议之机，在奥克兰进行了会谈，中方代表团由外经贸部、外交部、信息产业部、人民银行、保监会和国家机械局的主管人员组成。

10月17日，江泽民应克林顿请求与其就WTO问题通了电话。11月3日，克又写信给江。11月7日，两人再次通了电话，江泽民阐明了中国的原则立场。双方商定在北京重开谈判。

11月10日上午，以石广生为首的中国代表团和以巴舍夫斯基为首的美国代表团再次坐在了一起。双方都派出了强大的谈判阵容。美国代表团包括总统经济顾问斯珀林、白宫亚洲事务主任李侃如、助理国务卿帮办谢淑丽、驻华使馆临时代办麦克海、助理贸易代表卡希迪以及财政部部长助理和商务部人员。中国代表团则由15个部委的有关人员组成。

这场谈判异常艰苦，几度中断，甚至有一段时间失去了联系，双方好像玩起了捉迷藏。

巴舍夫斯基回忆说，1996年，美日就签署半导体贸易协定展开谈判，"日本人能连着好几夜不睡觉，如果他们打算熬夜，我愿意奉陪到底。"在长达54个小时的谈判中，她只睡了20分钟。

然而这一次在北京，是中国人准备奉陪到底了。外经贸部的若干办公室里摆上了行军床，龙永图的房间也不例外。

我没有问过巴舍夫斯基在中美这场谈判中睡了几个小时，但有一点可以肯定，她在美日谈判中的记录被打破了。

石广生强调，这次中美谈判是根据两国领导人的指示进行的，中国政府重视此次中美谈判，希望双方本着互谅互让的精神，争取“双赢”结果，达成协议。他强调了中方在最为敏感的电信、保险、汽车、音像等问题上的立场。

巴舍夫斯基和斯珀林则表示：这次谈判是非常重要的，不管成功与否，都将载入史册。克林顿总统代表美方作出的巨大让步是史无前例的。如果双方达成一个好的协议，美国政府将全力以赴促使国会给予中国永久正常贸易关系（简称PNTR，即最惠国待遇）。

双方开始就电信、保险、汽车、音像问题进行具体磋商。这几个领域成为中美最后谈判的焦点。

为避免出现美方了解中方在其他所有问题上的灵活性后而最终拒绝接受中方在最关切问题上的要求，石广生坚持要与巴舍夫斯基进行阶段性交换意见。11日凌晨，双方举行第二次小范围会谈。石再次要求巴对中方最关切的问题表态，巴建议双方专家继续就其他领域进行讨论，然后再全面评估。

11日下午，双方举行第三次小范围会谈。美方提出一份一揽子建议，仍坚持增值电信、寻呼和寿险的外资比例为51%；汽车关税降至25%的时间同意由2005年延长到2006年7月1日，但要求中方在实施期的前几年大幅降低关税；音像方面，坚持要求控股和独资；特殊保障条款将在15年内取消；反倾销条款没有取消时间表。

当天，石广生和龙永图即向朱镕基等作了汇报，并研究下一步的谈判对策。

12日上午，国务委员吴仪主持召开了国务院WTO领导小组会议。顺便说一下，她是这个小组的组长，另一位国务委员王忠禹是副组长，组员是国务院各有关部门负责人。

12日下午，中美举行第四次小范围会谈。石广生代表中方提出一揽子建议，作为对美方11日提交的一揽子建议的回应。中方坚持增值电信和寿险的外资比例不能达到51%和汽车关税、音像等问题上的立场，在其他一些问题上则表现了一些灵活性。

巴舍夫斯基听完石的发言后说：“我感到悲观，中方的建议没有真正体现出中国的政治决策，跟克林顿总统的大胆建议不相符。中方作出一些进展，但在美方最感兴趣的领域没有任何进展。美方最关心的问题如议定书等中方根本没有作出任何让步。我担心目前谈判已经无路可走。”

斯珀林表现得极为恼火，大发雷霆。他说：“我一直在努力相信你们是有诚意的，想达成协议。但是看了你们对议定书的出价后，我再也不相信了！我以为我们放弃了一般保障条款和纺织品这两个重要的政治上‘赢’的方面是一个大错误，因为这会使你们利用我们的总统，欺负我们的总统。我得出的结论是，你们以为我是一个大傻瓜！”

这位白宫的“大内高参”越来越失去控制：“除非我们在特殊保障条款和非市场经济的反倾销问题上取得重大进展，否则我们不可能把协议拿回去！如果我告诉总统，经过三天谈判以后，你们说这两个条款的终止日期是2003年，他肯定会讲，你们马上坐飞机回来！我们绝不可能接受这个！而且你们永远永远永远永远永远永远也不会得到最惠国待遇！！！”说着，他不断地拍桌子，“我一直告诉自己，我要保持镇静，但这是一个侮辱！”

石广生怒目圆睁：“告诉你，中国是一个主权国家，没有任何一个国家可以强加于我们任何东西！你可以同意，也可以不同意！你没权力说我们欺骗你们的总统！要说欺骗，你们4月份的清单才欺骗了我们！我们是在谈判，应该有商有量，不能只完全满足你们的要求才算是好的出价。至于你们给我们什么，你们随便！我们不强求你们！我告诉你，今天我们讲的是中国领导人的决定！你们的要求必须满足了才能达成协议，中国的事情你们不理解吗？只有百分之百地满足你们，哪有这个道理！你再生气也没用，我们不怕你！”

斯珀林的态度变得更恶劣更无理，石广生说：“最惠国待遇是你们应该给的！一般保障条款和纺织品WTO本来就有规定！你们给了，我们表示赞赏。不要以为给了，就要百分之百地拿回你们要的东西！中国有自己的根本利益，也希望双赢，我们做了这么多努力，你还发火！中国人不怕发火。中国人怕外国人发火的时代一去不复返了！”言毕，他“啪”地一拍桌子。

会场的气氛紧张到了极点，几乎令人窒息。美方代表一个个目瞪口呆，而中方代表听完石广生的话都觉得热血沸腾。

巴舍夫斯基开始打圆场了。这位出生于波兰的女律师是中国谈判团的老对手，但她有个特点：喜欢中国的东西。在1996年6月那场著名的中美知识产权谈判中，她在签署协议时就穿了一件典型的中式对襟上装，被我作为花絮写进新闻述评里。那次临上飞机前，她还不忘在首都机场免税店为女儿买了几件中国工艺品。此次中美WTO谈判，她每天都要换着系上漂亮的中国丝巾。巴舍夫斯基说：“对于目前无法解决的问题，我也束手无策。我们将研究中方的建议，并在几个小时之内作出书面反应。反应将是直接和坦率的，然后你我再决定再次见面是否有意义。”

当晚，美方提交了“对结束双边WTO谈判的立场文件”，提出在双方达成协议的条件下，美方同意放弃增值电信和寿险股权51%的要求，在其他问题上特别是音像等方面仍坚持其立场。美方要求中方安排朱总理会见。

13日凌晨，朱镕基主持召开国务院紧急会议，研究了美方文件和中方对策。

13日上午，朱镕基会见了巴舍夫斯基一行，代表中方对美方的要求作出了答复。他说：“不管谈得成谈不成，咱们照张相吧。”巴舍夫斯基闻言为之动容。

13日下午，石与巴举行了会谈。美方又提出了一份修改过的文件，同意放弃增值电信、寿险外方占股51%，但要求写明外方可以享有管理控制权，录音、录像的分销要求包括出版，允许外资控股。

双方自13日21点进行技术级磋商。14日凌晨3点，美方突然中断磋商离开会场，会谈暂停。复会后，美方又以当日上午返回华盛顿威胁中方。14日上午9点休会后，美转交了一封事先打印好的致石广生的信，称谈判已陷入僵局，要求再次见朱总理。

在中方要求下，14日中午，石与巴又举行了两次会谈。巴表示，克林顿将于北京时间14日18点30分离开美国赴欧洲访问，需要在他出访前对外宣布达成协议，要求中方加快谈判进度。石表示，何时达成协议，要看技术级磋商的工作进度而定。17时40分，在双方进行技术级磋商时美方又突然撤离，此后故意不与中方联系。

15日上午，石再次与巴会谈。巴对技术级工作进度极为不满，认为中方有意拖延时间，并出言不逊。石严词驳斥，美方态度有所收敛。

当天11点30分，朱镕基、钱其琛、吴仪等人的专车忽然驶进中美谈判的地点——外经贸部，几位中国高官在11层会议室里会见了巴舍夫斯基和斯珀林等。

朱镕基说：“现在我们正在京西宾馆开一个非常重要的会议，江主席正在讲话，而我和钱副总理、吴仪国务委员来到了这里，这个会议本来是由我主持的，江主席正在讲话，可主持人走了。”

巴舍夫斯基说：“我今天感到非常荣幸，看到这么多高层的领导人来接见我们，真是难能可贵，真想拍张照片放在相框里。”

当时，在寒风中苦等了六天六夜的中外记者都在外经贸部门外等信，而我则幸运地混入现场，在朱镕基等人会谈的房间隔壁静候结果。中午12点多，有人进来告诉我："里面的人都笑了，估计有戏。"不一会儿，朱镕基等从会议室出来，并迅速下楼离去。果然，在这场关键的谈判中，朱镕基坐镇指挥，最终解决了几个最棘手的问题，并确定双方将在下午达成协议。

之后，石广生与巴舍夫斯基加紧展开最后的谈判，双方工作组开始核对文本。这中间，巴曾躲到洗手间给远方的克林顿打电话，请示中美悬而未决的化肥问题，克林顿同意将化肥单独作为一个双边问题来解决。

11月15日下午4点，石广生与巴舍夫斯基签署了两国关于中国加入WTO的双边市场准入协议。签毕，两人的手紧紧握在一起，使劲抡了好几下。四周响起热烈而长久的掌声。代表们高举香槟，频频碰杯。石广生、龙永图脸上露出了难得的笑容。几天前还在谈判桌旁咆哮的斯珀林看上去兴奋不已，他在讲话中高度评价了石、龙、巴这三位中美出色的谈判家。而巴舍夫斯基则激动地与斯珀林拥抱说："我真希望我的妈妈在这儿。"签字仪式上被使用得最多的一个词是：双赢。

下午5点，江泽民在中南海瀛台会见了美国代表团。他用了一句古语："有志者，事竟成。"对双方代表团锲而不舍的工作精神和取得的成果深表赞赏。

斯珀林说，一个星期来，他有幸近距离地目睹了世界上两个最强硬的谈判者的谈判。

江泽民笑着引用《水浒》里的话说：不打不相识。

巴舍夫斯基说，她刚刚给克林顿总统打过电话，总统委托她当面向江泽民主席表示感谢。克林顿认为，正是由于江主席从战略的高度来看待和处理两国关于中国加入WTO的谈判问题，才使得双方终于达成了协议。

中美协议的签署，大大加速了中国入世的进程。中国已经一只脚踩进WTO的门内。很快，中国与一些国家相继达成协议。

不过，中美之间的较量并未就此完结。

克林顿对国会说：如果不批准中美入世协议，恐怕要后悔20年。朱镕基说：不只是后悔20年。美国参议院以压倒多数的投票通过给予中国PNTR。

中国承诺逐步开放市场，而美国承诺解决中国永久正常贸易关系，即无条件最惠国待遇。

2000年3月16日，九届人大三次会议举行记者招待会。亚洲CNBN记者问朱镕基：如果美国国会拒绝批准给予中国永久正常贸易关系的话，中国将会作出什么反应？中国会否在美国不支持的情况下加入WTO？而且那样的话，中国会否拒绝让美国商业进入中国市场?

朱镕基答：关于美国给予中国永久正常贸易关系的问题，这是中美达成协议的一个基础和前提。中美双边协议来之不易，是一个庄严的政府间的协议，我们两国政府都有责任使它获得国会批准而成为法律。中国政府已经尽了努力，在中国的人大方面已经没有任何问题了。克林顿总统已经承诺，而且确实在努力使美国国会能够通过给中国永久正常贸易关系。克林顿总统说过这样一句话：如果现在不批准，恐怕要后悔20年。我可以加一句，不只是后悔20年，恐怕千百年以后，美国人民翻到这段历史时，也会后悔，为什么当时犯这个错误？掩卷而长叹兮！因此，我完全相信美国国会议员的明智和理智，一定能通过给予中国永久正常贸易关系。

政治家的话总是具有惊人的预见性。当年5月24日，美国众议院以237票赞成、197票反对、1票弃权通过了《授权给予中华人民共和国永久正常贸易关系法案》。该议案提交参院后，少数人蓄意阻挠，致使表决时间一再拖延，但在多数参议员的支持下，最终于9月19日，美国参议院以压倒多数的投票通过。

这是中美经贸关系中具有历史性意义的一个事件。

欧、美在利益上你死我活。中欧谈判一波三折，欧盟不吃中美谈判的残羹剩饭，北京一次又一次地等待拉米。

平心而论，中欧谈判不像中美谈判那般风诡云谲，惊心动魄，但也是一波三折，困难重重。

2月21日～24日，中欧在京就WTO问题进行了磋商。谈判的最后一天，欧盟突然提出一份解决谈判中遗留的技术性问题的一揽子建议，称如果不能解决这些问题，拉米将不会到北京来。中方对这种类似最后通牒的要求当然不会买账。拉米终于没有成行。

2000年5月19日，中国和欧盟就中国入世达成双边协议。这是外经贸部部长石广生和欧盟贸易委员帕斯卡尔·拉米分别代表中、欧签署协议。（高学余/摄，图片来源：新华社）

3月，拉米却出人意料地来到了北京。29日，朱镕基在中南海紫光阁会见了拉米。朱总理开玩笑说："我一看就知道你是一个很难对付的谈判对手，因为你跟我们的石广生部长一样，谈判把头发都谈光了。"

经过五个回合，双方仍未达成协议。当天双方对外发布的新闻稿充满外交辞令："双方表示磋商是积极的、建设性的，并富有成果，今后还将继续进行磋商。"

5月11日下午至13日，双方再次在北京开始工作级磋商。

5月15日早7点47分，拉米抵达北京，当天下午3点会见石广生。

又是几番唇枪舌剑，中方始终坚持原则，死守中美谈判中的底线。同时，在某些产品如陶瓷等关税减让和保险许可证发放数量方面，适当照顾了欧盟的利益，做了一些灵活处理。

5月19日下午6时20分，石广生与拉米分别代表双方签署了中欧关于中国加入WTO的双边协议。记者们都说：这下大伙可以歇几天了。7点05分，江泽民在中南海瀛台会见了拉米及欧盟代表团，对中欧达成协议表示祝贺。

中欧的这盘和棋，是继中美达成协议后中国入世谈判中取得的又一次重大突破，它标志着中国入世谈判已经进入到多边文件的起草阶段。

“摁下葫芦又起瓢”，多边谈判难以搞掂。在江南水乡周庄的游船上，石广生与佐立克成交了。

对于多边谈判，多数人普遍认为这比双边谈判要简单，只是走个程序而已，美、欧都搞掂了，还有什么搞不掂的？社会上一些所谓 WTO 专家也在不同场合乐观地锁定了中国入世的最后时间表。

世事难料，正是“摁下葫芦又起瓢”，偏偏多边谈判又添麻烦。多边谈判法律性、专业性强，内容十分庞杂。在农业补贴、保险、外贸、分销等问题上，各成员方跟中方代表没完没了地较劲。当然，带头折腾的还是美国。

在多边谈判中，中方始终坚持权利和义务平衡的原则，力争使谈判的结果不与国内法律的基本原则相违悖，不与国内的社会、政治制度相抵触；务求使中方所作的承诺与世贸组织协议的原则和规定相一致，与国内经济发展水平和产业的承受能力相一致。

2001 年 6 月，APEC 贸易部长会议在上海举行。石广生与巴舍夫斯基的继任者佐立克“顺便”谈了农业、保险等遗留问题。石特意选择了江南水乡周庄的一条游船作为会谈地点。他笑着说：“在这样诗情画意的环境里，想吵架都吵不起来！”从游船回到上海浦东，深夜 2 点，中美终于达成“全面共识”——成交了！

9 月 17 日，WTO 总部。日内瓦当地时间下午 3 点 30 分至 5 点 20 分，WTO 中国工作组第 18 次会议就中国加入 WTO 的所有法律文件达成了一致，完成了多边谈判。1987 年 3 月 4 日成立的中国工作组也随之结束了历时 14 年零 6 个月的历史使命。中国代表团团长龙永图在发言中说：“今天是一个值得纪念的重要日子。”

那么，在多边谈判中，中方承诺了什么呢？

多边谈判主要解决了四类问题：一是中国承诺遵守 WTO 的基本原则和要求，包括透明度、国民待遇、统一性等；二是明确我国在 WTO 相关协议，如农业协议、技术性贸易壁垒协议等协议中享受发展中国家权利；三是 WTO 成员承诺取消对华歧视性贸易限制和措施；四是我国根据 WTO 要求进一步改革外贸权、与贸易有关的投资措施等管理规定。

多边谈判的主要结果是：

1. 遵守 WTO 基本规则

在多边谈判中，中方承诺遵守国民待遇、透明度、统一性等 WTO 基本原则。

首先，国民待遇是世贸组织的基本原则，各方必须遵守。现在，中国已基本上实现了对进口产品的国民待遇。今后，将对目前仍在实施的有违国民待遇的做法和政策进行必要的修改和调整，如化学品首次进口登记和进口香烟销售中存在的进口产品和国产品待遇不一致的问题等。

其次，世贸组织要求其成员实行统一的贸易政策。1994年经全国人大通过的《外贸法》已经确立了实行统一的外贸政策的原则，目前存在的问题主要是执行不力。中方承诺在整个中国关税领土内统一实施贸易政策。

最后，透明度是世贸组织的又一基本原则。中方承诺履行世贸组织透明度的规定。实际上，我国从1991年开始已经逐步做到了对外公布涉及外经贸的法律、法规以及部门规章。入世，要通过完善相关制度，确保透明度原则的实施。

2. 司法审议

中方在承诺遵守WTO司法审议规定的同时，坚决拒绝了美欧的不合理要求。

世贸组织要求其成员在贸易投资领域为当事人提供上诉、司法审议和复议的机会，也就是我们通常所说的"民告官"。世贸组织成员的企业和个人，在与中方进行经贸合作过程中，对中国有关部门在执行法律法规时所作出的决定或者处理不服，可以到法院上诉。国内《行政诉讼法》对司法审议已经有明确规定，中方承诺在与《行政诉讼法》规定不冲突的情况下，履行有关司法审议的义务。但是，对美欧等西方国家提出的不合理要求，比如美方要求中外企业和个人可以就中国的行政法规和规章本身向法院提起诉讼，由于这是对中国主权的侵犯，也超过了《世贸组织协定》的规定，中方予以坚决拒绝。也就是说，中方只能同意"民告官"，不同意"民告法"（包括法规和规章），最终迫使美方放弃了这一要求。

3. 外贸经营权

中方在承诺逐步放开外贸权的同时，保留了必要的管理的权利。

目前，中国对企业获得外贸权实行审批制，而国际上的通行做法是，企业在依法注册后，就可以获得进出口权。美国在谈判中要求外国商人和企业不经过任何形式的登记就可以直接经营进出口，这必然会对中国的经济管理体制造成冲击，引起混乱。中方坚持，在外贸权方面，只能承诺国民待遇，而不能接受超国民待遇的要求。经过艰苦的谈判，美国终于被迫承认了中国在进出口管理上的合法权利。谈判的结果是，入世三年后，中国将取消外贸权审批制，所有在华企业经过登记后都可以获得外贸权，但指定经营产品除外。这种外贸权仅指进口和出口的权利，并不包括在国内销售产品的权利，国内销售的权利是通过服务贸易的谈判决定的。

4. 与贸易有关的投资措施

根据中国外商投资管理的实际情况，中方承诺遵守世贸组织《与贸易有关的投资措施协议》。

《与贸易有关的投资措施协议》要求取消对外国投资者的外汇平衡要求和当地含量要求。中国曾在《外资法》和《汽车产业政策》等法规中有外汇平衡要求和当地含量要求。由于国内已经实现了人民币在经常项目下的可兑换，外汇平衡要求已失去实际意义。当地含量的要求对国内产业发展曾起到了积极作用，随着国民经济实力的增强，取消政府强制规定，改用经济手段和其他手段，其作用可能会更大。据此，中方将在入世后取消这些强制性的要求。目前，大多数世贸组织成员在法律、法规和部门规章中已不再强制规定出口实绩要求和技术转让要求。中国有些法规虽有这些规定，但实际上由于难以监督和检查，执行效果并不理想。入世后，中方承诺出口实绩和技术转让由投资的企业双方通过谈判议定。

5. 过渡性保障条款和反倾销条款

经过谈判，美国最终同意经过一个过渡期，取消针对中国的带有歧视性的特殊保障条款和反倾销条款。

世贸组织协议中有关于保障条款和反倾销条款的规定。长期以来，美欧通过其国内立法，对华实施“特殊保障条款”和“非市场经济的反倾销条款”，这与世贸组织普遍适用的规定不一致。在谈判过程中，美欧借口中国不是市场经济，提出建立所谓“毕业制”，即由他们来判定中国哪些部门、哪些企业，在什么时候可以适用世贸组织规则，实质是企图将美欧目前的做法永久化。中方与美欧进行了长期的斗争，达成“日落条款”，即在一个明确的时间内，美欧取消这些做法，过渡期结束后，必须适用世贸组织规则的正常条款。在中美达成的双边市场准入协议中，美方被迫同意对“特殊保障条款”和“非市场经济的反倾销条款”分别提出12年和15年的取消时间表。

6. 国营贸易（即进口专营）

经过谈判，中方对一些重要产品保留了进口专营的体制。

世贸组织允许通过谈判保留或者取消享受垄断权的进口指定经营。为使中国在加入世贸组织后保留对进口的合法调控手段，中方在谈判中要求对重要商品的进口继续实行指定经营管理。通过艰苦谈判，中方保留了原油、成品油、化肥、粮食、棉花、食糖、植物油和烟草八种关系国计民生的大宗产品的指定经营管理（即由我国政府指定的少数公司专营）。同时，参照国内目前实际进口情况，对非指定经营的比例作了规定（非指定经营指加工贸易等非一般贸易方式的进口不需要由指定公司经营）。

7. 取消了其他成员对中国产品的贸易限制

经过谈判，所有对中国维持贸易限制的世贸组织成员，都承诺取消贸易限制。

欧盟、土耳其、泰国、墨西哥、挪威等世贸组织成员承诺，对来自中国的产品所采取的不符合世贸组织协议的禁止进口或数量限制措施，全部按时间表逐步取消。欧盟同意，在2005年以前，全部取消保持了多年的对我国鞋类、陶瓷餐具等产品的数量限制，在过渡期内还要增加中国产品的配额量。

8. 农产品国内支持

经过谈判，中国获得8.5%的农业国内支持水平，为今后我国农业扶持政策预留了空间。

世贸组织规定，成员方对农业提供的补贴，主要指价格补贴（被称作“黄箱”补贴），超过了一定限度就要承担削减义务。这个限度对发达国家来说，是占其农业国内生产总值或某一特定农产品生产总值的5%，对一般发展中国家则是10%。美国提出，中国的补贴允许量不得超过5%，即要求中国采取发达国家的标准。从实际情况看，中国1996年～1998年间“黄箱”补贴量年均只有35亿美元，不到3%。但在谈判中，中方要求享受发展中国家的权利。围绕这一分歧，中美进行了艰苦谈判。中方据理力争，美方最终同意中方补贴允许水平为8.5%，并已在多边谈判中为各方所接受。这一结果，较好地体现了中国的发展中国家地位，维护了广大农民的根本利益，使政府在扶持农业发展方面具有较大的政策空间。

为什么没能在WTO取代.GATT之前加入？发达国家漫天开价，一些发展中国家也难缠。龙永图说：“我们对个别缔约方表示不满，对多边体制的前景表示担忧！”吴仪亲自到机场迎候复关未果的中国代表团。

我从多哈采访归来后，许多朋友和同事问我：为什么中国没能在1995年1月

WTO取代GATT之前进入这个组织？要是那样，我们不就可以少交更多的学费吗？

事物从来就不会尽如人愿地直线式发展。

自1978年以来，中国经济的快速增长，在WTO各成员中引起了普遍的疑虑和担忧。发达国家自不待言，流行“中国威胁论”，怕经济上站起来的中共也在政治上让“红色”渗入全球，因此步步设防，处处作梗，谈判中漫天开价，有时搅得天昏地暗。如美国，第一个目标是通过市场准入谈判，最大程度地打开中国的市场，第二个目标则想通过一系列严格的条件，限制中国发展，防止中国成为其竞争对手，并引导中国走上美国所希望的私有制道路。

而一些发展中国家也紧盯不放：中国加入WTO后会不会冲击它们的市场？2001年墨西哥代表在出席APEC部长级会议时，惊叹于上海滩的变化：“我们下榻在浦东88层的金茂大厦饭店，在我们国家最高的建筑是53层，而金茂大厦饭店的大堂是在53层。”像印度、墨西哥等本是WTO发展中成员的“大哥大”，它们不愿见到中国加入后动摇进而取代它们的地位。欧盟驻日内瓦大使陈文定警告过中国，发展中国家难缠，事实证明，中方与某些发展中国家的双边谈判也是非常艰苦的。

这也难怪，谁让13亿人口的中国市场是块肥肉呢？

1993年乌拉圭回合的结束，无疑增加了中国复关的紧迫性，假使中国不能在1994年年底以前完成谈判，新的组织——WTO就将诞生，中国无“关”可“复”了，因此，努力在1994年年底完成谈判成了一个不言而喻的目标。

1994年1月，国务院总理李鹏第二次致函各缔约方首脑，敦促他们在谈判中采取更加积极和灵活的态度，60多个国家的首脑回信或作出反应，明确支持中国尽早复关，使得在2月份召开的GATT第16次中国工作组会议上，出现了推动谈判进程的势头。然而，少数西方国家的消极态度仍是谈判的拦路虎。

美国代表在会上说：“对结束谈判的时间不应做投机性的猜测。”“应当顺其自然。”

1994年4月，乌拉圭回合协议签字。作为GATT的全面参加方，中国理所当然应该成为WTO的创始成员，11月，中国告诉世界，如果谈判不能在1994年年底完成，中国将不会再主动要求谈判。

成败在此一搏。11月28日，中国代表团全体成员共31人奔赴日内瓦。

12月15日起，连续开会，连周末议程也排得满满。午夜的关贸总协定大楼里，灯火通明。这种情景只有在乌拉圭回合最紧张的时候才出现过。

裂璺终于难以弥合。

有的缔约方谈判代表动不动就向中国工作组主席吉拉德举牌子：“我们这个问题还没得到满意答复！”就是说“这个问题”你通不过。时任外经贸部部长助理的龙永图舌战群国，吉拉德不得不时常提请大家“休息片刻”以舒缓气氛。谈到最后，双方都忘记了是代表国家在谈，个人都进入了角色吵红了眼。

12月20日，中国最大的官方媒体《人民日报》以近半版的篇幅刊登了记者述评《千帆尽举待东风——中国复关备忘录》。文中引用了龙永图的演讲辞：“中国复关现在是万事俱备，只欠东风。这个东风，就是太平洋彼岸某大国的政治诚意。”述评还引用了吴仪的话：“假如中国不能如愿以偿，我们将按自己的规则踢球。”

就在这一天，由于美国等无理阻挠，要价离谱，双方谈崩，中国复关未果。

赶到日内瓦的外经贸部副部长谷永江在当天的中国工作组第19次正式会议上声明：“中国并不想关闭谈判的大门，但中国作为一个发展中国家只能承担GATT中规定的义务。我们将把我们能够接受的议定书案文和修改后的市场准入的三个减让表提交工作组，供缔约方作出选择。”

但美国等个别缔约方根本不想在这个时候选择了。

下午，吉拉德作了总结：“经过中国和各缔约方的共同努力，谈判取得了重大进展。但是由于谈判的全部工作尚未结束，我将于明年早些时候继续召开中国工作组会议，届时希望各方显示最大的灵活性，以尽早结束谈判，使中国加入世界贸易组织。”

龙永图说：“非常抱歉，主席先生，届时我们还不能做好准备。”

良久，欧盟的代表举了一下牌子：“我们同意主席的意见。中国代表团谈了很多次，取得了一定进展，但我们认为还要进一步工作，我们愿意继续与中国代表团合作。”

美国代表只迸出了干巴巴的几个字：“要继续工作。”

另一些国家的代表则表达了对中国的同情和对此次谈判结果的失望。

龙永图发言了，英国伦敦经济学院的留学背景使他的英文总是那么地道：“首先感谢各代表团和我们一起工作了这么长时间，感谢大家付出的辛苦。中国一直在努力工作，跟大多数缔约方都进行了诚挚的磋商，也得到了他们的理解和支持。但是个别缔约方，我们认为他们没有诚意解决问题。中国代表团非常失望。难道今天的关贸总协定、明天的世贸组织，就由个别缔约方主宰多边的进程？我们对个别缔约方表示不满，对多边体制的前景表示担忧！”

会场一片沉寂。

会议结束后，吉拉德以及许多国家的代表都走到中国代表团的席位前，与谷永江、龙永图等热烈地握手和拥抱。

欧盟的代表也过来与中国的两位团长握了握手。

但是，美国代表没有过来。

12月21日，《人民日报》发了一条消息，标题是：我国复关未达成协议。

当中国代表团乘坐的回程飞机降落在首都机场时，团员们从机舱里看到，停机坪上站着一大排前来迎接他们的人，其中有个熟悉的身影，那是女部长吴仪。按照礼仪惯例，只有下级迎送上级，可这次，善解人意的吴仪顶着北方冬日的刺骨寒风，手捧一大束鲜花，亲自迎候她的将士们归来，一如迎候远方凯旋的英雄。许多团员的眼睛湿润了。

对于代表团成员来说，最宝贵的是来自全社会的慰藉。在整个谈判过程中，鼓励的信件源源寄来。鞍山钢铁厂的一位工人给中国代表团寄来一封信，信中夹了100元钱，说是让他们在谈判间隙买点咖啡提神。

克林顿访华之行的唯一成果是产生了一条旅游新线——总统之旅。中国再也不是孤军奋战。“不按牌理出牌”的墨西哥在最后一刻与中方言和。

复关谈判冲刺失利后，谈判再度陷入低潮。

经过半年的冷却，双方又在试探水深。毕竟，WTO已经存在，WTO谈判是一个无法替代也无法回避的谈判。1995年，中国正式申请入世。

“试水”的结果是深不可测。原因还在美国。在新成立的WTO中，美国依然霸道。作为记者，我没有参加过谈判，但对美国的蛮不讲理和目中无人早有所闻。2001年11月10日，当WTO第四届部长级会议通过中国入世决定后，各成员代表要向中国表示祝贺，并按报名顺序上台。美国贸易代表佐立克是最后一个报名的，却非要“加塞”第一个发言，会议主席只好让他第一个上台。美国的做派由此可见一斑。

克林顿第二次连任后，在中美问题上，选择了贸易作为他树立政绩的突破口，美国第四次更换与中国谈判的代表，经验丰富的巴舍夫斯基亮相，谈判一度出现转机。但谈判的势头很快又被甚嚣尘上的反华浪潮所吞噬。

中美入世谈判犹如在布满暗礁的险流中行进的一条船，但障碍并非只有一个，知识产权谈判、双边市场准入谈判、纺织品谈判盘根错节，贸易战几次一触即发。巴舍夫斯基向她的对手吴仪承认：“双方应通过协商，而不是通过不适当的压力或激烈的行动来处理问题。”可惜，美国的谈判立场总是摇摆不定，当美国代表无法找到平衡点时，他们的招数就是——拖而不发。更重要的是，这场谈判不可能不受各种政治因素的干扰。1995 年 6 月，由于美国允许李登辉赴美进行“私人访问”，中美关系降到冰点，中国入世谈判也转入低调。

1997 年 ~ 1998 年，中美实现首脑互访，机遇之窗再次打开，但双方还是失之交臂。

江泽民访美期间，双方对外宣布，致力于建立面向 21 世纪的建设性伙伴关系。在《中美联合声明》当中，美国第一次公开承认，中国早日加入 WTO 符合美国的利益，双方同意加紧谈判。

1998 年，克林顿总统访华。6 月 26 日晚，从西安抵达北京的克林顿车队驶过寂静的长安街。在这串长长的车队中，却缺少总统的重要随同人员巴舍夫斯基的座车。此时，这位身材纤瘦、风格犀利的女代表已经坐在外经贸部的谈判间里，与石广生、龙永图谈判。

可是，虽然借得了首脑访问的东风，通宵达旦的谈判还是没有取得成功。或许对克林顿而言，什么都不答应，什么都不做，他回国才可以向反华议员们交代。他这次中国之行的唯一印痕，是让中国旅游部门从此开发了一条新线路——“总统之旅”。

但外围还是在逐个扫清。1987 年 8 月 6 日，中国与新西兰经过紧张谈判签署了双边协议，新西兰贸易部长为此放弃了参观长城的计划。新西兰是第一个与中方达成协议的西方国家。

中新告捷，趁热打铁，代表团一鼓作气，随即在汉城与韩国签署协议。

1997年9月，不愿跟在美国后面亦步亦趋的日本首相桥本龙太郎在内阁力排众议，促使中日结束了货物贸易的谈判。

中国与越来越多的WTO成员携起手来，再也不是当初的孤军奋战了。

然后，就是如前面所述拿下了中美和中欧两场谈判。

墨西哥是最后一个同中国达成双边协议的国家。本来，众人都觉得在多边谈判完成之前，中墨不会达成协议了，只能是“互不适用”，因为墨西哥基本上“不按牌理出牌”。双方的主要分歧是：墨西哥对中国几百种商品实行贸易限制，征收100%甚至1 000%的“反倾销”税，而这些所谓的“反倾销”措施完全不符合WTO规则。中方要求它在中国加入世贸组织后必须取消。墨方最初要求有一个15年的过渡期，而中方要求过渡期必须在5年内结束。因此，谈判一度僵持不下。直到墨西哥新总统上台后，在双方领导人的直接推动下，2001年7月27日，墨贸易部长德贝斯访华时才与中方内部达成了协议，墨同意过渡期为6年。但考虑到墨国内产业的压力，墨方要求等到中国加入WTO所有谈判结束前夕再正式签署协议并对外宣布，中方同意了。这样，2001年9月13日，中墨在日内瓦签署双边协议。至此，中国结束了入世的所有双边市场准入谈判。

在写这部文稿前，一些人曾提议我，写一写中国复关和入世谈判的所有参加者。当我把这个意思转述给龙永图和其他谈判代表时，得到的答复一律是：写事可以，不要写人。

我并不想为谁评功摆好，树碑立传，但确实对这些曾为谈判呕心沥血、牺牲自我的人们充满了敬慕。正是他们坚决捍卫国家民族的根本利益，才使这场谈判画上了圆满的句号；也正是他们的无私奉献和锲而不舍，才使这场谈判的结果显得格外来之不易。

15年谈判，几代人为之奋斗，有的业已作古，有的两鬓染霜，壮志未酬寻常事，风烟踏尽自从容。中国代表团几经更替，薪火相传，一串长长的名单后面，是一份沉甸甸的记忆，是一个个鲜活感人的故事。中国谈判代表的人格、意志和能力，赢得了几乎所有谈判对手的尊重和折服。面对不同对手，他们寸“利”必争；面对某些非议，他们默默忍受；面对谈判久拖不决的压力，他们从不放弃任何一点努力；面对谈判结束后来自各方的赞誉，功不可没的他们报之以平常心……多年来，我有幸成为谈判进程的旁观者和记录者，与众多谈判人员相识相知，并得以近距离地感受他们那“知我者谓我心忧，不知我者谓我何求”的情怀。我发觉自己的笔力已不足以描述他们所饱尝的甘苦炎凉。

1999年11月16日，在中美谈判中连续作战六天六夜没回家的外经贸部谈判人员却被国内一些产业骂成“李鸿章”，国际贸易谈判中正常的让步被扣上“割地赔款”的帽子。对此，他们付之一笑。那天，国际司处长张向晨（2001年11月11日中国签署入世议定书时张是助签官）一边收拾办公室里搭了几天的行军床一边嘻嘻哈哈地对我讲，别人传说他卖国，他太太戏说他卖身，为了谈判连家都不要了。2001年一个夏日，我在已升任副司长的张向晨办公桌上瞥见了中国代表团前秘书长李仲周1997年赠张的一首言志之作《寄语青年伙伴》：

安外朱楼菁满堂，五旬自比少年郎。
寒月挑灯同伏案，几回抱卷接朝阳。
两代无间同手足，一腔热血共参商。
可恨时光留不住，镜前顿觉鬓秋霜。
磨难莱蒙终不悔，感时当在国荣昌。

中国代表团最后也是时间最长的一任团长龙永图笑言，他为复关和入世谈判去WTO总部不下50次，得益于航空公司的里程奖励计划，他从航空公司拿到的免费机票足以飞往月球。2001年11月8日上午，在多哈喜来登饭店龙永图房间，面对窗外的灿烂阳光和美丽海滩，我问这位似乎生来就是为贸易谈判准备的风云人物：“您个人觉得您对中国入世作出的最大贡献是什么？”龙说：“贡献谈不上，我想我最可以自慰的是入世谈判没有在我们这些人手上半途而废。”

2001年11月10日掀开了中国经济和世界经济的崭新一页，12月11日，中国正式成为WTO的一员。有人说，这是多边贸易体制的一个里程碑；有人说，这是中国第二次改革开放。

“青山遮不住，毕竟东流去。”一个敢于向全球开放自己的国家，永远不会沦为世界经济的孤岛。在竞争中发展，在风浪中搏击，是发展中成员实现经济腾飞、后来居上的必由之途。不管WTO是“芝麻开门”的福音也好，是潘多拉魔盒的咒语也罢，中国的目标绝不仅仅是入世，而是在全球化浪潮中，找到更有利的位置，拥有更重要的发言权，获取更快速更健康的发展。或许，十年、百年之后，我们对这场谈判的深远意义会有更透彻的领悟，对坚持和推动这场谈判的人们会产生更由衷的敬意。

让莱蒙作证。让历史铭记。

（选自 2002 年第 1 期《北京文学》，有删节，作者：雯子）

厦门金门两岸情

厦门金门门对门，却咫尺天涯达52年之久。2001年1月2日，金门各界代表一行180人，乘坐金门“太武号”、“浯江号”两艘客轮，从金门料罗湾起锚直航厦门，厦金直接往来即“小三通”由此拉开序幕。

“三通”始于金门

1949年10月25日金门战役落幕，1958年8月23日炮击金门，使得这两天成为特殊之日。每任台湾“总统”正式就职后，一般都会选择这两战之中的纪念日，到金门发表演说，以此为确定未来两岸、“外交”政策的主轴，媒体称之为“金门谈话”。

历史可以忘掉所有的“金门谈话”，却须记下一个“金门协议”。

这是1949年以来两岸分别授权民间团体签订的第一个书面协议。

这一协议的意义，在于突破了台湾当局固守的“三不”（不接触、不谈判、不妥协）政策。

这一突破又始于金门。

1987年台湾当局开放民众赴大陆探亲以来，两岸关系日益密切，但同时也衍生出不少问题，而台湾当局的“三不”政策，成了解决问题的拦路石。

1990年7月21日，台湾军警用渔船遣返76名大陆私渡人员时，用铁钉将关押他们的四个船舱钉死，致使25人窒息死亡。同年8月13日，被遣返的50名大陆私渡人员乘渔船从基隆港返福建途中，与押送的台湾军舰相撞，断成两截，21人失踪。

消息传出，舆论哗然。为杜绝类似惨痛事件再发生，中国红十字总会提议，双方应面对面谈一谈。台湾红十字会经向当局核可，于9月和中国红十字会总会在金门举行商谈，就解决非法进入对方地区的居民和刑事嫌疑犯或刑事犯的遣返问题进行协商。这是一次堪称历史性的商谈，因为这是台湾当局首度同意大陆方面人士入台进行谈判，而且大陆所派代表又兼具官方身份（五位代表中职位最高者为副司级）。

两岸红十字会人员会商后，签订了协议书，后称“金门协议”。其中规定遣返的原则，“应确保遣返作业符合人道精神与安全便利”，并且规定遣返交接地点（马尾—马祖，金门—厦门）和程序。

金门商谈的成功，启动了两岸事务性商谈机制的建立。从1987年年底长达30多年的两岸隔绝状态被打破后，两岸接触与商谈形势出现新情况。一方面，两岸人员往来和经济、文化交流迅速扩大，同时也衍生出许多具体问题，包括涉及两岸人员的各种纠纷和犯罪活动等突发事件，这些问题直接影响到两岸同胞间的正常交往，亟待妥善解决，因而两岸事务性商谈不可避免。另一方面，随着两岸

2001年4月19日11时，一艘满载集装箱货物的两岸试点直航船“集远号”货轮从福州港驶向高雄港。（张国俊/摄，图片来源：新华社）

2001 年 8 月 22 日下午，在厦门市红十字会、厦门急救中心、金门红十字组织工作人员及有关部门的协助下，台胞陈振淦通过特殊通道被抬往客船。8 月 1 日凌晨，台胞陈振淦在海南旅游期间突发脑梗塞，在持续昏迷 22 天后，通过海南、厦门、金门两岸三地医疗、红十字组织等协调和援助，厦门东渡边检、检验检疫局为陈振淦及金门医护人员开辟了一条特别通道。陈振淦 22 日上午飞抵厦门，当日下午乘坐厦金直航客轮启程返回金门。（黄少毅 / 摄，图片来源：新华社）

交流的不断扩大和深入，台湾民众要求台湾当局改变不合理政策与做法、解决两岸交往中出现的具体问题的呼声日益高涨。面对各方压力，台湾当局不得不调整“三不”政策。

1990 年 11 月 21 日，台湾成立海峡交流基金会，并于次年 3 月 9 日正式运作。海基会成为台湾当局授权与大陆联系、协商“处理涉及公权力的两岸事务的唯一机构”。为了便于同台湾海基会联系、商谈，并签订协议性文件，1991 年 12 月 16 日，大陆成立以促进海峡两岸交往、发展两岸关系、实现祖国和平统一为宗旨的海峡两岸关系协会。海基会和海协会的相继成立，使两岸有了进行制度化接触、商谈的渠道。这样才有了两会著名的“九二共识”（即坚持一个中国原则的共识），也才有了两会最高层的两次会谈，即“汪（道涵）辜（振甫）会谈”。

金门协议签订前后，福建省就开始积极推动沿海地区与金、马地区的直接往来，前瞻性地提出了“两门（金门、厦门）对开，两马（马祖、马尾）先行”的主张，得到包括金、马在内的台湾地区有识之士的积极响应。他们也为此向台湾当局呼吁并进行了长达十多年的抗争，终于迫使当局决定从2001年1月1日起试办所谓“小三通”，在重重不合理的限制下，允许金门、马祖与厦门、福州直接往来。

连两岸的小学生都会做这道算术题：

从台北由香港转机到厦门每人需16 000多元新台币，而从厦门经金门中转台北等地，仅花4 000元新台币，节约10 000多元新台币不说，还节省时间。

厦门的一位台商还专门算过一笔账：

当年在福建落脚的台商和眷属约15万人，平均每两个月要回台一次，开通金厦定期航班，每年可节省4 000万美元的旅费。

如此这般，由金门中转回台湾对台商有何等的吸引力！

在金马民众、台商和台湾各界人士的压力下，台湾当局不得不逐步采纳台商的合理要求，部分放宽“小三通”限制。

福建沿海与金、马之间能顺利地直接往来，是因为签有“两马（门）协议”护航，即：福州马尾与马祖签订的《福州马尾—马祖关于加强民间交流与合作的协议》（简称“两马协议”）；厦门与金门签订的《关于加强厦门与金门民间交流交往合作协议》（简称“两门协议”）。台湾当局开始欲否定这两个协议，遭到金、马民众的强烈反对，最后只好采取了装聋作哑的态度。

福建沿海与金、马直接往来的事实，成了两岸直接“三通”的前奏！

陈水扁上台以后，拒不承认一个中国原则，拒不承认“九二共识”，竭力推行“渐进式台独”，他的这些与时代背道而驰的主张，首先在金、马地区遭到痛批和严重抵制。

和平统一成为金门的主流民意，选择蓝营，就是为了两岸没有对峙。一位金门老伯说：“大陆改革开放以来发展很快，比金门好多了，两岸统一是迟早的事，迟统不如早统，统一对两岸民众都有好处。”

国民党金门党部主委李清正说：“金门民众反对‘台独’，十分厌恶民进党，民进党在金门根本没有市场。”

金门一位退休官员说，他1998年到北京旅游，有人称他为台湾同胞，他马上解释说他是福建省金门县人，不是台湾省人。他说:“台湾、金门都是中国不可分割的一部分，这是谁也改变不了的历史事实。金门主流民意认同一个中国，赞成两岸和平统一，那些喊‘台独’的人不敢来金门，因为金门最恨‘台独’。”

相见白发苍苍时

多情自古伤离别，作为人类各种情感高峰模式的婚姻，更是如此。

在一次两岸倪氏宗亲会中，谈及两岸婚姻问题，台湾金门港务局倪振国处长介绍，大约200万的国民党军政人员和民众随着蒋介石撤退到了台湾，属于典型的暴力式集体迁移，约占台湾人口14%左右。为数庞大的大陆移民在台湾落地生根形成台湾外省族群。从此，浅浅的一道海峡，使两岸骨肉分离、亲情隔绝，直到两岸关系渐趋缓和，“三通”的呼声，取代了隆隆的炮声。

1987年10月，台湾领导人蒋经国决定撤除禁令，准许岛上民众在当年11月2日起申请返回大陆探亲。压抑了数十年的思亲之情，霎时爆发成一股汹涌澎湃的探亲潮，漫过海峡，涌向神州大地的每个角落。思亲的天性，重逢的诉求，终于黏合了民族和个人身上一道淌血的伤口。

探亲潮中，最引人注目的一群，就是那些“乡音未改鬓毛衰”的国民党老兵。他们年纪轻轻时就离乡背井，跟着蒋介石到了台湾。蒋介石曾答应他们，只要忍耐几年，就可以返回大陆。可是苦等了几十年，须发都等白了，希望灰飞烟灭，返乡之日遥遥无期。但他们还在等、在盼，正像一位台湾老兵所说:“思亲乃是基本人性，想家乃是普世价值，任何人为的障碍，只能阻隔于一时，不能断绝于永久。”

数以十万计的夫妻，因为两岸分离而长期天各一方，可以说是中国现代史上的一场人道大灾难。这场灾难，几乎遍及神州大地，而最触目惊心的灾情，则发生在福建省东山岛。1950年5月12日，国民党军队退往台湾之际，在东山岛强行征兵。当天晚上，仅有200多名男丁的铜钵村，有147名被抓去当兵。一夜之间，村里91名年轻的妇女变成了“寡妇”，铜钵村从此成为了远近闻名的“寡妇村”。两岸开放探亲后，在“寡妇村”守了几十年活寡的妻子们，终于陆续盼来了白发苍苍的丈夫。

再后来，随着两岸人员交流增多，两岸间的婚姻“忽如一夜春风来，千树万树梨花开”。发生在洪建财身边“冤家成亲家”的传奇故事，或许可以说是“面向大海，春暖花开”的美丽写照。

大陆女嫁金门郎

“我一直对两岸直接‘三通’的前景很乐观，所以当初才会同意女儿嫁到金门。现在两岸同胞经过十多年的共同努力，终于将这个愿景变为现实，女儿、女婿现在都能经常回来了，我去金门探亲也方便多了。”虎年初春，洪建财一打开话匣子，就关不上了。洪建财老家在距厦门不远的晋江围头村，当年还参加过围头半岛和金门岛之间的炮战，他诙谐地说：“打金门时我带了头，把女儿嫁到金门也是我带的头。”

围头战略位置重要，两岸对峙时是双方均看重的关隘要津，那湾浅浅的海峡上空时常腾起弥漫的硝烟。停止炮火对话后，遍体鳞伤的围头村显得十分安静。安静的还有与隔海相望的金门岛之间的往来。度尽劫波兄弟在，世上没有永远的敌人，国共都要合作，原就无辜的民间又怎不相逢一笑泯恩仇呢！围头湾上白色的船，就是对岸开过来的，小额贸易在民间就这样默默开始了。头脑活络的民兵英雄洪建财，在改革开放之初就与村人合办了一家水产品公司，有船有车，还有冷冻厂，慢慢地与金门那边也有了生意往来。

围头被名正言顺辟为对台民间贸易小区后，前来靠岸的金门渔船越来越多，有时一天多达五六十艘。一些金门年轻人还偷偷玩起了“勇敢者的游戏”，他们随着渔船到围头村来游玩。这在台湾那边属于“违法行为”，而祖国大陆比较宽容，只要有船户证、渔民证和台胞个人身份证，上岸待上两三天不成问题。金门金沙镇青年陈应超，便是到围头做生意四处转悠时，偶然之中认识洪建财，进而结识洪家爱女双飞的。洪双飞年轻、漂亮、温柔，陈应超对她一见钟情，很快托洪建财的熟人来说亲。一表人才的陈应超，家境也不错，在金门当地说媒的人踏破了门槛，小伙子却左看右看没中意的，其母急在心上，到庙里为他算命时，说他命中娶的媳妇是要“过海的”。

虽说是因缘凑巧，但在外人看来，洪建财要和金门人结个亲家，是件不可思议的事。一个金门青年和自己的女儿擦出了爱情的火花，想着要把女儿娶到金门去，这对当过30年民兵营长的洪建财来说，确实不易接受，照他的话来说：“这辈子做梦也没想到会把女儿嫁到金门去。”

毕竟，金门与他曾互为仇敌。他17岁当民兵，1958年参加过炮击金门之战，表现英勇，战火中背下过负重伤而牺牲的海军战斗英雄安业民。1958年和1960年，他两立二等功，1960年还参加过全国第一届民兵代表大会，在中南海怀仁堂受到毛泽东等中央领导人的接见，海军司令员肖劲光大将还亲切地称他为“战地小老虎”。随后，身为围头村民兵营长的他，带领民兵出色地完成了站岗放哨、观察值勤、“防上防下”、维护治安的工作。所谓“防上防下”就是防止台方有人偷渡上岸，防止大陆有人下海投敌。他的出色表现引起了台方的关注，名字也赫然上了“黑名单”。

这么个根正苗红的人，能和那边化干戈为玉帛就是个了不起的转弯了，还能把女儿嫁入昔日的“冤家”、“敌营”？万一形势再发生点变化，他和女儿可就再也无法联系了。再说，他还有另一层顾虑：“两岸关系还比较紧张，去一趟都非常不容易，更别提把女儿嫁过去了。”只是，“郎有情来妹有意”的现实，使他也不忍棒打鸳鸯。

不久，大陆成立海峡两岸关系协会，随后，海协会和台湾海峡交流基金会开始了两岸事务性商谈。洪建财眼睛一亮，两岸关系明显有了重大发展嘛！面对年轻人有增无减的缠绵爱意，他的思想渐渐开通了，海峡两岸早晚是一家人，与金门人结成亲家，有助于促进国土的早日统一，女儿的婚姻是缘分啊！

洪建财的老伴还是觉得女儿嫁得太远了，以后要见一面多不容易啊。这个远，其实也只是5.6海里之距。

矛盾归矛盾，开明、大义的父亲最终还是尊重了女儿的选择，还主动做起了老伴的工作：“两岸同胞原就是一家，如果能够联姻，让下一代加强联系，彼此多些沟通、交往，我觉得我们家对国家统一也是有一点点贡献的。”

态度既已明确，洪、陈两家走动频繁。1992年，陈家七八位亲人组成提亲队伍，从金门到围头洪家提亲。

只是，这趟行程，并不止5.6海里。

按照台湾当局既定路线，他们一群人先要从金门到台湾本岛，再从台湾坐飞机到香港。当时香港和台湾之间每天只有一个航班，为了等飞机得先在台湾过一夜，翌日到香港后，再乘飞机到厦门，而后从厦门乘车到围头。全程要两天，单是一个人的路费，就要1万多元。从提亲队伍的“规模”来看，单路费一项就要花掉近10万元之巨。

陈家人对大陆的情况也不甚了解，来到这边看到什么都很新奇，觉得和听到的传言不一样。

“他们看到我们这里都是每家建一栋房子住，有的比他们住的房子还要好，感到不可思议。这样的耳闻目睹，让他们对大陆、对福建有了全新的认识，盛赞祖国大陆的发展变化。闽南人的热情，让他们有种归根的感觉，现在亲家们都很喜欢来。”洪建财为自己当初给亲家留下的好印象颇为自豪，笑呵呵地说。

而金门陈家人的提亲仪式，也让洪建财一颗提着的心放了下来，“和闽南这里的风俗没什么不同，也没对我们有什么特别的要求。”

就这样，有情人终成眷属。婚礼在围头村举行，金门新郎的祖父、叔叔、父母等都绕道台湾、香港、厦门过来了。遥想1958年，17岁的洪建财奋力往直指金门的大炮里填弹药，眼里燃烧的是怒火；34年后，却又为二女儿嫁给金门人燃响祝福的礼炮，眼里含的全是祝福之情——为女儿女婿的幸福祝福，为两岸和平统一祝福。

对讲机传递两岸情

海峡有涯舟自来，两岸姻缘一线牵。洪双飞成为近半个世纪以来大陆的首位“金门媳妇”。没几天，村里不少靓女，也开始和金门的一批小伙子“拍拖”，再不久，也都陆续成婚，成了“围头新娘”。

婚后，陈应超考虑到自己经常在闽南做生意，就没有带着爱妻回金门，他自己却要两地奔波，通讯的不便给新婚燕尔的小两口带来了一定的麻烦。

就说寄信吧，也有固定路线：先寄到香港，再转金门。折腾下来，起码要一个多星期才能收到。至于寄包裹什么的就更麻烦了。从围头打电话到金门，属国际长途，一分钟就要22元。在上世纪90年代初，22元一分钟的通话费，让当时家境颇为殷实的洪家人也感到心疼。

为了解决新婚夫妻的“两地相思”，洪建财特意花1万多元买了对讲机，方便女儿和女婿之间的感情联络。“以前出海的时候，放在渔船上的那种对讲机，通话范围能够涵盖几十海里，而其实从围头到金门的距离，不过5.6海里而已，足够了。”洪建财说，对讲机只花电费而不用计算话费，大大节省了通讯费用，“不过当时使用是要申请的，我们是放在家里偷偷地用的。”

后来，女儿去了金门后，这台对讲机也成了洪家人和女儿交流的重要通讯工具，和女儿一聊经常就是一个多小时。再后来，随着电话、电脑的普及和费用的降低，一切都变得更加便利了。“现在打电话到金门一分钟也就1元左右，平常还可以通过网络聊天、视频来交流，费用又低，也不用偷偷摸摸的了。”忆昔抚今，洪建财不无感慨。

陈应超介绍说，金门很多生意人都拥有厦门、泉州的手机，与大陆的亲戚朋友或经商合作伙伴联系感情，商谈合作事宜，非常方便。

周末回家像“厝边”

1995年，陈应超带着洪双飞和他们在围头诞生的“爱情结晶”回到金门兴业。把母子两人的户籍迁到金门，倒也不难，因为结婚时办了公证，手续都较完备，只是要求必须在那边住两年才能取得身份。

洪双飞跟随丈夫定居金门后，逢年过节，只要有熟人到围头，她都会大包小包往家里捎东西。有贡糖、金门高粱酒，也有老爸喜欢穿的拖鞋、爱喝的阿里山茶，月饼更是年年寄。

虽然围头与大金门近在咫尺，但受着两岸交流的限制，行程却要花两天，从围头乘车到厦门，从厦门飞往香港或澳门，然后飞台北，再从台北飞金门。整整绕了一个大圈，费钱费时费力不说，想想小外孙上外公外婆家一趟要这么辛苦，洪建财心疼得很。洪双飞也少不了抱怨:“原本短短几海里的路程却要走上两天，其实从那边坐船过来只需四五十分钟，要是坐快艇的话，20分钟也就够了。”但大局势如此，任谁也没法更改。

“从我们家门口看金门，天气好时，对岸人走动都看得清清楚楚，可想要去看一趟女儿，得兜个大圈子。我老伴说人家女儿嫁到国外，来回也不过一两天，她舍不得女儿和外孙，偷偷地抹了不知多少回眼泪。”每逢佳节倍思亲，洪建财常走到海边，眺望对面的金门，有时还登上民兵哨所瞭望台，借助那40倍的望远镜遥望金门。

让他们欣慰的是，金门和围头的风俗习惯和日常生活都很相似，洪双飞很快适应了那里的生活，而且“粗活”、“细活”样样都会，性格又很随和，“厝边头尾”都认识她，对她是啧啧称赞，以至后来陈家人来大陆探亲时，都要感谢洪家为他们养育了这么一个好媳妇。

唯一让洪双飞有点难过的是，初到金门时，有些没有到过大陆的台湾人，会拿着一些其实在大陆也是司空见惯的东西来问她：“这个东西，你们那里有吗？”而一些到过大陆、对大陆有所了解的人，则很关心地问她：“其实大陆现在也很好的啊，你为什么要嫁到金门来？”随着两岸交流越来越多，台湾人对大陆的了解越来越多，和这位大陆来的“过埠新娘”的相处也越来越融洽了。

2001年厦门和金门直航后，洪双飞回来探亲方便了很多，每次回来只要三个小时左右。回来的次数多了，费用却大大降低了。相比以前通过香港中转，一趟下来，交通费就省下了上万元，真是天差地别。那个让她欣喜的一刻，她至今记忆犹新：“那天上午11时，我乘船从金门出发，一个多小时后就到厦门，然后再搭乘汽车，还不到下午2点就到家了。”

眼见为实，金门的生活跟大陆真的相差不多，不过有一些地方让老洪印象深刻：“那里的环境很优美，对古老文化很重视，保留得好，在那里能感受到原汁原味的古老文化。”洪建财说，金门有个“文化村”，保留着几百年来的12座古厝，里面的一砖一瓦都保存完好，免费供游人参观，金门人很重视它们的价值。

洪双飞刚落户金门时，给对岸打电话，一分钟要二十几元。现在许多在大陆做生意的金门人都使用大陆电信的移动电话联系，她在金门用中国电信的手机给家里打电话，便宜得很，连长途都不算。如果通过网络拨电话回来，一分钱话费也不用花，付个上网费就可以了。隔两三天，她就要打个电话回来，问老爸老妈昨晚睡得好不好，今天吃什么。一接上视频，那边女儿喝水、梳头发、微笑都能看得一清二楚。这个时候，洪建财就觉得她和嫁在本村的大女儿几乎没区别。

“我女儿就好像嫁到厝边（周邻），而不是金门。”洪建财告诉我们，“有次女婿早上打电话回来说，中午要回家来吃饭，结果饭还没煮好，人已到家门口了，这在以前连想都不敢想的。”让老洪备感欣慰的是，金门女婿很孝顺，经常到围头村探亲，还在围头村为岳父母新建了一座五层楼房。

洪建财在围头望过金门，在金门时，也特地跑到海边眺望围头，隔着一湾浅浅的海峡，但见围头码头还有村里的房子历历在目。老洪感慨万端："如果两地船能实现真正直航的话，二女儿回娘家，就像在一个村里串门一样方便。"从那以后，他就开始做这样一个梦：他从围头划船到大金门看女儿、女婿、外孙，早晨出发，晌午还可以赶着回家吃午饭。"我希望将来两岸统一后，我像开小汽车一样，想去看女儿时从这里划船就能去！"说到这个美好的梦想，他眉飞色舞，乐得眼睛都眯起来了。

自从和金门结了个亲家，勇敢有担当、豁达有远见的洪建财更加相信和平统一的那一天。他以"为海峡两岸早日统一做些事"为格言，决心致力于两岸的沟通和交流工作，为历史的发展助推上自己的一臂之力。

文化经贸交流热潮不减

2001年1月2日厦金直航开始，从厦门和平码头到金门水头全程只需40分钟至60分钟。两门对开，成为两岸互动的一个重大事件。

"官未通，民先通；人未通，神先通。"在台湾当局特许下，台湾宗教界人士以一种比照"小三通"的方式，经金门到福建进香"直航"。

2001年11月9日，小金门"理学名宦进香团"188人，由水头码头乘"太武号"交通船直航厦门，迎奉"圣贤祖"金身进大陆，展开五天的寻根之旅，首开以金门为出发地的"宗教直航"。

以此为发轫，在宗教距离最近的金、马两地民众，以及广大台湾同胞的反对和抵制下，台湾当局设置的"不得在金马中转"的限制被突破。

闽台民间信仰源流相同。台湾民间有信仰的民众比例大、民俗团体多，如起源于福建湄洲的妈祖信徒有1 200多万。金门民众绝大多数信奉妈祖，全金门有11座妈祖宫庙，而且政治人物也非常重视与民俗团体的关系。福建省有关部门特别是口岸部门，在接待直接往来"进香"的金、马民众过程中倾注了极大的热情。厦门市为保证到莆田湄洲岛进香的金门民众的饮食安全，卫检人员直接深入到厨房对食品卫生进行监督；厦门市为了一名突生重病的金门香客，紧急动员各方力量投入抢救。

宗教直航为先，带动了人员的直接往来，进而促进了两地的文化交流，加深了两地人民的感情。

厦门小白鹭剧团、同安民间戏曲学校演出团、厦门金莲升高甲戏剧团先后到金门演出，备受欢迎。许多金门民众开车追着剧团连看几场戏，百岁老人在家人护送下赶着看戏，70多岁老人自己掏腰包请乡亲看戏，幼儿园老师带着儿童看戏进行传统文化教育，还有台湾新竹2 000多人乘飞机赶到金门看戏等动人场面，中华民族传统文化在金门得到进一步弘扬。

在经贸方面，金门成功举办了福建沿海城市的商品展销会。这次展销会的成功举办，展示了晋江的名优特产品，增进了金门乡亲对祖国大陆的了解，同时，说明了金门的经济现状、消费水平与闽南乃至福建有很强的互补性，也说明了祖国大陆产品进入台湾地区是一种必然趋势。随后，大陆第一个直航金门的经贸考察团如期而至，与金门商界就经贸合作进行了交流和探讨。

自称是郑成功后裔的台湾著名诗人郑愁予，1988年访问福建时，从四个围绕金门列岛的要塞方位向回遥望，对废置炮台、“两门对开”的愿景十分赞同。随后他又多次做客金门，曾以战争为引，以和平为归，作就《饮酒金门行》一诗，其称：“祭酒？／酹天？／则金门的见证永远是历史的预言，／在此登高有台，／等待落霞有鸥盟之滩，／为的是远瞩／山海一色，两门对开……／当千帆竞渡满载，／尽都是酒瓮渔鲜，／飞天啊，拿酒来！这一大白就敬了我们的和平女神吧！”

（选自2010年第5期《文学界·中国报告文学》，有删节，作者：钟兆云、林建）

千古一梦

2001年1月10日凌晨1时，随着发射指挥员一声“点火”令下，载着我国第二艘无人飞船“神舟二号”的“长征二号F”火箭腾空而起，将飞船准确送入轨道。从“神舟一号”到“神舟二号”，这条路并不平坦，但毕竟，中国航天人成功了！中国成功了！

江泽民题写“神舟”

1998年秋，距离1999年10月首次发射还剩一年。

就在中国航天人奋力拼抢时间之际，一件意想不到的事情发生了。这就是，有人直接给江泽民总书记写了一封匿名信，其大意是：1999年发射试验飞船在技术上是不成熟的。航天部门的人这样做，是借搞载人航天之名，欺骗中央，捞取国家财钱。国家有搞载人航天的钱，还不如拿来搞航空母舰。载人航天工程应该停止，否则国家的经济将会受到更大损失！恳请中央尽快查处！

载人航天工程的副总指挥刘纪原说：“这封信是谁写的，出于什么目的，至今我也不清楚。江泽民总书记收到这信后，批给了李鹏，李鹏批给了宋健，宋健马上找到了我。中央批示的意思，是要认真对待，认真研究。我看到这个批件后，心里很紧张，压力非常大！为什么呢？因为自从载人航天工程上马后，就面临着各种各样的压力，不断有各种意见上诉到中央。每走一步都有不同的认识。一部分人总是从自己部门的角度提出各种质疑。另外，1999年万一打不了怎么办？即便打了，万一不成功，又怎么向中央交代？我们不仅在1992年向中央立了军令状，1998年初给李鹏写信也汇报了1999年10月发射的时间。所以当时我最担心的，是怕这些意见影响到中央的决心。我们分析后认为，载人航天要下马，可能性不大，主要怕工程暂停。因为工程万一中途搁浅，再启动起来就很困难，而且将造成极大的浪费！如果中央认为经费紧张，哪怕减缓一点速度也行。宋健和我商量的结果，就是给中央写一份报告，把载人航天工程的真实情况和进展程度作个汇报，让中央放心，以免节外生枝。”

航天工业总公司的报告很快呈送到了中央。但报告送走后，刘纪原心里依然没底。如今作为航天工业总公司的负责人、国家航天局的局长，刘纪原肩上一直挑着两副重担。尤其在载人航天工程的攻关阶段，他这位副总指挥简直成了救火队的队长，哪里有问题就出现在哪里。甚至在除夕之夜，他也带着设备，冒着大雪，从北京赶到天津，再从天津赶到山西长治，连夜去工厂解决重大的技术攻关问题。他唯一的一个患有智障的儿子，已经失踪了 14 年，至今下落不明。这给他本人和他夫人的心里投下了重重的阴影。他为此很痛苦，尤其在逢年过节、夜深人静之时，他甚至会把自己一个人关在屋里，望着儿子的照片偷偷流泪。但他把这种痛苦深深地埋在心底。看到中央的批件后，载人航天下一步怎么走，能否走得下去，一年后能否兑现对中央的承诺，这些问题让他感到非常忧虑与着急。根据他几十年的工作经验，他知道，中国搞载人航天，除了经费、人才等条件，得到国家领导人的承认和支持是非常重要的。他睡不着觉了，开始反复考虑：如何才能确保载人航天工程继续顺利发展下去？怎样才能兑现对中央的承诺？思来想去，他想到一个主意，就是请中央领导人去北京航天城看一看，看看载人航天工程到底走到哪一步了，现在是个什么情况，以便心中有数。工程指挥部已经用四年的时间在北京北郊的一片荒滩水田上建起了一座世界一流的、占地 3 000 多亩的现代化航天城，并在航天城里建成了三大中心：载人航天指挥控制中心、航天员训练中心、空间技术试验研究中心。如果中央领导人能亲自去航天城看一看，那就再好不过了。

刘纪原说：“我当时的想法是，让中央领导去看一看，就知道我们在短短六年时间里到底都干了些什么，进展情况怎样。不然的话，你花了那么多钱，这些钱到底都干什么去了？中央并不清楚。所以我想，只要能把中央领导请到现场，就成功了一半，就会继续支持载人航天。”

刘纪原的这一想法得到了国防科工委领导和不少专家的支持。工程指挥部很快向中央办公厅打了一个请示报告。不久，中央办公厅回话，说中央很支持，江泽民总书记以及其他几位常委都要来看一看！

得知这个情况，总指挥曹刚川和刘纪原当即给江泽民写去一封信，信的主要内容就是请江泽民给飞船题写两个字:“神舟”！此前，对于中国飞船取什么名字，大家想了很多，但都不满意。有关部门就在航天系统内部为中国飞船广泛征集名字，一下征集了几十个。大家从这几十个名字中挑选出了“神舟”二字，决定请江泽民题写。

刘纪原说:“我们把信送上去后，很快就听说，江泽民很爽快地答应了为飞船题字的事。当秘书把纸笔给他准备好后，他一口气就写了四幅‘神舟’，说是拿回去让我们自己选，我们喜欢哪一张就用哪一张。我们拿到江总书记的题字后，非常高兴，马上组织有关人员，连夜就把江总书记题写的‘神舟’两个字喷在了第一艘试验飞船上。”

几天后，即1998年11月10日上午，中共中央总书记江泽民来到位于北京唐家岭的航天城。当江泽民来到飞船总装大厅时，发现几天前由他亲笔题写的“神舟”二字已经喷在了飞船的肚子上，赫然醒目，十分鲜艳。江泽民非常高兴，转身对陪同他的曹刚川和刘纪原说:“我刚写完你们就用上了，你们的动作挺快嘛！”接着又说:“你们让我写飞船的名字，我就赶紧写了。虽然我的字写得不好，但我有一个愿望实现了，就是我的心能跟航天员一起上天！谢谢你们！”

参观飞船返回舱时，江泽民发表了讲话。他首先向载人航天的工作人员表示了祝贺。他说:“在短短六年之内，载人航天工程取得了相当好的成绩，现在看来，1992年党中央作出这个决策，无疑是正确的！它在科技、经济、军事、政治和人才培养方面所起的作用，也是显而易见的。”

刘纪原说:“参观结束后，江泽民出来时很高兴。就在大家一起换鞋（按航天城的规定，为防止将尘土带入，凡进航天城的几个中心工作或参观，一律都得更换白色的拖鞋）的时候，吴邦国一边换着鞋，一边对江泽民说:‘航空航天部门看来只要给钱，是能搞出名堂来的。’江泽民一边换鞋一边说:‘对，争取建国50周年的时候发射一艘试验飞船，十六大要有人上天！’”

全国人大常委会委员长李鹏是当日下午来到航天城的。李鹏看得很仔细，观看中不时询问产品的性能，对新研制出来的火箭整流罩和逃逸火箭发动机表示满意。最后，李鹏也发表了讲话。他说:“今天参观后很有感触。我们上一个载人航天工程，它的意义绝不在它的本身，而是要通过它们把我们中国航天带向一个更高的层次，而且发展整个空间技术及相关的高技术。同时，更重要的是培养了一大批人才，使我们的人才队伍没有断层，使我们的事业后继有人，使我们能够赶上国际先进水平。

明年就要发射第一艘飞船，首先要感谢广大参试人员和工程技术人员，祝贺你们取得了伟大的成就！”

国务院总理朱镕基来到航天城的时间是11月11日，即江泽民、李鹏参观后的第二天。朱镕基在真空环境模拟器KM-6旁边观看的时间最长。真空环境模拟器是世界上最先进的五大真空容器之一，相当于一个人造小太空，飞船上天前，必须要在这里做太空模拟试验。只有通过了这里的模拟试验，才能上天。参观中，朱镕基也发表了讲话。他说："在这么短的时间里就矗立起一座航天城，而且很多设备都达到了世界先进水平，很不简单。这在别的国家，即使是在科技发达的国家，也是不容易的。"他对载人航天工程的进展总体上表示满意。他向载人航天的工作人员表示了由衷的敬意。他说："这个工程不但有重大科技、国防和带动经济发展的意义，而且还有重大的政治意义，因为它能够凝聚整个中华民族！我想中国人民一定会记住你们的，中华民族一定会记下你们的光荣业绩的！”

不过，当朱镕基听到有关负责人介绍说飞船密封上还有一些问题没有解决时，很是担心，问了很多技术细节问题。特别是当他发现有个真空罐的表面还留下了加工中的毛刺时，马上就对承制单位提出了严厉的批评。他说："这么大个东西，搞得这么粗糙，叫我怎么放心呢？载人航天是一项高风险的事业，必须注意每一件细小的事情，一定要严上加严、细上加细、慎之又慎，不能有一点的马虎！科学试验可以失败，但载人航天不一样，飞船是要上天的，是我们的航天员乘坐的。同志们，人命关天啊！”

朱镕基刚讲到这里，突然发现14位航天员就站在人群的后面。可能是考虑到航天员的感受，他忙又说道："不过，我们的航天员同志也不要担心，要相信我们的领导干部，相信我们的科学家，相信我们的工程技术人员，他们一定会把问题解决好，做到万无一失的，一定能保证你们的安全的！你们上天，是代表中国人民，代表中华民族，花多少钱都在所不惜！”

接下来，朱镕基又转身对曹刚川和刘纪原说道："既然要搞就搞成，要搞就搞好。你们要多少钱，给多少钱！”

朱镕基话音刚落，全场一片掌声。

几天后，刘华清带着200多位将军也参观了航天城。

毫无疑问，党和国家领导人的此次航天城之行，给正在拼命“爬坡”的航天人以极大的精神鼓舞。而且，航天人还得到了物资上的“奖励”——朱镕基回去后，很快就给载人航天工程批了一笔经费！这对急需鼓励和支持的载人航天工程来说，犹如雪里送炭、雨中送伞。同时，这也为“保九”计划加了一道保险！

然而，这是动力，也是压力。总书记江泽民说了，委员长李鹏也说了，建国50周年要发射第一艘无人试验飞船！尽管这句话表达的只是一种美好愿望，并非指示，更不是必须执行的命令，但对载人航天工程的领导者来说，却比指示还指示，比命令还命令。因为从现在起，满打满算，只剩一年时间了。

一年后的今天，能保证中国第一艘“神舟号”试验飞船顺利升天吗？

“神舟一号”发射前曾“开膛破肚”

1999年7月23日，载着“神舟一号”飞船的专列从北京悄然出发。三天后，专列顺利抵达酒泉发射基地。千古荒原上第一次出现了飞船，发射场的官兵们感到非常新鲜，围着飞船看个没完没了。8月15日，“长征二号F”运载火箭出厂，三天后同样顺利抵达酒泉发射基地。

酒泉发射基地位于西北大戈壁。这里史称“死亡地带”。早在新石器时期，东西方文化就在这里交汇。从西汉至明朝，历朝历代均在此建立过城池。可惜明朝之后，此处500余年与世隔绝，无人问津。1958年，新中国在这里创建了第一个导弹发射场，组建了共和国第一支导弹发射部队。现在，中国第一艘飞船又将从这里起飞，发射场的官兵们自然兴奋不已。只是这一天等得太久了！

7月的戈壁滩酷暑难熬。飞船、火箭运抵基地后，各系统迅速展开工作。经过两个多月的调试，各系统仪器设备基本正常。为确保首次发射成功，指挥部决定在10月2日这天，让火箭、飞船与地面其他设备进行一次大合练。

合练中，火箭系统一路过关。

但飞船系统在联试中，当测试人员给飞船的数据处理装置和返回舱加电时，一连加了好几次都加不上去。经测试人员分析，可能是飞船返回舱内一个控制器出了问题！

接着，在飞船的第二轮测试中，又出现了一个更严重的问题：一个定向陀螺仪被卡在里面，原因不详。控制器属于环控生命保障系统，事关航天员的安全。而陀螺仪则是飞船的“眼睛”，它为飞船提供定位的基准信号。如果陀螺仪出现故障，飞船上天后就不能沿着预定的轨道飞行，更无法正常返回。

问题一出，发射场顿时炸了锅！因为要解决这两个问题，就必须打开飞船的防热大底，对里面的设备进行一一检测，待排除故障后再把飞船大底重新合拢，重新密封。

但凡业内人士都清楚，打开飞船大底，非同小可！飞船大底在合拢、密封之前，里面的每台仪器、每根导线、每颗螺丝钉、每个焊点，都是经过无数道严格程序检测过的。现在要打开飞船大底，就意味着里面已经安装好的火工品要重新装配，70多根电缆线要重新拔出，对陀螺仪的精度要重新测量。牵一发而动全身，一旦碰坏一个焊点，接错一根导线，发生一点纰漏，便有毁掉整艘飞船的可能。据有关部门计算，打开大底再重新复原，新的损害概率是96.3%！

于是，飞船的大底是拆开还是不拆开，成为首次发射飞船争论的焦点。

一种意见认为，飞船上有备份，这个坏了，可以用备份顶替，还是不开大底为好。因为“神舟一号”飞船本来就是用电性测试船改装的，经不住折腾，万一大底开坏了，就会废了整艘飞船，首次发射也就前功尽弃！另外，离发射时间只有一个多月了，若要打开大底，势必拖延发射日期。

而另一种意见则认为，虽然打开大底确有风险，但不带问题上天，是发射场几十年来一条铁的法则。只有打开大底，排除了隐患，飞船才能上天。虽有备份，但备份是留给飞船天上用的，如果飞船还在地面上就用了备份，上天后万一出现问题怎么办？

最着急、最难受的，是飞船系统总师戚发轫和总指挥袁家军。因为无论采取哪种方案，都很为难。不开大底，飞船会带着隐患上天，有风险。若打开大底，稍有不慎，出现纰漏，也有风险！从内心来说，他们很不愿开大底，因为这艘飞船从设计、研制、生产、检验再到完全合拢，凝聚了飞船系统三万科技人员七年的心血！如果真要给飞船“开膛破肚”，他们实在于心不忍！何况开大底风险非常大，搞不好就会赔了夫人又折兵！

袁家军说：“拆开大底有14个风险，这些风险中又有4个风险是致命的。在拆开大底的过程中，如果碰到电器，还可以测量，如果碰到火工品或打包锁和非电传爆产品，就没法测量。一旦其中任何一个发生爆炸，人员和飞船都不安全，大家七年的心血就会付之东流！但若不开大底，万一上天后再出现问题，这个责任谁承担得起啊！”

结果，折腾了一天，飞船大底是拆开还是不拆开，谁也定不了。不仅飞船总师戚发轫定不了，大总师王永志也定不了。

事情很快惊动了北京。

最先乘专机赶到发射场的，是航天工业总公司总经理王礼恒和副总经理张庆伟。两人一到发射场，便在现场召开了会议。会上两种意见各执己见，谁也说服不了谁。最后总经理王礼恒只好说："科学的真理往往掌握在少数人的手上，拆不拆开飞船大底，咱们也不好举手表决。我看今天晚上暂不决定，各位总师和总指挥回去再考虑几个小时，明天再定。"会后，又将北京卫星制造厂副厂长张志礼紧急调来发射场。张志礼多年从事飞船总装工作，对飞船开大底颇有经验，曾经总结过几十条对策。很快，载人航天工程副总指挥沈荣骏、参谋长胡世祥也乘专机飞到了发射场。再接着，载人航天工程总指挥曹刚川也乘专机来到了发射场。

是夜，工程指挥部召开七大系统"两总"紧急会议（即总指挥和总师会议）。会上，对于开不开大底争议仍然很大。争吵到最后，大家不说话了，都看着总指挥曹刚川。

曹刚川到发射场后，只听汇报，不表态。不是不表态，而是很难表态！但现在他必须表态了。他说："我知道，你们都等着我表态。不拆开飞船大底，就不会捅出新娄子，就能保证发射的进度。如果备份在天上听话，还能保证试验飞船的正常飞行，这样的话，上下全好交代。不错，'争八保九'，我喊得最厉害。用电性测试船改装试验船，最后也是我拍的板。现在飞船肚子痛，难道我们要让它到天上去拉稀吗？大家盼着我来，我知道，有盼着我说一个字的，也有盼着我说两个字的。我现在就说一个字：开！而且谁开谁得立军令状，绝对不能开出问题来！"

会议结束后，全部压力都压在了飞船系统上。由于压力太大，航天专家张宏显走出会议室，眼泪都流出来了。

拆开飞船大底这天，测试大厅气氛异常紧张，上至副总指挥，下到技术员，全围在了飞船的身边。

返回舱的起吊，是拆开飞船大底的关键。如果返回舱吊起来不晃动，就算成功了一半。要是返回舱左右晃动，火工品就容易爆炸。所以起吊之前，大总师王永志缓缓走到飞船返回舱跟前，亲手把每一根吊带摸了一次，又摸了一次。而飞船总师戚发轫则把起吊的各个关键岗位检查了一遍，又检查了一遍。当时有人看见，两位总师的眼里都暗暗噙着泪水……

飞船大底终于拆开了。专家们发现，故障的原因并不复杂，是一根小小的信号线在合拢大底时不小心给压断了！专家们如释重负。一位女技术人员还当众哭出声来。

由于飞船拆开大底耽误了时间，原定11月8日至12日发射的计划只有往后推。这一变更使得发射窗口必须重新确定。所谓发射窗口，是指适合发射飞船的时间范围。发射窗口有长有短，长则几天，短则几分钟，依具体气象、天体情况而定。有关部门重新预测的最佳发射窗口是11月18日至22日。于是，指挥部将发射时间改定为11月18日。

然而，发射窗口刚刚确定，太平洋上又传来一条消息："远望一号"测量船在海上遇到强烈风暴，无法继续向前！

而就在这时，正在发射场忙得不可开交的飞船应用系统总设计师顾逸东又接到了北京中科院空间环境预报中心传来的一份加急电传。这份电传说：根据天文预测，1999年11月18日，太空将会出现狮子座流星雨！如果"神舟一号"飞船在18日发射，飞船极有可能与狮子座流星雨相遇！

"神舟一号"飞船的发射时间最后定在11月20日。这样，既可避开流星雨的袭击，又给"远望一号"测量船多留了两天时间。

11月20日凌晨6时，即将起飞的火箭、飞船巍然屹立在发射塔上。成千上万来参观的群众不顾冬夜的寒冷，早已等候在发射场的四周。吴邦国、张万年、吴仪等中央领导也坐镇在指挥大厅观看发射。尽管此次发射的飞船里没有航天员，但由于是第一次发射飞船，所以从指挥大厅到各个技术岗位的气氛都很紧张。尤其是火箭和飞船系统的几位老总，眼睛紧紧盯着大屏幕，表情十分严肃。

6时30分，指挥员准时下达了"点火"口令，载着"神舟一号"飞船的"长征二号F"火箭拔地而起，扶摇直上，开始了中国载人航天的处女之航！

12 秒后，程序开始指挥火箭拐弯。指挥大厅频频响起调度员的声音：逃逸塔分离正常！助推器分离正常！一级火箭分离正常！

大厅随之响起一片掌声！

然而就在这时，大屏幕下方的一组曲线突然发生急剧变化。接着，前方测控站传来信息：火箭飞行速度正在急速下降！

掌声戛然而止。专家们的心跳骤然加快。尤其是火箭总师刘竹生和总指挥黄春平，两人不禁一起从座位上站了起来，大冬天的，额头居然渗出一片细汗！

很快，曲线恢复正常。

接着，从北京航天指挥控制中心传来调度员的声音：

火箭、飞船分离正常！火箭反推点火成功！飞船准确入轨！

掌声再次爆响！

刘竹生和黄春平这才长长地松了一口气。

中央军委副主席张万年走到大厅的前台，大声宣布："神舟一号"飞船发射成功！它标志着我国载人航天工程取得了重大突破，是中国迈向 21 世纪的一座新的里程碑！

然而，当"神舟一号"飞船进入第 13 圈时，一个意想不到的情况再次把北京航天指挥控制中心的专家们的心揪了起来：按事先预定的程序，飞船进入最后一圈后，地面要给飞船注入一个变轨的返回控制指令。但渭南测控站第一次向飞船注入返回控制指令时，没有成功。青岛测控站第二次向飞船注入返回控制指令时，仍然没有成功。飞船很快飞临日本海上空，位于太平洋上的"远望二号"测量船第三次向飞船注入返回控制指令，还是没有成功！

北京指挥控制中心的紧张气氛一下子达到了顶点！专家们坐不住了，全都站了起来！

很快，"神舟一号"飞船进入第 14 圈，即最后一圈。就是说，给飞船注入返回指令只剩最后一次机会了。这个最后的机会留给了"远望三号"测量船。而"远望三号"测量船注入指令的时间只有 47 秒！如果在 47 秒内再不能给飞船注入指令，飞船的落点将会偏离 40 公里，甚至很可能失去控制！

此时，最紧张的是北京指挥控制中心飞控组的专家们。他们快速完成了故障分析、测控条件计算、数据注入仿真试验后，马上提出了故障处理方案。但飞船进入"远望三号”监测区后，当飞控组的专家对原来的第一条指令进行删除时，一连删除了好几次，就是删除不掉！再继续删除，还是删除不掉！注入指令的时间眼看着一秒一秒地流失，最后只剩下了十秒！就在这千钧一发之际，飞控组果断地向飞船发出了应急指令，终于打开了飞船舱内的接收设备，转换了应急电源！

1999 年 11 月 21 日凌晨 3 时 41 分，“神舟一号”试验飞船绕地球飞行 14 圈后，成功返回地面。

此次发射试验在“神舟一号”飞船上搭载了两面旗，一面是中华人民共和国的国旗，另一面是澳门特别行政区的区旗。澳门特别行政区区旗在澳门回归祖国这天，即 12 月 20 日，由航天工业总公司总经理王礼恒亲手交到了澳门特别行政区官员的手上。而被航天人称为“太空国旗”的中华人民共和国国旗，则在 21 世纪来临的第一天，迎着新千年的第一缕曙光，缓缓升起在天安门广场的上空！

“神舟二号”被称为“完整配置版”

“神舟二号”与“神舟一号”的最大区别在于:“神舟一号”是一艘配置较简单的试验性飞船，仅有 8 个系统参加了飞行试验，围绕地球只飞行了 14 圈；而“神舟二号”则是一艘配置完整的正样飞船，13 个系统全部参加试验，凡与航天员生命环境保障有关的仪器设备全部采用真件。另外，“神舟二号”将第一次按照载人飞行的实际轨道，围绕地球飞行 108 圈，共计七天时间；飞船返回时，轨道舱将继续留在太空运行半年。有人将“神舟一号”称为“最小配置版”，将“神舟二号”称为“完整配置版”。

此外，还有很重要的一点是，由中国科学院负责的飞船应用系统在“神舟二号”飞船上第一次安装了多种科学试验仪器，飞船届时将在太空首次开展空间科学试验活动。比如“宇宙伽马射线暴”探测器，就将跟随“神舟二号”进入太空。

中国的天文学家们对宇宙伽马暴的探究始于上世纪 70 年代。其中的一个代表人物，叫马宇倩。马宇倩梳着齐耳短发，端庄优雅，说话不紧不慢，细声细气，脸上透着一种单纯见底的书卷气。她生于 1943 年，1967 年毕业于北京大学技术物理系，现为中国科学院高能物理研究所研究员、宇宙线室主任。早在 1972 年，还是姑娘的马宇倩第一次听到一位天文学家讲宇宙伽马暴时，便被伽马暴的神秘与魔力深深吸引住了。此后，她开始了长达20余年的探索与研究。从1972年到1982年，她和她的同事们用了整整十年时间，完成了宇宙伽马暴探测仪的物理设计和技术方案，并研制生产出了一台样机，准备装进中国第一颗天文卫星。可由于国家财力不足，经费捉襟见肘，第一颗天文卫星最终胎死腹中。

但马宇倩如同痴迷于飞船的专家一样，在此后近20年的时间里一直没有放弃对宇宙伽马暴的探索与研究。她将一张美国卫星拍摄到的宇宙伽马暴的照片压在自己办公桌的玻璃板下，闲暇时总要看上几眼，以此激励自己。1992年，载人航天工程正式上马，马宇倩长达20年的执着与坚守终于有了回报。中国科学院决定，在“神舟二号”的空间极其有限的轨道舱里，为中科院高能物理研究所和紫金山天文台联合研制的伽马暴探测器留出一块空间，同时任命马宇倩为飞船应用系统分系统主任设计师。于是，马宇倩和她的同事们又用了近十年时间，终于研制出了中国自己的伽马暴探测器，并装在了“神舟二号”飞船上。

马宇倩说:“银河系是一个星系。从最近的星系到达我们这儿要花16万光年。我们经常讲宇宙是广阔无垠的，但我们现在认知的宇宙总是有限的。我们要了解这些，主要要了解距离代表着时间，代表着宇宙演化的过程。也就是说，如果我们在地球附近测到不同距离的天体发射出来的光，就相当于知道了这些天体在不同时间段的演化过程。物质结构、生命起源、宇宙演化，是人类认识自身、认识自然必不可少的基础性科学。而空间技术的发展为人类打开了认识宇宙的新视窗。宇宙伽马暴就代表着当时的国际前沿，我们中国人为什么不去探索这一新的领域呢？所以飞船上马后，我们就选择了这个课题，后来变成了中国空间天文的唯一项目，被安排在了‘神舟二号’飞船上。我们在‘神舟二号’上安排了三个探测器，其中的超软X射线的探测器要比美国的‘贝斯’卫星考虑得全面。美国的卫星是937千克，是全向探测，各个方向的伽马暴都能记录下来。我们的‘神舟二号’飞船一共只能装200千克的东西，伽马暴探测器只允许30千克，上面的存储器只有512 K字节，很小，所以我们在设计时，就只考虑捕捉大的伽马暴，舍弃小的伽马暴。这个伽马暴探测器完全是我们自己研制的。这是我们国家第一个真正的测量外太空天文现象的探测器。”

因此，马宇倩对“神舟二号”飞船的发射倍加关注。

麻烦接踵而至

2000年11月8日，一架载有“神舟二号”飞船的大型运输机从北京起飞，三个小时后，顺利降落在西北酒泉鼎新机场。

由于上次“神舟一号”出师不利，所以这次飞船系统对“神舟二号”加倍重视，唯恐出现丝毫的疏漏，不仅在技术上精益求精，而且在飞船的运输方式上也由原来的火车运送改为飞机空运。用火车运送不但要把飞船分成八块，而且到了发射场后，已在北京做过的各项检测工作，比如总装、测试等，全得重来一遍，稍有不慎还会出现问题。而用飞机空运飞船，虽然在我国尚属首次，难度很大，却能实现整体运送，还能节省时间。

“神舟二号”顺利抵达机场后，顺利转运至基地测试大厅。在接下来的一系列测试中，同样一帆风顺。

然而，说来令人难以置信，飞船一帆风顺，“长征二号F”火箭抵达发射场后，却一路坎坷，甚至横生惊天大祸！

此次发射“神舟二号”的火箭在技术上作了较大改进，主要是在火箭上装配了两个事关航天员生命安全的重要系统：自动故障检测处理系统和逃逸系统。但2000年12月3日这天，火箭在作单元测试时，火箭控制平台的一个陀螺却突然出现问题，经反复检测，怎么也查不出原因。控制平台被称为火箭的“人脑”，“大脑”突然有病，却查不出病因，这让火箭总指挥黄春平非常着急。

火箭总师刘竹生说，要解决控制平台的问题，非得请到徐云锦！

徐云锦是中国控制平台的权威专家，在航空航天部享有“平台皇后”之称。可“平台皇后”已七十有余，退休赋闲在家，不在发射场，而在千里之外的北京城。

黄春平当即飞往北京。下了飞机，几经周折，黄春平终于设法找到了徐云锦等几位专家，接着又请他们用电话遥控指挥发射场做试验。可是几位专家遥控指挥了一天，故障还是无法排除。于是徐云锦提议，发射场试验条件简陋，最好把控制平台运回北京！

控制平台是一个70多吨的庞然大物，从酒泉运回北京，一路颠簸，状态肯定会发生变化，万一老毛病没有解决，新问题又折腾出来，怎么办？黄春平思来想去，最后还是决定，控制平台不能拉回北京，只能请徐云锦等几位专家辛苦一下，跟他去一趟发射场。但“平台皇后”走南闯北大半生，从来只坐火车不坐飞机，尤其最怕“图-154”！这是老太太几十年养成的习惯。习惯是个很难改变的东西，尤其是老太太的习惯。不过，这次事关发射成败、国家荣辱，老太太最后还是一改几十年的习惯，带上一大包药片，迈着颤巍巍的双脚，跟着黄春平便上了飞机。

徐云锦等几位专家在发射场经过几天几夜的反复试验，终于发现，原来故障的原因是平台内环轴端有一根导线碰到了内壁的电缆束管。导线取出后，徐云锦特意将这根导线用秤称了称，总共只有17克！而就是这根仅有17克的导线，竟然阻碍了70多吨的控制平台的飞速旋转，并让众多的专家们从北京赶到戈壁！

火箭的故障刚刚排除，飞船的麻烦又接踵而至。

12月11日上午，在飞船、火箭和发射塔的联合检测中，飞船系统人员刚一加电，便收到了一个不该收到的误发信号——“船箭分离”信号。再一复查，该信号又神秘消失，无影无踪。“船箭分离”信号是一个非常关键的信号，如果正式发射时在不该出现时出现了，便意味着飞船与火箭在不该分离时分离了，其后果将是毁灭性的。

此事报告给飞船总师戚发轫后，戚发轫也为这一神秘的信号颇感头疼。后来在戚发轫和飞船总指挥袁家军的组织下，经过60多次的反复试验，终于查找到了故障原因。原来是开关电缆保护层上的镀铝薄膜与一个节点相碰，造成短路所致。

故障排除后，飞船系统的专家们稍稍松了口气。

火箭被撞

2000年12月31日，即20世纪的最后一天、21世纪的前一天，一个几乎是灾难性的打击又突然降临发射场！

这一天，火箭与飞船已经对接成功，测试已经全部完成，飞船的燃料也加注完毕，头上顶着装满了燃料的飞船的火箭，准备在第二天就垂直转运发射场，四天后正式实施发射。而这个时候，在发射场忙碌了几个月的航天人也在准备迎接新年的到来。“告别旧世纪，迎接新世纪”的红色条幅已经挂出，聚餐的食品已经准备齐全，军民联欢活动也已安排妥当。大家打算好好过上一个元旦，然后将“神舟二号”飞船一举送上太空！

可万万没想到，就在这节骨眼上——下午3时10分，一个消息犹如晴天霹雳，在发射场轰然炸响：已经处于垂直对接状态的火箭，突然被活动发射平台给撞了！

火箭被撞，这还了得！短短几分钟里，发射场上所有领导的办公室电话和手机几乎同时鸣响。领导和专家们得知这一消息后，全都愣了！而最先报告这一消息的，是一位女调度员，她话还没说完，便在电话里呜呜地哭了起来……

事故原因很快查明：基地发射站的一个战士在二岗没到位的情况下，给发射平台备份电源通电，由于疏忽大意，阴差阳错，把备份电源和正式电源接反了，结果导致不该行走的活动发射平台突然往前行走，一下撞在了火箭的腰杆上！

这是中国航天发射史上从未出现过的怪事！这一飞来横祸，会给此次发射带来什么后果，一时谁也难下结论。

最紧张的是黄春平、刘竹生、张建启。三人都是火箭的直接负责人，对火箭被撞负有不可推卸的责任。如果火箭真被撞坏了，用张建启的话说，搞不好是要坐牢的！

黄春平时任火箭系统的总指挥。他是福建人，1938年生，曾用名黄清官。他细眼睛，粗腰杆，头大耳阔，面带福相，谁见了都说此人命大福大。可在中国专家的队伍中，恐怕再没有比他出身更苦的了。概括地说，12岁前，他把人间的苦几乎都吃完了。但就这么一个从小在苦水里泡大的孩子，完全靠着自己的勤奋与毅力，以优异成绩考上了北京工业学院，之后在中国火箭研究院一干便是40年。黄春平是典型的性情中人，平常碰上高兴的事或伤心的事容易动情。尤其是每当看到火箭穿过熊熊燃烧的烈焰从发射塔上成功升起，他常常以泪洗面，泣不成声。但工作中的黄春平雷厉风行，魄力十足，是个典型的“工作狂”！特别是在处理一些棘手问题时，他显得刚柔并济，游刃有余，既有专家的智慧，又有农民的聪明。为了确保火箭的质量，他狠抓火箭的元器件，跑遍了全国60多个元器件生产厂家，亲自蹲在车间与工人交谈，事无巨细一抓到底，因而有“元器件副院长”的绰号。可以说，火箭上可能出现的问题他和专家们几乎全想到了，但唯独没想到火箭从北京安全运到发射场后，居然还会被撞！

黄春平说:“火箭被撞这一天，原本是20世纪的最后一天，大家都准备过年了，却突然接到了火箭被撞的电话，我把它叫作20世纪最黑暗的一天！当时我们几个领导正在发射场的宿舍里休息，还没上班。事件发生后，在场的薛金宁给我打来电话，边哭边说，黄总，我们的火箭不行了，被撞了！我一听就蒙了，脑门冒汗，血压也一下就上来了！但具体情况还不清楚，为了不惊动更多的人，我一边稳住在场的人，让他们先别动，一边通知总师刘竹生、副总指挥刘宇，然后我们三人立即赶到火箭测试大厅。大厅里有一个11层高的工作平台，火箭就被包裹在工作平台里。我们听完简短的汇报，然后就从工作平台最高的11层开始，一层一层地往下看，而且是跪着一处一处地往下摸，摸一处，记一处。火箭是薄皮的，任何一个硬东西碰一下都不行。最后一统计，火箭一共被碰伤了18处，火箭的位置也移动了20厘米！看着火箭被撞的伤口，我心里难过死了，好像每一道伤口都伤在我的心上！当时我们的第一个反应是，完了完了，火箭伤得比较厉害，可能发射不了了，看来这回要打道回府了！发射基地的同志一听不能发射了，都吓坏了。尤其是张建启副司令员，非常紧张！”

刘竹生时为火箭第二任总设计师。他1939年生于哈尔滨，1963年毕业于哈尔滨工业大学。身高1.83米，个大，腰细，在发射场一站，如同他的名字，像一根挺拔的竹子。父亲为他取名“竹生”，是希望他像竹子一样，始终保持一份纯真的本色与纯真的性情。的确，他一派儒雅，性情温和，说话不紧不慢，不温不火，与他交谈，既轻松又融洽。刘竹生从小喜欢美术，梦想长大后当个画家，家中至今还存有他当年为妻子画的《青春少女》。他曾经很想报考中央美术学院，可他家境贫困，买不起去北京的火车票，甚至连买颜料的钱都没有，最后只好选择了离家最近的哈尔滨工业大学。毕业后他搞上了火箭，也爱上了火箭，再也没时间画画了，但在闲暇时收藏点戈壁滩上的石头和根雕，或者去北京潘家园淘点别的什么古董，也是他一件忙里偷闲的乐事。尤其对古董钟表，他更是爱不释手。也许是他惜时如金的缘故，他说，一听见钟表的“滴答”声心里就特舒服。

《航天报》记者闻杨杨说:“刘竹生穿衣服的标准很简单，就一个字：大！在他的衣柜里，同一号码、同一颜色的衣服特别多，以至于他刚换了衣服走出家门，别人就问：‘刘总，你怎么老穿一件衣服啊？’甚至他去菜场买菜，一买也是一大堆。有人问：‘你干吗买一大堆啊？’他说：‘一次买够，省事，痛快！’但对待火箭，刘竹生却心细如发。刘竹生说：‘不细不行啊，百分之一的失误就有可能毁掉百分之九十九的努力。载人航天的最大特点，就是一个人的一个小错误，就有可能葬送成千上万人十年二十年的心血，所以必须一丝不苟。’”

的确，刘竹生想火箭，常常想到几近疯狂的地步，有时半夜三更突然想起一个问题，他会立即翻身爬起，擂响同事的房门，拉着别人讨论，或者自己跑到办公室狂画草图，如痴如醉。他平常上班使用的交通工具，是一辆“二八圈”的天鹅牌自行车。这辆自行车他已经骑了20年了！他有三个梦想支撑着自己的人生。他说：“我从小就喜欢听‘嫦娥奔月’的故事，幻想着人有一天飞到天上。这是我的第一个梦想——飞天梦。我对爱因斯坦的相对论和神秘的宇宙非常着迷，总想去探个究竟，这是我的第二个梦想——航天梦。我喜欢航天，偏爱火箭，因为它与国家的强盛有关。所以我希望通过航天，让我的祖国变得更加富强。这是我的第三个梦想——强国梦！”于是，每当一枚新的火箭运到发射场，他总是感叹说：“火箭这玩意儿尽管拍一拍是金属的，用手摸一摸是冰凉的，但我总感到它像人一样，也是有生命的，你如果不好好伺候它，它肯定找你算账！这不，今天就因为一个小战士没有伺候好火箭，火箭就要起脾气、使上性子了！”

刘竹生说：“接到电话后，我的第一感觉，就是火箭肯定受到重创了！所以当时大家的脸都灰了，全傻了！我感觉整个戈壁滩好像都鸦雀无声了。因为火箭这一撞，关系到很多问题，比如火箭到底撞在什么地方了？修复后还能不能用？需不需要拉回北京？发射推迟多长时间？发射试验队撤不撤离现场？等等。火箭就像一艘渡船，它的历史使命不到600秒，要在这不到600秒的时间里将载着航天员的飞船送入太空，一旦点火，就没有回头路可走。所以别说被撞了，就是碰一下，也让人心疼，让人睡不着觉！”

张建启时任酒泉基地副司令员、发射副总指挥。

张建启1946年出生于山东鲁西最穷的曹县，儿时家境贫寒，加之赶上饥饿年代，用他自己的话说，已经上中学了，还长得像根豆芽菜似的。但贫困与饥饿阻挡不住张建启求知的步伐。1964年，他考入哈尔滨军事工程学院。五年后学成毕业，被分配到酒泉基地。后西昌基地急需人才，他又被从西北调至西南。他干起工作来认真、严肃，而平常在生活中却是一个很随和的人。他与人见面，总是面带微笑；遇上高兴事，还会开怀大笑；说说笑话，开开玩笑，更是常有的事。就在火箭被撞的这天上午，他见了老朋友黄春平，还在黄春平的脸上吻了一口，引得大家哄堂大笑。一位记者抢拍下了这个镜头，开玩笑说，这是20世纪最后一吻！可老天偏偏也开了个大玩笑——火箭被撞，于是张建启再也笑不起来了。

张建启说："这天下午，我正在总装测试厂开会，得到消息后，我的心里立即'咯噔'一下，心想完了！赶到现场一看，火箭被撞了十多个地方，比想象的还要严重。说实话，从西昌基地到酒泉基地，我参加的发射也有几十次了，经历过无数次的成功与失败，经历过许许多多的风风雨雨，但还从来没有这次的压力大！想想吧，当时离'神舟二号'飞船发射的时间只有4天了，而发射窗口一共只有12天，过了这个发射窗口，就没有机会发射了。可火箭偏偏在这个节骨眼上被撞，你说倒霉不倒霉？火箭到了发射场，就等于交到了我的手上，现在又是我手下的兵操作失误，才导致火箭被撞，你说我心里的压力有多大？如果因为这起事故而导致不能发射，怎么向上级交代？怎么向中央交代？要知道，这事撤职事小，搞不好可是要坐牢的呀！当时就有人追问：'是谁指挥的？是谁操作的？必须追究责任！'心情当然可以理解。但我说：'现在不要追究谁指挥的、谁操作的，也不要忙于追究谁的责任。我是现场总指挥，出了问题，责任由我承担！'当务之急，先查清楚问题，拿出应急办法，稳定发射场人员的情绪。"

飞船系统总指挥袁家军和总师戚发轫同样十分紧张。因为"神舟二号"飞船这次装有600多台（套）设备仪器、上百台大小计算机、数十万条软件程序、12万多只元器件，还有总共加起来十多公里长的电缆线。而且，燃料已经加满，用专家们的话来说，飞船只要加注了燃料，就像一个超级炸弹，只要磕碰一下，便有爆炸的可能。还好，袁家军和戚发轫检查后，初步诊断飞船没有什么大问题，受到震动的力度远远小于发射时。

而远在北京的天文学家马宇倩得知这一消息后，也很紧张。马宇倩说："把伽马暴探测器放在'神舟二号'飞船上，上面只给了我们这一次机会。也就是说，如果火箭被撞，飞船出了问题，我们的探测器出了问题，这次不能发射，或者发射时有隐患，以后我们就没机会了，十年都白干了！"所以，马宇倩当即打电话告知在发射场负责伽马暴探测器硬件的王焕玉和张承模，让他们密切关注火箭、飞船的动态，随时报告新的进展情况。

“会诊”

很快，载人航天工程副总指挥胡世祥在发射场召开了紧急会议。各系统老总赶到后，个个神情凝重，都不说话，尤其是发射系统和火箭系统的几位老总，脸上像下了一层霜。会议气氛空前紧张。

怎么办？听完几个系统的简单汇报后，胡世祥问了一句，声音虽小，分量很重。

戚发轫和袁家军明确表态：飞船没有问题，不用重新测试。

问题的焦点集中在了火箭身上。大家都盯着黄春平和刘竹生，等着他俩表态。

黄春平和刘竹生的心情此时非常复杂。这个态要表很难，不表又不行。火箭意外被撞，最好的处理办法，当然是取消此次发射，更换火箭被撞的所有部件。这就意味着要对火箭重新分解，再对分解后的产品重新试验，然后再用两个月的时间对装配好的火箭重新检测。这样的话，时间显然不允许，也将打乱后期的全部计划。根据他俩的初步检查，火箭虽然身有18处伤痕，但初步估算，火箭受力不是很大，估计没有伤筋动骨，做些处理修复，不致影响此次发射。但空说无凭，科学讲究的是数据。火箭在没有经过检测之前，天知道它到底是个什么状态，谁敢说火箭没有问题！

最后，黄春平只好表态说，还是先给火箭作个“体检”再说吧！

但火箭怎么“体检”法，会议上意见不一，一时难以确定。

会议决定在基地成立事故组、现场组、分析组三个小组，分头展开工作，并将事故情况上报国防科工委和中央。

当晚，久旱无雨的戈壁滩纷纷扬扬飘起了鹅毛大雪，发射场气温骤然下降，整个“东风”航天城冷冷清清，寂静无声。专家们本来就冰冷的心更凉了。尤其是火箭系统的黄春平和刘竹生，两颗备受折磨的心更是苦不堪言。重新检测火箭，凶险多多。一个58.3米高、几百吨重的庞然大物颤巍巍地立在厂房，胳膊大腿、五脏六腑、里里外外都要“体检”一遍，无异于在太岁头上动土！尤其是火工品，已经安装在了火箭身上，每一个火工品都像一颗定时炸弹，倘若更换中忙中出错，随时都有引爆的可能；而且，火箭测试时间极其有限，必须在三五天内解决问题，因为几天后戈壁滩便进入最寒冷的冬季，气温将下降至零下30多度。若是真拖到那个时候，即使火箭的伤疗好了，发射的“窗口”却没有了，那“神舟二号”飞船的发射就必然泡汤。于是，他们立即联系北京，紧急调动北京的火箭探伤专家连夜登机，火速赶往发射场！

这个晚上，张建启副司令员同样一夜未眠。睡不着啊！事情刚发生几个小时，他好像就瘦了一圈。为了这次发射，他率领发射场的将士们不知加了多少班，熬了多少夜，定了多少制度，立了多少规矩，想了多少预案，琢磨了多少对策。可万万没想到，一个小战士最多一秒钟的疏忽大意，便酿成惊天大祸！真是防不胜防啊！他先来到飞船系统现场，接着又去了火箭系统现场，看着专家和科技人员在寒冷的冬夜紧张忙碌的样子，他有一种深深的负疚感。作为直接主管发射系统的副总指挥，火箭被撞，他无疑负有不可推卸的领导责任。令他感动的是，火箭系统和飞船系统的专家们没有埋怨，没有牢骚，更没有扯皮，而是一心扑在如何查找问题上。为了缓解他的压力，飞船系统总指挥袁家军给他吃了定心丸，说飞船没有问题，可以放心。火箭系统总指挥黄春平也对他说，火箭被撞的力度看来不大，主要对火箭的储箱有些担心。尽管如此，他依然无法放心。因为他知道，飞船的燃料已经装满，检测中稍有不慎，就会捅出大娄子！而且飞船返回舱上的电池是有时限的，若不能及时发射出去，电池就得重新更换。火箭虽然受力不大，但伤口毕竟多达18处。而且，火箭的位置已被移动，有无内伤，在检测报告尚未出来之前，谁都不敢下结论。尤其是火箭的气管，是火箭的致命穴，万一触碰到了，火箭肯定报废无疑。倘若这枚被撞的火箭真被“堵”在了发射场，如同高速公路发生了汽车追尾，后续的几次发射必将全部被打乱！那么接下来要发射的“神舟三号”怎么办？“神舟四号”怎么办？载送中国第一个航天员上天的“神舟五号”又怎么办？

第二天，即2001年1月1日，新年第一天，载人航天工程总指挥曹刚川、副总指挥沈荣骏、大总师王永志从北京匆匆赶到发射场，一下飞机，便召开了指挥部紧急会议。由于形势严峻，专家们坐在各自的座位上，个个紧锁眉头，一声不吭，会场气氛显得紧张而又沉闷。

副总指挥长胡世祥素以幽默著称，他在发射场摸爬滚打了几十年，每遇挫折或难关，常常一通幽默，便将人们的紧张情绪化为乌有。这不，胡世祥见专家们个个

发射前，由中国空间技术研究院、上海航天技术研究院为主研制的“神舟二号”飞船正与由中国空间技术研究院研制的“长征二号F”大推力运载火箭对接。

（刘克军/摄，图片来源：新华社）

“神舟二号”飞船与“长征二号F”运载火箭对接后，在活动发射平台上垂直运往发射工位。（王建民/摄，图片来源：新华社）

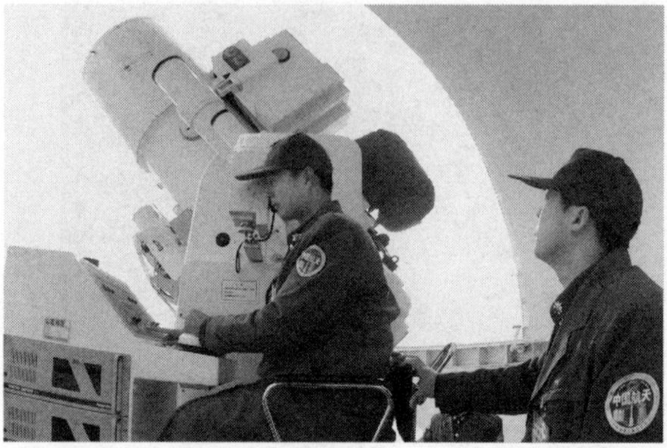

图为大型光电望远镜的操作人员在发射前进行技术准备，他们将记录火箭升空时的有关数据。
（王建民/摄，图片来源：新华社）

低着头闷闷不乐，便率先说道："各位，火箭被撞，大家心情沉痛，我的心比你们还痛！但在我看来，这没什么大不了的嘛！当年我在西昌基地当司令员，发射卫星时火箭大爆炸，把一个村子都给炸平了，把招待所的房顶都掀没了，整个基地人心惶惶！后来朱镕基总理见了我，说，胡司令——朱总理叫的可不是《沙家浜》的胡传魁司令啊——你打十颗卫星，能不能成功七颗八颗？不能次次都失败啊！后来我们经过整顿，次次成功。你们看，我现在不是还坐在这里好好的吗？"胡世祥一说完，专家们的情绪一下子轻松了不少，有的专家还忍不住笑了起来。

基地司令员刘明山这才说道："事故发生后，我们已向中央作了汇报。军委领导指示，要对发射计划进行调整，要保进度，但不能赶进度，进度要服从质量，服从成功！所以，对于这起事故，现在我们不能埋怨，不能气馁，而要把精力集中在分析事故上，集中在搞好应急方案上。戈壁滩现在已经进入冬季，冬季发射本来就是一种严峻的考验，加上计划有变，气象莫测，我们必须把各项工作做好。"

胡世祥说："对！从火箭被撞这起事故来看，我们的工作还有死角，还有想得不周全的地方。下一步一定要一事一报，一事一批，不要怕麻烦！火箭、飞船上天之前，麻烦点好，多想问题好。问题事先没想到，一旦上了天，就是灭顶之灾！另外，对那些平常不被重视的系统、不被重视的岗位，以后一定要高度重视，任何一个小细节都不能放过！"

副总指挥沈荣骏说："一定要按规定办事，按程序办事，把问题查清楚。问题没有搞清楚前，不能糊里糊涂地打！"

总指挥曹刚川说："火箭的检测工作要一步一步地来，不要忙中出乱。火箭身上已经安装好了火工品，现在要重新检测，这等于是在太岁头上动土。大家工作起来千万要小心，一定要慎之又慎！"

会议接着展开讨论。讨论十分激烈，主要是两种意见：一种意见认为，火箭经过计算，受力不大，做一般性检查，就可以发射；另一种意见认为，火箭必须做彻底检查，对固体发动机和整流罩都必须做彻底检查，否则，万一什么地方撞击后留有隐患，上天后连后悔都来不及了……

会议经过长达五六个小时的讨论，最后决定，把已经对接好的火箭与飞船重新分离，各自重新进行检测。尤其是火箭，要做重点探伤检测。等火箭、飞船故障排除后，再重新对接。然后按原来程序，重新测试一次。

会议一结束，各系统立即展开工作。由中国航天科技集团组织的以任新民、曾庆来、王德臣为首的13位权威组成的专家组也迅速赶到发射场，对火箭的检测工作实施严格监督。

1月3日，经过专家组的检查，火箭箭体正常。火箭气管也有幸逃过一劫——只差几毫米就撞上了。若是火箭气管被撞，价值几千万元的火箭便彻底完蛋！

1月4日，对火箭明显被撞的储箱、整流罩等部位进行了修复，对一些不放心的部件也进行了更换。同时，火箭系统用了四天时间，写了一份长达52页的有关火箭被撞的分析报告。结论是：火箭修复后可以发射！

1月5日，十三人专家组对事故的分析结果和处理措施展开严格的评审。经过评审，十三位权威专家一致认为，火箭与工作平台的碰撞属于挤压过程，并非冲击，碰撞产生的力量小于火箭的设计承受力量。目前火箭已经恢复原有状态，并通过总检查，可以发射！

1月6日，载人航天工程指挥部再次召开七大系统“两总”会议。会议对火箭作了进一步讨论和评审，最后为火箭颁发了可以“上岗”的“通行证”，并将“神舟二号”飞船发射的时间定在2001年1月10日凌晨1时。

“神舟二号”飞天

“神舟二号”正式发射这天，指挥部的领导和专家们对火箭仍然有些不放心。尤其是基地副司令员张建启和火箭系统总指挥黄春平，心一直怦怦跳个不停。因为火箭毕竟被撞过一次，撞过和没撞过是绝对不一样的——至少在心理上是不一样的。而刘竹生不仅为火箭捏着一把汗，还别有一番滋味在心头。再过三天，就是他60岁的生日了，作为这枚火箭的第二任总设计师，如果火箭能在自己60岁生日之际顺利升空，自然比任何一份生日礼物都更重要、更珍贵！可这枚火箭毕竟受过太大的“委屈”，万一上天后要起脾气来，那可如何是好？

1月10日凌晨1时，随着发射指挥员一声“点火”令下，载着“神舟二号”飞船的“长征二号F”火箭腾空而起，将飞船准确送入轨道！当总指挥宣布发射成功时，张建启和黄春平紧紧搂抱在一起，两人都流出了滚滚热泪。

黄春平说：“我们这些搞火箭的人，发射成功了可能是功臣，发射失败了就是罪人！我听说当时军事法庭都介入火箭被撞这件事了。”

2001年1月10日，我国自行研制的“神舟二号”无人飞船在酒泉卫星发射中心载人航天发射场发射升空。（王建民/摄，图片来源：新华社）

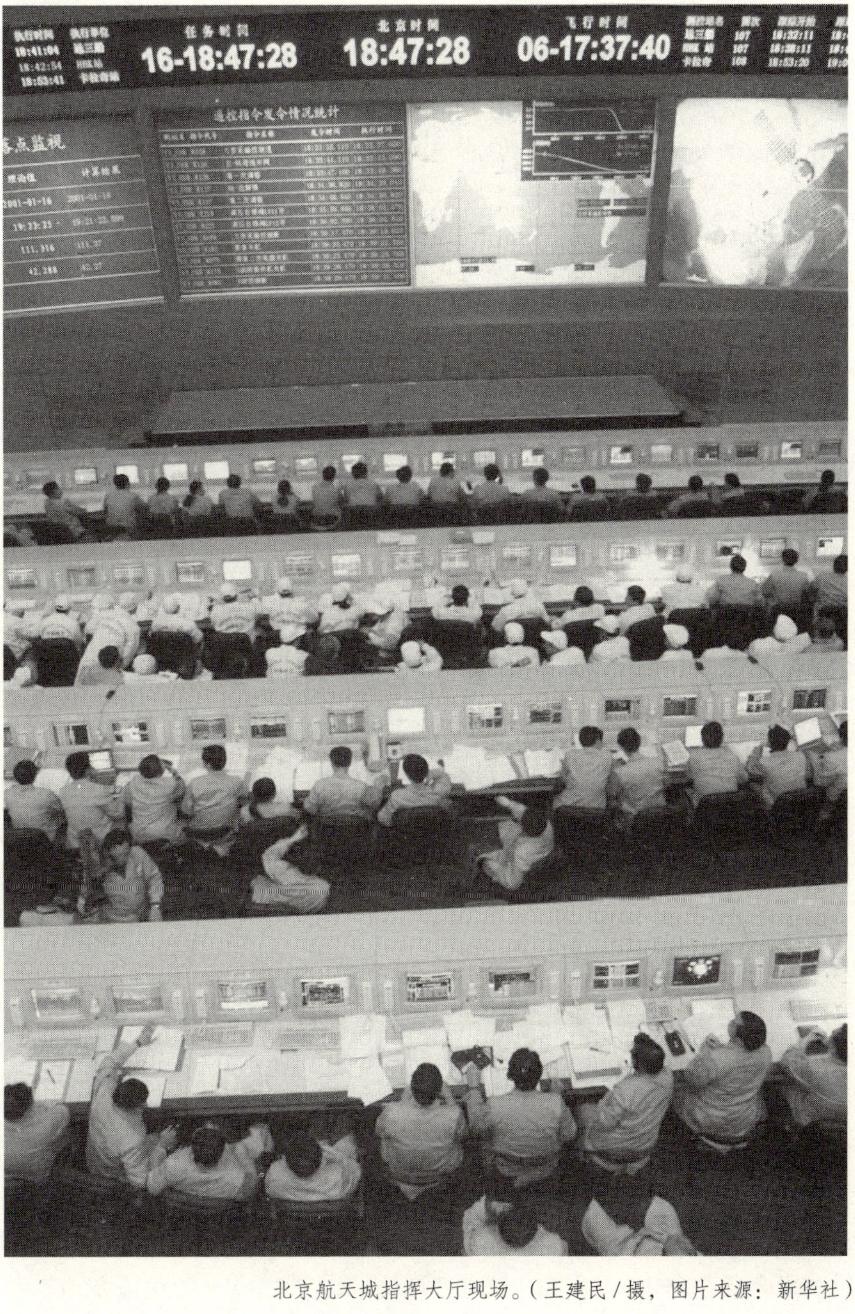

北京航天城指挥大厅现场。（王建民/摄，图片来源：新华社）

张建启说:“应该说我是很幸运的。火箭被撞，责任在基地。幸亏火箭被撞的地方不是火箭的气管。如果撞到了气管，那就完了，再怎么弄火箭也报废了。在火箭被撞这事上，火箭、飞船系统没有埋怨，大家没有推脱责任，这对我是个很大的支持！你把人家的火箭都撞成那样了，飞船的燃料也加注了，要是人家不表态，或者表态模棱两可，我就没法下决心了。这是我几十年来压力最大的一次。所以听到‘飞船入轨’的口令后，我流泪了。这是我在发射场第一次流泪。当时我还对黄春平开玩笑说，看来我们不用坐牢了！”

火箭成功发射了，飞船准确入轨了，张建启、黄春平、刘竹生等专家们放心了。然而从这个时候起，马宇倩等天文学家们的心却如同天上的星辰，被高高悬了起来。

“神舟二号”飞船升空后，要经过几天几夜的飞行，等到1月14日方才能启动伽马暴探测器程序。

马宇倩说:“‘神舟二号’上天后，我们最难受、最着急的，是10到14号这几天。因为这几天我们的伽马暴探测器还没有加电，所以不知道仪器性能好不好。直到14号、15号，我们才给伽马暴探测器加电测试。加电测试那一刻，我们非常紧张！当我们终于测到了信号，也看到了信号的时候，心情非常激动！”

1月16日，飞船在太空运转了108圈后，返回舱顺利返回地面。而马宇倩他们研制的伽马暴探测器则和飞船的轨道舱一起，继续留在了太空。

1月17日，马宇倩他们开始在轨测试。没想到，第一天便幸运地测到了一个伽马暴！这伽马暴来自宇宙的深处，传递着神秘宇宙百年难遇的神秘信息，其能量相当于1 000亿颗原子弹。这让马宇倩他们兴奋异常！马宇倩激动地双手撕下记录这伟大瞬间的传真纸，虔诚地将它收藏起来。因为这既是中华民族对宇宙伽马暴第一次伟大的发现，也是她和她的同事们一生中最美好的纪念！

马宇倩说:“当测到第一个宇宙伽马暴时，我们激动得不得了，也才真正放下心来。当时向上级报告了一下，然后通知了我的伙伴们，大家都非常高兴！有人开玩笑说，你这回能交账了。我说，是啊，能捕捉到宇宙伽马暴，我这十年也算没白干了！并且，后来发现，我们测到的第一个伽马暴，居然是我们自己发现的伽马暴。什么意思呢？就是说国际上其他的卫星此前并没有测到这个伽马暴。而更幸运的是，就在‘神舟二号’轨道舱停止飞行前一个小时，我们还最后测到了一个宇宙伽马暴！”

几天后的一个深夜，马宇倩把此次“神舟二号”飞船测到的伽马暴中的四个数据发到了伽马暴国际网络中心，请该中心的权威天文学家们帮忙验证。对方验证后回复说，他们调了两个卫星数据出来，中国测到的第一个伽马暴，也在他们的等待模式之下，只是他们尚未测到而已。这等于给了中国一个旁证，证明 1 月 17 日马宇倩他们测到的那个宇宙伽马暴，的确是由他们第一个发现的宇宙伽马暴！

此后，"神舟二号"飞船在太空继续飞行了半年时间。在这半年时间里，马宇倩他们研制的宇宙伽马暴探测器又从遥远的天外之天捕捉到 30 多个宇宙伽马暴，从而为中国空间天文高能探测之路打开了一扇希望的天窗！

（选自江西人民出版社、百花洲文艺出版社《千古一梦——中国人第一次离开地球的故事》，2009 年 3 月出版，作者：李鸣生）

亚洲的声音从这里发出

博鳌——一个在稍大比例的地图上就找不到的海滨小渔村一夜“走红”，成为亚洲乃至世界传媒的聚焦热点。新世纪，全世界将倾听从这里传出的亚洲的声音。2001年2月27日，博鳌亚洲论坛成立大会在这里举行。博鳌，成为第一个永久性定址中国的国际会议组织所在地。

一个美丽的传说

博鳌的地形、地貌酷似澳大利亚的黄金海岸、美国的迈阿密、墨西哥的坎昆。自然生态保护得近乎完美，外国专家称它为“世界河流入海口中自然环境保存得最完美的处女地，宛如人间仙境”。

博鳌镇位于海南万泉河与浩瀚南海的交汇处，有世界自然生态环境保存最完好的江河入海口；有融山、河、湖、海、岛屿于一体，集树林、沙滩、温泉、奇石和田园于一身的美景；有绵延长达10公里的美丽海滩；有众多造化神奇的岛屿与河汊。

说到博鳌名字的由来，还有一个美丽的传说。

很久以前，南海龙王敖钦的女儿小龙女艰难地生下一子，名鳌。鳌诞生时，龙翔凤舞，海天发出金色光芒，可是鳌却长着龙头、龟背、麒麟尾。

龙王见女儿竟生此怪物，勃然大怒，一气之下抽出腰间玉带抛向水间，形成玉带滩，阻隔鳌母子回归南海之路。小龙女因龙王不认鳌儿，心力交瘁之下化作龙潭岭。

鳌一怒之下，凶性大发，兴风作浪，祸及百姓。观音菩萨闻讯，赶至南海，收服了鳌。

观世音菩萨指惊涛骇浪化为龙滚河，合纵溢横流成九曲江，聚百川千水为万泉河，使三江河水汇拢鳌头，直泻南海。她又在三江之地使天降财宝，地涌甘泉，赐福人间，“财源茂盛达三江”一说即由此而来。之后点化鳌成鳌龙，留下鳌的原身化作东屿岛；又赐金牛一头，形成金牛岭；卸下莲花宝座，即为现在的莲花墩。

观世音菩萨乘鳌而去，留下身后这片美丽神奇的宝地，富泽太平，乡兴人杰。唐代怀仁和尚即云：

伏鳌者圣，得鳌者贤。

博鳌之名也由此而来。

早在宋代，博鳌就有疍家人居住而繁衍生息。宋代天圣元年（1023年），疍家人集资在博鳌建起三江庙，此时在此居住的疍家人已有一定数量和规模。

随着在博鳌聚居的疍家人增多，元明年间，乐会县在博鳌设都而治，都名称博鳌浦莫村都，负责管理在博鳌浦和万泉河莫村段上居住的疍家人。

据历代相传，曾姓人是最早到博鳌墟陆地上盖房定居的。《博鳌曾氏族谱 · 序》记载：

居仁公乃发公之后裔，公于明末由陵水入乐会开基博鳌。

这部族谱证明，曾居仁于明末到博鳌定居，开创家族基业。他也许是最早到博鳌墟陆地上盖房定居的人之一。曾居仁的墓茔至今尚在，位于博鳌东山公路旁。

清代，乐会县撤都设乡。原来专门管理疍家人的博鳌浦莫村都被撤销，莫村一带被划入中珠乡，另外成立博鳌乡。博鳌乡纵20公里，横5公里，面积100平方公里。其范围东至大海，南至金牛岭，西至七星岭、南强、北山一带，北至会同县界。

博鳌镇成为亚洲论坛永久会址所在地。当时，该镇辖有17个村委会，205个村民小组，总人口2.7万人，总面积86平方公里，特别规划区面积122平方公里，开发区总面积约10平方公里。其中，海南中远发展博鳌开发有限公司开发面积4.6平方公里，博鳌亚洲论坛会址占地面积1.8平方公里。

亚洲需要一个论坛组织

1999年10月8日上午，中国国家副主席胡锦涛在人民大会堂会见菲律宾前总统拉莫斯和澳大利亚前总理霍克。会见中，宾主双方还就共同关心的地区和国际问题进行了交谈。

胡锦涛在认真听取两位政要有关“论坛”构想的介绍后，表示中国政府一贯重视和支持多层次、多渠道、多形式的地区合作与对话，认为论坛的成立有利于本地区国家间增进了解、扩大信任和加强合作。

胡锦涛表示，中方将对“论坛”的设想进行认真研究和积极考虑，并尽力提供支持和合作。同时，胡锦涛还强调，中国也希望进一步了解其他国家的反应，因为论坛的建立必须得到有关国家政府的重视、理解和支持。

此后，亚洲有关国家的政府均对成立“亚洲论坛”做出了积极反应。这个论坛便是后来在海南博鳌成立的“博鳌亚洲论坛”。亚洲国家在当时决定成立论坛，有着深刻的时代背景。

20世纪50年代以来，亚洲各国通过自身努力，在经济与社会发展方面取得了显著成就，在国际和地区事务中的影响力日益上升。特别是80年代，亚洲经济总体发展迅速，东亚经济实现了腾飞，创造了令世人瞩目的“东亚奇迹”，成为20世纪最具经济发展活力的地区之一。虽然在世纪之末遭受金融危机的重创，但经过自我调整与改革，亚洲经济已迅速复苏。

亚洲大多数国家现已实行开放政策，彼此间的贸易和投资联系日益密切，双边、区域、次区域以及跨区域的合作逐步展开；各国间工商、金融、科技、交通、文化等领域的合作与交流不断加强；东亚地区合作“10＋3”已进入实质性阶段；东南亚联盟内部经济一体化，澜沧江—湄公河流域合作、图们江流域合作等次区域合作正在进行；亚太经合组织、亚欧会议、东亚—拉美论坛等跨区域合作也在向前推进。这预示着，亚洲经济发展与合作的前景十分广阔。

亚太经济合作组织是亚太地区最具影响力的经济合作官方论坛，成立于1989年。1989年1月，澳大利亚总理霍克访问韩国时建议召开部长级会议，讨论加强亚太经济合作问题。经与有关国家磋商，1989 年 11 月 5 日至 7 日，澳大利亚、美国、加拿大、日本、韩国、新西兰和东南亚国家联盟六国在澳大利亚首都堪培拉举行亚太经济合作会议首届部长级会议，这标志着亚太经济合作会议的成立。

1993 年 6 月，亚太经济合作会议改名为亚太经济合作组织，简称亚太经合组织或 APEC，英文为 Asia-Pacific Economic Cooperation，宗旨是：保持经济的增长和发展；促进成员间经济的相互依存；加强开放的多边贸易体制；减少区域贸易和投资壁垒，维护本地区人民的共同利益。

跨入 21 世纪，在经济全球化和区域化不断发展、欧洲经济一体化进程日趋加快、北美自由贸易区进一步发展的新形势下，亚洲各国面临巨大的机遇，也面临许多可以预见和难以预见的严峻挑战，一方面要求亚洲国家加强与世界其他地区的合作，同时也要求增进亚洲国家之间的交流与合作。

如何应对全球化对本地区国家带来的挑战，保持本地区经济的健康发展，加强相互间的协调与合作已成为亚洲各国面临的共同课题。

亚洲国家和地区虽然已经参与了亚太经合组织（APEC）、太平洋经济合作理事会（PECC）等跨区域国际会议组织，但就整个亚洲区域而言，仍缺乏一个真正由亚洲人主导，从亚洲的利益和观点出发，专门讨论亚洲事务，旨在增进亚洲各国之间、亚洲各国与世界其他地区之间交流与合作的论坛组织。

鉴于上述原因，1998 年 9 月，澳大利亚前总理霍克、日本前首相细川护熙和菲律宾前总统拉莫斯倡议成立一个类似达沃斯世界经济论坛的亚洲论坛。这个建议，得到亚洲国家的积极响应。

两元钱与“博鳌之父”

有人说，“博鳌”这个名字，似乎是专为“国际化”准备的。当论坛将其译成拼音 BO AO 时，发现它好像有一种神秘的力量，蓄入了国际化的灵魂。在博鳌，人们总会想到另一个地方：达沃斯。达沃斯世界经济论坛在世界经济之巅报晓了 30 余年。每年，来自世界各地的政界领袖、企业首脑和学术泰斗，云集瑞士西部的这座小城，为世界经济把脉，就世界经济问题指点江山，为各国间的交流与合作鼓与呼。达沃斯虽然是属于世界的，但更多的是属于欧洲的、属于富人的。而博鳌却属于亚洲，而且将会属于全世界，决不只属于富人。

博鳌亚洲论坛的意义非同寻常，而这里的开发却似乎有点偶然。甚至有人说，是一个海南渔民的两元船钱，成就了博鳌与亚洲论坛的美好“姻缘”。

1992年，后来任博鳌投资控股有限公司董事长的蒋晓松第一次来到博鳌，当时，他作为影视制作人乘坐渔船前往博鳌的东屿岛考察外景。他发现了这里的人间仙境，更领略到这里的民风古朴清淳。据蒋晓松后来回忆，那次考察结束后，他要支付给渔民两元钱的船费，但质朴的渔民坚决不肯收下。正是这看似微不足道的两元钱，坚定了他投资开发博鳌的信念。

那次考察过后，以蒋晓松为董事长的海南晓奥房地产开发有限公司在博鳌组建，当时开发面积仅有土地1 396亩。开发之初，蒋晓松并不曾想到这个一时的感动会成就一个“亚洲达沃斯”。

1998年，蒋晓松邀请几个外国朋友到海南休假。这几个朋友可不是一般朋友，都是亚洲显赫一时的政要，他们是日本前首相细川护熙、澳大利亚前总理霍克、菲律宾前总统拉莫斯。他们一边打着高尔夫，一边享受着三江之口的天籁之音。海南的椰风海韵激发了这些智者的灵感，博鳌的天生丽质迷住了这几位风云一时的人物。他们聚在一起，天南地北地谈着，谈经济全球化，谈亚太经合组织，谈达沃斯论坛，也谈到了创建亚洲论坛的种种设想，谈到兴奋处，不觉天之将晓。正是这番长谈，点燃了亚洲论坛创建及选址博鳌的火种。

面对着美丽如画的博鳌风光，他们顿悟：博鳌不就是天然为亚洲论坛而设的吗？

很快，他们的灵感变成了倡议，并得到了亚洲各国的积极支持和响应。1999年10月，时为中国国家副主席的胡锦涛会见拉莫斯、霍克及海南省领导，表示中国政府愿为亚洲论坛的创建提供支持与合作。随后，倡导者与组织者同海南省领导高效率地开始了实质性的操作。当时在省政府机关工作的胡光辉，见证了博鳌亚洲论坛策划、筹备中的一些有趣事件。他在一篇《闯海》的回忆录中写到了“博鳌踏青”这样一件趣事——

记得1999年10月的一天，我陪同领导再次到博鳌考察，所不同的是，这次同来的还有博鳌亚洲论坛发起人拉莫斯、霍克等人。当时的博鳌除已初步建成的高尔夫球场外，尚无其他项目，远远望去，还是一片农田和沼泽地，但自然景观十分迷人，三江合流，海天一色。大家在简陋的会议室内听取了业主的情况介绍，为第一个酒店的开工奠基剪彩，然后去踏勘现场。

在一块草地上，拉莫斯提议照张相，以便今后对照来看博鳌的变化。他见远处有个一丝不挂的放牛娃，便叫人把小孩请来一同照相，说是日后可以做见证人。他希望在亚洲论坛开会时，仍能看到周围的农民在放牛耕田。在一片笑声中，大家欣然合影。霍克则摘下头上的帽子，用笔签上自己的名字，并要求大家效仿，各自在其他人的帽子上签名留念。我至今仍保留着那顶有拉莫斯、霍克等人签字的白色太阳帽。我想，这顶帽子留下的，远远不只是几个名人的签字，它是历史的见证，是博鳌亚洲论坛由构想变成现实的生动写照。

在现场办公会上，省领导主持研究了博鳌论坛的规划、筹备工作等具体问题，提出了会址建设的工期、投资、质量和效果等方面的要求，帮助业主解决了一些主要困难。业主表示了加大投入、加快建设的决心。大家认为会议开得很好，都在展望2000年成立大会的盛况。拉莫斯一高兴，拿出了心爱的雪茄大口吸了起来，并叫助手给在场的几位“外国朋友”——中国人——每人送了一盒专门为他特制并印有拉莫斯名字的雪茄烟。后来，我将自己得到的那盒雪茄分送给我的朋友享用时，总是少不了要稍稍炫耀一下。

博鳌亚洲论坛会址一期工程以惊人的速度建成。而一直在推动博鳌亚洲论坛筹备工作的蒋晓松，也由一个影视界的艺术家、一个房地产的企业家，成了一个有国际背景的社会活动家，成为频频出现在国内外各新闻媒体报道中的新闻人物，其名字与博鳌亚洲论坛紧密相连——被人们称为“博鳌之父”。而蒋晓松的人生也与博鳌亚洲论坛紧密相连。正如他在博客里自述的那样：“我对博鳌可以说是一见钟情，她的许多素材深深地吸引着我，给我带来了许多创作的灵感及源泉，使我坚信，我的许多梦想都可以在她身上得到实现。所以，即使我在巨大的压力和困难面前，也不会弃她而去。”而以他为主开发的博鳌水城，则浓缩了整个海南的精华。

博鳌水城以东屿岛为中心，规划41.8平方公里，其中有24平方公里的环状生态控制区。水城以亚洲论坛会展中心为主体，综合规划教育基地、科研基地、体育运动基地、中西医康复中心、民族文化村等项目。第一期工程的15个项目，包括博鳌金海岸温泉大酒店、博鳌高尔夫球场会所、九曲江温泉供水工程、500亩园林景观，以及国际友好村、友好林等，形成了集温泉酒店、别墅、国际会议、高尔夫、万泉河水上旅游等为一体的休闲度假胜地。

博鳌水城的总设计师迈克·杜卡尔是国际资深设计师，他完成的五六百项设计项目遍布世界各地。他对自己设计的博鳌水城十分满意。他说，这是一个梦想之城。他认为，未来的博鳌会是一个度假胜地，而且是一个适合任何人居住的地方，无论是老人、孩子还是年轻人，都会喜欢这里，我们可以静静地看海，听昆虫鸣叫，还有，看满山的野蝴蝶……是人与自然和谐相处的人间天堂。

博鳌水城。（姜恩宇/摄，图片来源：新华社）

论坛准备工作就绪

2001年2月21日，海南琼海博鳌亚洲论坛主会场落成。这个面积为3 500平方米的膜结构大厅是为即将举行的博鳌亚洲论坛成立大会专门建造的临时建筑。它位于风景如画的万泉河入海口之滨，其弧形白顶与蓝天碧水浑然一体，是当时中国最大的膜结构建筑。

论坛主会场采用脊谷张拉式膜结构，其平面大致呈长约65米、宽约60米的矩形。脊索低点4.5米、高点12米，谷索直径40米、低点2米。整座结构中央由

博鳌亚洲论坛主会场。（陈小鹰/摄，图片来源：新华社）

6根主柱支撑，周边采用撑杆加拉索的形式。

该主会场近4 000平方米的建筑从签订合同到竣工为时仅40天，充分体现了膜结构建筑造型活泼、结构受力合理、用钢量少、工期短等优点。

到2月24日，各项准备工作基本就绪，海南岛上已呈现出一派喜迎盛会的景象。

在博鳌的主干道上，便能看到博鳌亚洲论坛那个中国最大的钢膜结构建筑，白色的顶棚在阳光下熠熠生辉，一旁是所有与会国家和地区的旗帜在空中轻舞飞扬。

主会场旁边的别墅群已经颇具规模，这是博鳌水城竣工不久的C岛别墅，这里将迎接与会的尊贵客人。每一幢别墅皆四面环水，满眼碧绿，站在敞开式阳台上，博鳌水城秀美景色尽收眼底。

数百平方米的人工沙滩、黎族弓形草亭和热带特有的奇花异草，由青皮石条串构成相互独立而浑然一体的自然景观，把“绿水人家绕”的诗意和前卫、灵动的建筑风格结合得天衣无缝。站在博鳌水城高处，换一个角度看，远山、绿树、流水，博鳌的建筑就像是镶嵌在大自然中的精灵。

应海南省政府的邀请，论坛三个发起国的澳大利亚前总理霍克、日本前首相中曾根康弘、菲律宾前总统拉莫斯以及巴基斯坦前总统莱加里、蒙古前总统奥其尔巴特、越南副总理阮孟琴、韩国前总理李寿成、哈萨克斯坦前总理捷列先科、尼泊尔前首相比斯塔、塔吉克斯坦前总理哈约耶夫等25个国家的前政要和代表将出席论坛成立大会。

应中国政府的邀请，尼泊尔国王比兰德拉和马来西亚总理马哈蒂尔作为特邀嘉宾也将出席论坛成立大会。届时，中国领导人也将出席。

为确保论坛召开期间供电、供水、通讯正常，会址所在地琼海市研究制订了四套保电方案，并筹资424.2万元铺设了通往博鳌的玻璃纤维钢供水管，架设了通讯电缆和光缆。

在博鳌亚洲论坛新闻中心，为确保记者及时上网发稿，大会专门设置了宽带接入端口，在新闻发稿中心记者下榻的房间皆可轻松上网发稿。

琼海市挂出150条汉英两种文字的对外宣传横幅，市中心主要街道的树木上安装了满天星彩灯，高层建筑安装了霓虹灯，全市装挂了5 000盏大红灯笼。

琼山市在海口美兰机场到海口市的12公里道路沿线开展了铲除杂草、清运垃圾工作，对沿途临街建筑立面实施了改造，并投入100多万元对机场通道进行绿化。

三亚市工商部门从2月10日至3月1日开展“迎论坛百人综合执法大行动”，从整治旅游市场、清理户外广告、保护野生动物等八个方面入手，在全市大力整顿和规范市场秩序。

论坛筹委会会议举行

2001年2月26日，博鳌亚洲论坛举行专家学者会议和筹委会会议。

上午专家学者会议的主要内容是：通过大会议程，确立《博鳌亚洲论坛宣言》，讨论《博鳌亚洲论坛章程》指导原则；下午筹委会会议的主要内容是：选举会议主席，通过《博鳌亚洲论坛宣言》，讨论并通过《博鳌亚洲论坛章程》指导原则以及博鳌亚洲论坛的智力支持，任命博鳌亚洲论坛秘书长等。

当天10时20分，大会举行首次会中新闻发布会。应大会新闻中心的安排，中国政协副主席陈锦华、澳大利亚前总理霍克、哈萨克斯坦前总理捷列先科来到大会新闻中心，接受中外记者的采访。

当记者问到博鳌亚洲论坛的成立对将来的亚洲乃至世界会产生什么样的影响等问题时，霍克说：

> 我们认为亚洲在世界经济发展中的地位越来越重要；在经济全球化的今天，亚洲不再是“远东”，更不是世界的“边缘”。

中方首席代表陈锦华认为：

> 博鳌亚洲论坛成立，给中国的工商界提供了一个与亚洲乃至世界平等对话的平台，我们可以借助博鳌亚洲论坛，向亚洲及世界各国学习经济发展的先进经验。

在当时举行的另一次新闻吹风会上，海南省副省长李东生通报了博鳌亚洲论坛的发起经过。

当天下午，博鳌亚洲论坛筹备委员会会议闭幕。

博鳌亚洲论坛筹委会会议于14时在博鳌金海岸温泉大酒店举行，与会代表首先选举全国政协副主席陈锦华、菲律宾前总统拉莫斯、澳大利亚前总理霍克、日本前首相中曾根康弘为会议主席。

会议通过了经专家学者会议最后讨论修改的《博鳌亚洲论坛宣言》。“宣言”阐述博鳌亚洲论坛的远景目标，即以鲜明的亚洲特色，力求成为本地区最重要的论坛，在日益加快的全球化进程中促进亚洲国家商业和经济的整合。

《博鳌亚洲论坛宣言》指出：

> 新千年伊始，我们聚首中国海南省博鳌，审视亚洲地区经济与社会发展面临的挑战，认识到在这些问题上熔铸亚洲观点的重要性，进一步认识到为增进本地区的相互依存和经济整合而做出持续努力的重要性。为此，我们注意到亚洲国家经济与社会环境的不同，经济发展阶段的差异以及文化和传统的多样性。
>
> （我们）注意到尽管亚洲具有丰富的多样性，但各国争取平等和可持续发展的目标是一致的，各国都有着共同的前进愿望和决心。
>
> （我们）认识到使用新技术，实施外向型战略，以充分挖掘亚洲巨大的自然和人力资源潜力，是消除贫困、增进繁荣、提高生活质量的最佳途径。
>
> （我们）坚信亚洲各国之间的对话、协调与合作，将进一步巩固和深化亚洲内部、亚洲与世界其他地区之间的经济联系，增加亚洲内部、亚洲与世界其他地区之间的贸易和投资。
>
> 为此我们郑重宣示：
>
> 依据中华人民共和国法律建立博鳌亚洲论坛，中国海南省的博鳌是论坛的永久所在地。
>
> ……
>
> 增进亚洲跨文化间的相互理解，增强本地区私营团体的社会责任感。
>
> 创造一个良好的环境，强化商业团体在寻求增长和进步过程中的和谐共生关系，以实现本地区经济的可持续发展。

培育和增进区域内网络机制和地区战略联盟的概念，以增加全球化过程中亚洲内部、亚洲与世界其他地区之间的贸易和投资机会。

为人力资源开发以及涉及本地区及其与世界其他地区关系的重要研究活动，提供智力支持。

筹委会会议还通过论坛秘书处的机构设置框架，任命东盟前秘书长、马来西亚人间吉特·辛格为论坛秘书长。

会议还讨论通过了《博鳌亚洲论坛章程》和论坛智力支持方案的指导原则，决定成立博鳌亚洲研究所。

《博鳌亚洲论坛章程》内容如下：

第一章　总则

名称

本组织的名称为“博鳌亚洲论坛”(以下简称“论坛”)(英文名称为 Boao Forum for Asia，缩写 BFA)。

性质

论坛为非官方、非营利性、定期、定址的国际组织。

宗旨

1. 立足亚洲，促进和深化本地区内和本地区与世界其他地区间的经济交流、协调与合作；

2. 为政府、企业及专家学者等提供一个共商经济、社会、环境及其他相关问题的高层对话平台；

3. 通过论坛与政界、商界及学术界建立的工作网络为会员与会员之间、会员与非会员之间日益扩大的经济合作提供服务。

法律管辖

遵守中华人民共和国宪法和法律法规，尊重当地的社会道德习俗。

会址

中国海南博鳌为论坛总部的永久所在地。论坛的注册地址为中国海南省琼海市博鳌金海岸大道1号。

第二章　业务范围

业务范围

论坛的业务范围包括：

1. 召开年会、研讨会以及其他学术讨论会，讨论亚洲和世界经济与社会发展，包括金融、贸易、投资及环境等领域的重要问题；

2. 提出地区性或全球性的倡议，促进和加强各国政府与商业实体之间在商贸和投资方面的合作关系；

3. 跟踪影响全球和地区经济的动向；

4. 甄别可能影响贸易、金融和社会发展的各种问题；搜集和发布相关信息，凸显地区经济合作机会；

5. 通过论坛建立的工作网络，增进区域内外企业间联系；

6. 创建和成为具有国际影响力的研究及培训中心，为商业团体提供先进的管理经验和技术；

7. 独立或合作开展有助于实现论坛宗旨的会议展览、信息交流、经济评估、教育培训、电子商务等各类活动。

……

章程还规定了会员国的相关权利和义务。

菲律宾前总统拉莫斯、澳大利亚前总理霍克、日本前首相中曾根康弘、中国全国政协副主席陈锦华、塔吉克斯坦前总理伊扎图洛·哈约耶夫、尼泊尔前首相基·尼·比斯塔、斯里兰卡前商贸部长金斯利·维克拉马特纳做闭幕发言。

他们在讲话中阐述了即将成立的博鳌亚洲论坛的必要性，赞扬筹委会和秘书处为论坛的成立所作的努力，并对中国政府和海南省政府对会议的举行所做的工作表示感谢。

陈锦华在总结发言中说：

面对经济全球化的挑战，与会代表普遍认为，需要建立一个从亚洲的观点和利益出发、专门讨论亚洲经济与发展问题的高层次对话场所，以增进本地区各国之间以及本地区与其他地区之间的对话、协调与合作。

陈锦华在讲话中指出：

筹委会会议的成果将对博鳌亚洲论坛的建立和发展，对论坛的未来面貌产生广泛、持久的影响。

成立大会举行

2001年2月27日上午，雨后初霁。博鳌，这座海南省琼海市的滨海小镇树木葱郁，鲜花烂漫。位于博鳌水城四面开放的论坛会场，白色的波状屋顶像海边展翅的海鸥。不远处，清清万泉河水流入浩瀚的太平洋。首个涵盖整个亚洲，探讨亚洲经济和社会发展问题的非官方开放性论坛——博鳌亚洲论坛成立大会在这里举行。

10时30分，江泽民主席和应中国政府邀请作为特邀嘉宾与会的尼泊尔国王比兰德拉和马来西亚总理马哈蒂尔一同步入会场，受到来自25个国家的代表和来宾的热烈欢迎。

在主席台上就座的还有：中国国务院副总理钱其琛，全国政协副主席陈锦华，三位论坛发起国代表菲律宾前总统拉莫斯、澳大利亚前总理霍克、日本前首相中曾根康弘和论坛秘书长辛格等。

辛格宣读会议日程和各国贺词。向论坛发来贺词的有孟加拉国总理瓦吉德、文莱苏丹博尔基亚、伊朗前总理穆萨维、日本首相森喜朗、哈萨克斯坦总统纳扎尔巴耶夫、老挝总理乔本潘、马来西亚总理马哈蒂尔、菲律宾总统阿罗约、菲律宾前总统拉莫斯、韩国总统金大中、巴基斯坦首席执行官穆沙拉夫、斯里兰卡总统库马拉通加夫人、塔吉克斯坦总统拉赫莫诺夫、泰国总理西那瓦、土库曼斯坦总统尼亚佐夫、越南总理潘文凯和联合国秘书长安南等。

接着，江泽民向大会致辞：

各位代表，女士们，先生们，朋友们：

今天，博鳌亚洲论坛正式成立，亚洲和关心亚洲事务的许多国家的政界知名人士，企业界、学术界的精英集聚一堂，围绕亚洲发展问题交换意见，是一次盛会。我代表中国政府和人民，向大会致以衷心的祝贺！向与会各界人士表示热烈的欢迎！

人类已经迈入了新的世纪和新的千年。当今世界，经济全球化和区域经济合作正在向纵深发展。亚洲各国国情虽不相同，但抓住机遇、迎接挑战、不断推进经济和社会发展，是我们共同面临的课题。

博鳌亚洲论坛作为一个非官方的国际性会议组织，以亚洲国家和地区为主，又向其他地区开放，为各方人士提供一个共商亚洲地区经济发展、人口和环境等问题的高层次对话场所，反映了在经济全球化背景下亚洲各国希望加强对话、寻求合作、实现共同发展的时代要求。

我完全支持这个构想。中国政府主张建立公正合理的国际政治经济新秩序，一贯重视和支持多层次、多渠道、多领域的对话与合作。作为东道国，中国政府将继续为论坛的健康发展提供支持，同时也希望与会各国人士予以支持。

让我们携起手来，为实现亚洲各国的共同发展，为增进亚洲与世界其他地区的交流与合作，为开创亚洲繁荣、富强、美好的明天而积极努力。

最后，祝大会取得圆满成功！

江泽民的讲话，受到大家的热烈欢迎。

江泽民在成立大会上向论坛赠诗一首，引起全场雷鸣般的掌声，全诗如下：

万泉气象新，
水阔晚风纯。
四海群贤聚，
博鳌更喜人。

随后，比兰德拉国王在致辞中说，博鳌亚洲论坛的成立充分反映了亚洲人民的共同愿望。他说：

亚洲国家有多样的文化和传统，一些国家还是世界上最古老、最恒久的文明的继承者。进入新的千年后，在信息革命和全球化等背景下，世界发生着巨大变化，因此我们有必要负起责任，为未来勾画更确定的路线。

比兰德拉对亚洲人民自己的共同论坛最终落户博鳌表示高兴，希望论坛能实现自己的使命，成为亚洲国家表达自己的关切和愿望、加强自身合作的平台。

马来西亚总理马哈蒂尔对江泽民主席和中国政府给论坛的支持表示感谢，希望论坛通过磋商和辩论，为亚洲和世界事务提供新的创意。他特别指出，论坛在当前全球化的大背景之下成立“非常及时”。

关于论坛，他说，这个论坛将通过会议和讨论来催生一些伟大的构想，而这些构想将像旧日先贤的构想那样，可以防止我们所在的这个世界的分裂。他还说，亚洲和亚洲人在21世纪有伟大的未来，我们不是要主宰世界，21世纪是属于全球的世纪，但是亚洲人必将在创造这个全球世纪中发挥重要作用。

中国副总理钱其琛致辞：

各位来宾、各位朋友：

首先，我谨代表中国政府，对博鳌亚洲论坛的成立表示衷心的祝贺，对远道而来的各国朋友们表示热烈的欢迎。

当今世界正在经历深刻的变化。政治多极化和经济全球化的趋势继续发展，要和平、求发展、促合作已经成为各国人民的共同呼声和时代前进的主流。全球范围内的经济结构调整步伐加快，科技进步日新月异，知识经济正在兴起，国际竞争日益激烈。亚洲在新的世纪里，既面临巨大的机遇，也面对严峻的挑战。

钱其琛指出：

总体来看，过去20多年里，亚洲保持了较高的经济增长速度，各国工业化和现代化建设不断进步，人民生活水平迅速提高。当前亚洲在世界经济总量中占有四分之一的份额，其外汇储备占世界总额的一半以上。在经历了1997年爆发的金融危机之后，亚洲经济逐步恢复，仍然是世界上经济增长最快和最具发展活力的地区之一。亚洲各国有着较好的经济基础和巨大的发展潜力，亚洲人民有着自强不息的民族精神和非凡的创造力。我相信，通过认真总结经验教训，完善发展模式，兴利除弊，锐意进取，亚洲一定能够在新的世纪里再创经济发展的奇迹。

钱其琛说：

面对经济全球化带来的挑战与机遇，亚洲有必要进一步拓展和深化本地区的经济合作。经济全球化是个不可避免的发展过程，影响所及，既有利也有弊。区域经济合作有利于各国优势互补和资源有效配置，有利于扩大相互贸易和投资，有利于增强抵御风险的能力和整体竞争能力。

钱其琛简单回顾了1998年由霍克、拉莫斯和细川护熙提出的亚洲论坛的构想。他说，这个倡议在短短三年后即成为现实，说明这一设想反映了时代发展的潮流和各国的共同愿望。论坛选择中国作为永久会址，落户博鳌，中国政府表示欢迎和支持。他希望论坛能鼓励人们以长远的眼光研究和探讨本地区的变化与发展，审视和展望亚洲乃至世界的未来。

接着，钱其琛说：

中国作为亚洲和世界经济体系的一员，多年来保持着良好的发展势头。海南省是中国最大的经济特区，这里的变化，是中国20多年改革开放政策的一个缩影。

……

中国政府一贯支持并积极参与多层次、多渠道、多形式的地区对话与合作。江泽民主席亲临论坛成立大会并致辞，充分显示了中国对论坛的重视和支持。中国海南地方政府将为论坛提供一切必要的服务和支持。我相信，博鳌亚洲论坛将以平等、互惠、合作、共赢为主旨，成为亚洲和关心亚洲的各界人士加强了解、增进友谊和扩大合作的纽带。

钱其琛的讲话结束后，会场响起经久不息的掌声。

接下来，中曾根康弘、拉莫斯、霍克，以及巴基斯坦前总统莱加里、哈萨克斯坦前总理捷列先科和越南副总理阮孟琴也在大会上发言。

成立大会闭幕

2001年2月27日下午，博鳌亚洲论坛成立大会顺利闭幕。会议宣告了亚洲第一个永久定址中国的国际会议组织在海南省琼海市博鳌镇诞生和正式启动。

秘书长阿吉特 · 辛格主持论坛成立大会的闭幕式。

在博鳌亚洲论坛成立大会的闭幕仪式上，担任论坛四主席之一的中国全国政协副主席陈锦华致辞。

“今天的博鳌雨后天晴，风和日丽，这是一个美好的象征。”陈锦华对博鳌亚洲论坛的正式成立表达了喜悦之情。

陈锦华说：

> 1998年9月，亚洲几位政治家基于对亚洲情势的深刻洞察，提出了创建亚洲论坛的构想。在不到三年的时间里，亚洲论坛吸引并集合了关心亚洲前途的各界人士，通过各方努力，终于使论坛从“概念”变为现实。今天，如此众多的知名人士从亚洲各地和澳洲来到博鳌，宣告论坛的成立，这足以说明，创建亚洲论坛的构想得到了广泛响应和支持。

在谈到博鳌亚洲论坛成立大会的情况时，陈锦华指出：

> 两天来，会议取得了多方面的成果。首先，通过了论坛宣言，表达了亚洲各界人士对于建立一个对亚洲具有重要意义的国际会议组织的政治意愿，明确了论坛的使命和战略。
>
> 论坛代表虽然来自不同的国家，各自的历史和现实状况不完全相同，但面对经济全球化的挑战和机遇都普遍认为，亚洲有必要进一步拓展和深化本地区的经济合作。论坛为关心亚洲发展的企业界、工商界以及学术界人士提供了一个获取信息、开展交流、加强合作的适宜场所，有助于促进亚洲各国之间以及

亚洲与世界其他地区之间的相互理解与合作。

陈锦华指出：

众多政治家的精彩演说，从高远的角度审视和展望了亚洲和世界的未来，使我们对新世纪的亚洲乃至整个世界的需求有了更深刻的了解和把握，也深化了我们对建立亚洲论坛必要性的认识。代表们就此取得了广泛的共识，确定了论坛的构架，确立了对于论坛发展至关重要的有关原则，使论坛今后的运作有了明确的方向和可靠保障。

陈锦华接着指出：

我们为亚洲国家终于拥有一个从亚洲的角度和利益出发、专门讨论亚洲问题的新的对话场所而感到高兴。创建一个非官方、定期、定址的论坛组织是全新的尝试，论坛的发展需要一个过程。尽管论坛创建的过程中还会遇到一些新的问题，但经过亚洲各方的合作和努力，问题一定会得到妥善解决，我们完全有理由对论坛的未来充满信心。

在下午的会议上，出席论坛成立大会的各国代表纷纷发言，对中国政府大力支持论坛成立表示感谢，对中国有关方面为论坛建设所作的努力表示赞赏。

他们表示相信，在所有各方的共同努力下，论坛一定能成为反映亚洲各国心声、研究亚洲经济社会问题、共促亚洲共同繁荣的重要国际论坛。

“博鳌效应”

2001年2月，新成立的博鳌亚洲论坛引起了世界强烈的反响。博鳌不再是被地图忽略的小镇。这里举起了“立足亚洲，面向世界，为政府、商界和学术界搭建交流平台”的旗帜，使得人们第一次将博鳌与达沃斯这两个名字放在一起掂量。

博鳌亚洲论坛让海南由一个默默无闻的荒岛，成了亚洲的一个代名词、亚洲的一个符号；以一个最好的方式把海南引到亚洲乃至世界的面前，向世界展现亚洲的风采，也展现海南的风采。同时，博鳌亚洲论坛以其他世界性论坛所不具备的运作模式和精神内蕴，以独有的亚洲内容和现代气派，会聚亚洲乃至全世界的圣者、贤者，共筹亚洲的今天、明天。

博鳌是精品，它吸引了各路精英纷至沓来。只要我们细数博鳌亚洲论坛的登台亮相者，就会感到，博鳌因他们的到来，正在成为亚洲乃至世界一流的“人才高地”。由于博鳌亚洲论坛的带动，琼海市和博鳌的知名度进一步提高。正如一则通讯所报道的：博鳌亚洲论坛是亚洲对话的平台，是亚细亚梦与梦团圆的地方，更是琼海市全面腾飞、走向世界的大舞台。

有一则题为“博鳌论坛，成就国际名城”的通讯，细说了博鳌引发的效应。该文写道：“2001 年 2 月，博鳌亚洲论坛成立大会在博鳌隆重举行。一夜之间，太平洋西岸的这个名不见经传的博鳌小镇，这个有着红色历史文化的琼海小城，就被推到了全世界的聚光灯下。博鳌在哪里？琼海在哪里？琼海博鳌一时间成为人们搜索地图的聚焦点。碧波浩瀚的太平洋西岸，海南岛的东部，万泉河的入海口，琼海市，已经落名世界名城宝典。”这篇文章说，因为博鳌论坛，“世界三大无烟产业”——会议经济、旅游经济、房地产经济，成了琼海市经济发展的“助推器”。本来，琼海市在海南省建省以前只是一个有着红色历史文化的小县城，由于会议经济“点石成金”的带动作用，现在正逐步嬗变成为一座“国际会议名城”。

当然，亚洲论坛长驻博鳌，更推动海南在开放的世界走得更快、走得更远。博鳌论坛成立的 2001 年，海南就率先宣布向亚洲 21 个国家的团队游客实行免签证入境，对 160 多个国家的游客实行落地签证制度，吸引大批外国游客纷至沓来。谁不愿意在总统发表演讲的论坛前合一张影？谁不希望在主席住过的客房边租住一晚？一些商家投资小镇，目的就是在平平常常做生意的日子里，也可以一睹国宾车队的风采。

博鳌亚洲论坛带来的新气象，被人称为“博鳌效应”。这种效应不仅反映在博鳌镇、海南，不仅反映在中国，也反映在亚太地区。

（选自吉林出版集团有限责任公司《纵论天下 · 中国成功举办博鳌亚洲论坛》，2010 年 1 月出版，编写：王伟）

共和国退耕还林

2001年3月1日，“关注森林”活动启动大会在北京召开，并将2001年命名为“中国森林年”。而中国从20世纪末开始启动的“退耕还林”工程，也让我们看到，中国已经开始理智而审慎地对待耕地、对待森林、对待环境。前代留下的生态问题，我们正在设法解决，更重要的是，我们不能给后代留下生态问题。

比三峡工程还大的工程

“树上山，粮下川。”——这是朱镕基总理的一句名言。

1999年开始，“退耕还林”的旗帜在中国大地上猎猎飘扬。这是中国农村正在发生着的一件大事，是土地改革后土地利用方式的一场深刻的变革。

退耕还林的倡导者和有力的推动者正是国务院总理朱镕基。

这个世界一切都在变，唯有伟大的自然法则是万世不变的。我们的祖先对土地的利用方式，是在长期实践中逐渐变化、发展、进步的。古代社会实行的是“撂荒”耕作制。其具体做法是，在一个地方烧荒开垦，利用自然地力粗放种植，过两三年地力下降，就弃而不种，迁到另外的地方再开垦新地。如此游荡不定地迁徙烧荒，造成大片森林的毁灭。到商代前后，发展为休闲耕作制，土地的利用相对固定一些。它与前一种耕作制的不同之处是，原先种过的地，在休闲一定时间，使之自然恢复地力后，再返回来开垦耕种。到西周时期，形成甾、新、畲三年周期的土地利用方式。甾是休闲一年，新是重新耕种，畲是次年接着耕种。第三年又甾而休闲不种，如此反复轮换，以达到用地与养地相结合的目的。

山的雄伟，自然的宁静——无论什么都摆脱不了人类留下的开垦耕耘的痕迹了。

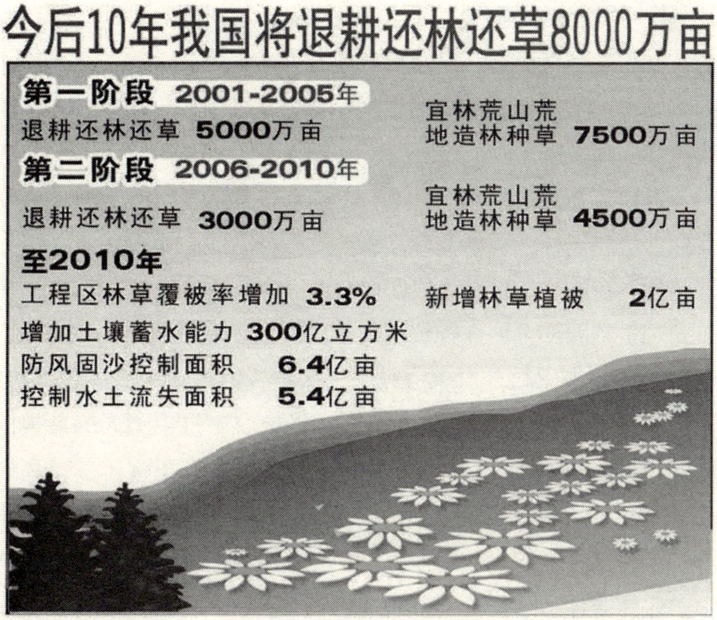

（曹文忠、周大庆/制作，资料来源：国家林业局，图片来源：新华社）

至唐代，便于开垦的荒地大致被垦辟殆尽了，于是人们的目光开始投向水边山坡。

“地尽而水，水尽而山。”这种垦殖带来了生态环境的破坏，以至于到南宋时期，政府不得不下诏“废田还湖”。明清时期，中国人口大增，毁林开垦尤甚，从而导致了严重的水土流失——“开荒到顶，人穷绝顶”，“山上开一线，山下冲一片”。

荒野是我们人类开始出现的地方，荒野没了，是否便意味着人类也将没了？

退耕还林实际上就是把已经丢失的东西重新找回来，按自然的法则办事。

敬畏自然、尊重自然该是人类的本性。

我们应该以宽阔的眼光来审视生态问题，生态不单是环境的、自然的，还包括人文的、社会的。21世纪的第一场战争告诉我们，治理人类文明的污染比治理环境污染、工业污染还要难上加难。

在一定意义上，我们严重沙化的心灵更需要退耕还林。我们头顶灿烂的星空，我们心中的自然法则——这些丢失已久的东西，还能找回来吗？

退耕还林不仅仅是农民的事情，它看似与我们没有多少关系，实际有着重要的意义。生态环境是个整体，遥遥相隔的东西之间也有一条看不见的线连着呢。

国家林业局是全国退耕还林工作的主管机关。

2001年5月，我受命调往国家林业局退耕还林办公室工作，亲历了退耕还林——一场伟大的土地利用方式的变革。

就生态意义而言，退耕后的撂荒并不一定是坏事——长乔木长灌木长大片大片的草，增加植被的覆盖度，增加生物多样性，正好可以防止水土流失——这即是退耕还林的本义所在。

退耕还林到底是一个什么样的工程？跟我们大家有什么关系？最终要达到什么目标？退耕还林工程本身政策性强、工序复杂、涉及的部门多，不是三言两语能说清楚的。在这里，我只能根据规划说一个大致的轮廓。

国土资源部土地详查数据显示，全国现有耕地面积20.2亿亩，其中，水土流失的坡耕地和沙化耕地占17.2%。为保护我国粮食生产能力，耕地不少于16亿亩是我国耕地的底线。也就是说，这16亿亩农田是中国人的命根子。无论如何，对于中国这样一个有12亿多人口的大国来说，保证正常年景较高的粮食自给率，确保粮食安全，始终是经济发展和社会稳定的重要基础。

退耕还林工程建设期为10年（2001年至2010年），国家总投资3 400亿元人民币，还林造林总面积4.8亿亩，其中，退耕地还林2.2亿亩，荒山荒地造林2.6亿亩。整个工程区涉及25个省(区、市)1 887个县，将有4亿多农民直接受益。10年时间，通过建设退耕还林工程，中国广大地域将新增林草植被4.8亿亩，国土林草覆盖率增加4.5个百分点，控制水土流失面积13亿亩，防风固沙15.4亿亩。工程完成后，森林生态系统基本得到恢复，长江和黄河流域的生态环境将大大得到改善。

说了半天，竟是一大堆数字。有一次，一位记者对我说："能否把退耕还林同开工在建的国家大工程比较一下？"于是，我请几位专家专门做了一番比较研究。他们的结论是：就投资数额而言，退耕还林大于三峡工程。

退耕还林工程：工期10年，总投资3 400亿元

三峡工程：工期17年，总投资2 100亿元，其中移民安置费900亿元，工程建设费1 200亿元

青藏铁路：工期6年，总投资1 600亿元

这一比较，令我大吃一惊——退耕还林竟如此了得！

孙中山语："不图做大官，只图做大事。"退耕还林之事正是中国大地上发生着

陕西合阳县加大退耕还林、还湿地力度，该县洽川风景区湿地总面积到2001年3月拍摄此照时已达165平方公里，芦苇荡面积10万余亩。图为一望无际的芦苇荡。(焦卫平/摄，图片来源：新华社)

的大事。倏忽间，一种庄严而神圣的感觉油然而生。

1999年至2001年是退耕还林的试点阶段，此间国家已投入76.8亿元，累计完成退耕还林3 435万亩。国家林业局组织的对1999年、2000年退耕还林任务的核查验收结果显示，造林面积合格率和保存率比较高，很多地方的这两项指标都接近100%，高于一般的工程造林。

人只有在吃饱肚子以后，才会很从容地想想人之外的其他事情。人已经远远走到其他生命的前面了。土地，我们脚下的土地有生长万物的权利——什么时候，一棵草可以放心地长到老，而不必担心被人铲除？什么时候，一株树无须担心自己长错位置，只要长出来，就可以自由自在地迎接阳光？

或许，退耕还林开始的那一刻就是那一天的开始。

对“还”字的理解

在整个文明的进程中，人类将自己的价值等级强加给大地的自然格局——耕地、牧场和森林是按照一种逐步降低的等级来评定的。正是这样一种价值观，才导致多姿多彩的森林被单调的牧场和一成不变的耕作系统所取代。

为什么叫退耕还林，而不叫退耕造林呢？你的东西，我借来用，用完再给你送回去，这叫还。“还”的前提是“退”，而“退”的前提则是“借”，也就是说“还”的行为是基于“借”而产生的。如果借了不还，那注定是要产生债务纠纷的，严重的会演变成恶性的刑事案件。

造呢？宜林之地无林，人使之有林，谓之造。“造”与“还”的性质是截然不同的。在“还”的行为产生之前，谁向谁借了什么？我们人类向大自然借了本来是长树长草的坡地，用来种粮食了。按照自然的法则，25度以上的陡坡地，都是不适宜耕种的，应保持自然的原生状态，那些地方，不是长着树就是长着草。而我们仅从人类的需要出发，毁林开垦，种粮食，几年之后就造成了严重的水土流失。牺牲生态换生存，其结果是连生存也保不住。这就是违背自然法则所导致的恶果。在中国的历史上，一强调重视农业，肯定就是开荒，一强调重视工业，肯定就是毁林。想想看，大炼钢铁那个年代，砍了多少树？

历史上，中国大地是森林广布的。那么那些森林哪儿去了？摧残和毁灭森林的主要因素，除了自然的因素之外，更多的是人为的因素。

秦朝初期，秦将司马锉率十万大军灭巴蜀的时候，造战船十万艘，对四川的森林资源是一次极大的破坏。太平天国时期，广东、浙江、安徽、湖北，太平军出没的地方，都对森林造成毁灭性的破坏。石达开的一本日记里面曾经记载，湖北的山岭恶木阴霾，虎狼居之，太平军为了开道，派人用炸药生生把有虎狼栖居的那些森林炸开了一条血路，林木横尸遍野，高山变坦途。

《阿房宫赋》里面有一段：“六王毕，四海一，蜀山兀，阿房出。”

砍伐的木头堆起来就是一座高山，放倒了就是一片海。

除了盖房子，还有陶瓷业、冶炼业、制盐业、造纸业等等几乎所有的行业都在吞噬着森林。煤矿坑木用量极大，煤挖到哪儿，坑木就要支到哪儿。木材从哪来？都是从山上砍下来的。还有铁路，特别是建国初期的时候，铁路铺到哪儿，木材就运到哪儿。史料上记载，内蒙古鄂尔多斯山和阴山的森林，主要是因为修长城砍木头而破坏殆尽的。还有隋朝开凿的大运河，几乎砍光了华北平原和丘陵地区的一些原始森林。

挥动巨斧的不光是我们自己。1903 年，沙俄修北满中东铁路，中东铁路两边 50 公里之内，整个森林采伐权都被他们掠夺去了。中东铁路沿线，都是森林资源最好的地方。

中东铁路又叫东清铁路。是根据清朝直隶总督兼北洋大臣李鸿章与俄国人在莫斯科签订的不平等条约《中俄密约》，由俄国人铺设的。中东铁路与旧俄的西伯利亚大铁路连在一起，成为贯通欧亚大陆的桥梁。

脏脸兮兮的俄人司机，一边咬着手里的黑列巴，一边探出半个身子去，眯起灰眼珠看前方的信号旗。他是中东铁路头一趟火车的司机，他的名字叫亚力山大 · 雅申。高加索人，那年 41 岁。

中东铁路修到哪里，哪里的森林就遭到毁灭性的破坏。著名林学家陈嵘先生曾经说过一句很痛心的话：中东铁路的修建，是中国森林史上最惨痛的一页！

一个强盗尚未歇手，另一个强盗又抡起斧头。日俄战争中，沙俄战败，整个中国东北的森林采伐权、贩卖权、木税权，遂被日本人控制。主要是长白山和大、小兴安岭林区。从 1929 年到 1950 年 20 年间，毁灭森林资源就达 6 000 多万立方米。他们当时在中国设立了大批的采伐公司，像满洲的“林业株式会社”等等，共有 402 家，都是在中国盗伐木材，盗伐了一亿多立方米，破坏了 600 多万公顷。那都是好树啊！红松、鱼鳞松、落叶松，他们用轮船运到日本，日本本土搞建设基本上用的都是中国的木材。本国的树一棵不砍，用不了怎么办？沉到日本的海域，放到海底，用的时候再捞出来。

强盗的逻辑就是抢掠的逻辑！

山林的灾难就是中华民族的灾难！

木材被强盗抢掠了，好在森林的根还在，然而，闪亮的犁铧翻开森林厚厚的腐殖层的那一刻，森林的命运就已经注定了。

人类进入农业文明以来，写下了一部毁林开荒的历史。人类对林木和耕地的需求，已使全球森林减少了35%，其中30%的森林变成了农业用地，森林再也难以支撑人类文明的发展。毁林开荒在中国延续了几千年。“民以食为天”是历代政府制定各种政策的重要基础。从新中国成立到20世纪90年代中期，粮食问题一直困扰着我国的发展，毁林扩张农田的步伐一天也没有停止过。到目前为止，全国25度以上的坡耕地达9 100多万亩。包括毁林开荒在内的种种粮食增长措施，使我们用世界上7%的耕地养活了22%的人口。对全人类来说，这是一个了不起的贡献。但是，我们为此付出的代价也是惨重的。

土地的利用方式决定着天然植被的存亡。

种植业的发展和农牧区的扩大必然导致森林植被的不断减少。如果说战争、掠夺、建设对森林所造成的破坏还仅是指林木而言，那么开垦对于森林的破坏则是毁灭性的了。因为，开垦不但毁掉了林木，更主要的是毁掉了林地。对于森林来说，失去了林地，就意味着失去了一切。林地没了，恢复森林的机会也就没了。

毁林开垦最直接的原因还是人口的增加，人多地少了，耕地不够。宋代以后，《梯田法》的普遍采用，更加快了山地开发的速度。明朝也十分注重屯垦。

长城以北，内蒙、东北三省这些地方，过去属于蛮荒之地，人烟稀少，基本上没有开垦，没有多少耕地。清乾隆六年取消了人头税，实行“摊丁入亩”的政策，全国人口由不足一亿猛增到四亿。耕地少，粮食不够，怎么办？只有毁林开荒。清政府对长期封禁的东北开始解禁，实行移民屯垦，充实边疆。当时对入山者有一个专门的称谓，叫“棚民”。棚民遍及各地山区，其开垦造成的后果极为严重。一位学者在《记棚民事》中写道——

未开之山，土坚石固，草树茂密，腐叶积数年可二三寸。每天雨，从树至叶，从叶至土，石历石隙，滴沥成泉。其下水也缓，又水下而土不随其下，水缓故低田受之不为灾，而半月不雨，高田犹其浸灌。今以斤斧童其山，而以锄犁疏其土，一雨未毕，沙石随下，奔流注壑涧中，皆填污不可储水，毕至洼田竭而山田之水无继者。是为开不毛之土，而病有谷之田。

毁林开垦带来了什么？简单地说就是四个字：水土流失。目前我国的水土流失面积是360多万平方公里，西部地区约占80%，沙化土地的面积已是174万平方公里，占国土面积的18.2%，这些地方大部分都集中在西部。造成水土流失和土地沙化最直接、最重要的原因就是毁林开荒，西部每年往黄河、长江流入的泥沙达20多亿吨，导致长江中下游的江河湖库不断地淤积抬高。

这就是长期“借”而不“还”演变成的灾难。

退耕还林的决策背景

中国的退耕还林最早始于何时？国务院领导曾专门责成国家林业局搞清这一问题。一干人，从尘封已久的厚厚的档案材料中发现了一段极有价值的文字。早在1949年4月，晋西北行政公署发布的《保护与发展林木林业暂行条例》就明确规定：“已开垦而又荒芜了的林地应该还林，森林附近已开林地，如易于造林，应停止耕作而造林，林中小块农田，应停耕还林。”

1952年，周恩来总理曾经签发了一个文件，他在那个文件上加了一段话：“由于过去山林长期遭受破坏和无计划地在陡坡开荒，使很多山区失去涵蓄雨水的能力，首先应该在山区、丘陵和高原地带有计划地封山、造林、种草和禁开陡坡。”

由于当时的国力不行，这件事最后还是不了了之。

1998年的特大洪水，使人们认识到生态问题的严重性。人们终于明白，水患也好，沙患也罢，归结到一点：林子少了。

1999年年初，四川省委书记谢世杰、省长张中伟给中央写了一份报告，说四川要退耕还林300万亩，坡改梯300万亩，中央给补助粮食就行了，钱一分不要。朱镕基总理接到这份报告后，心里也没有底，在拿不定主意的情况下，他决定到西部的陕西省去看看后再说。

时间：1999年8月。

朱总理考察陕西后提出，坚决制止新的毁林开荒，做到树上山，粮下川，这是治理水土流失的关键措施。具体来说，就是十六个字：“退耕还林，封山绿化，个体承包，以粮代赈。”

朱镕基在延安看了黄河水利委员会花2 500万元搞的一个治理1万亩水土流失的工程，感慨万端。他说："造1亩地，要花2 500元，搞不起呀！"黄委会的人说："我们可以保证100年泥沙不下去。"朱总理问："100年以后呢？"

黄委会的人不语。

朱总理说："我来告诉你，现在植树造林就可以保证100年以后泥沙不下来，可以延长水库寿命。你小浪底20年就淤平了嘛。所以，植树种草是治本，你那个是治表的。"

总理望着沟壑纵横的黄土高原感慨万端。

他还要建水库，不过，那是另一种水库——绿色的水库。一万亩森林蓄水能力相当于一个蓄水一百万立方米的水库呢。

总理指出，退耕还林是一个愚公移山的工作，必须下定决心，持之以恒。而且这个事刻不容缓，现在再不起步，再贻误时机，今后黄河中下游就更难治理，对不起子孙后代。朱总理说："我看，对长江、黄河中下游必须下这个决心，封山育林，停止砍伐，谁砍树，就砍谁的头。"

中华民族怎样才能在这960万平方公里的土地上生存下去？现在黄河断流，中国的母亲河快没水了。朱总理担心：再这样下去，八百里秦川将来也会荒凉。水土都流失了，渭河被泥沙淤积满了，这怎么得了？总理说："我算了一下，现在陕西大概还有10万平方公里的地方水土流失需要治理。你水利部每平方公里要花50万元，林业只要花20万元。一平方公里国家补助20万元，10万平方公里200亿元。200亿元我们干10年，一年20亿元，我看这个钱值得花。干什么？就是植树造林种草——这个事就这么定了。"

随着国家农业政策的成功，农业科技的发展，粮食生产能力明显提高，中国已经从一个缺粮的国家变成一个粮食富余的国家，粮食库存量大增。为保存粮食要付出大量的仓储保管费用，承担大量的粮食霉化陈化损失。现在，国际粮价很低，粮食要补贴30%的价格才能出口，6毛钱收购的小麦4毛钱出口，得补贴2毛钱，国家每年用于补贴粮食就达500多亿元。这是一个长期的趋势。

而在陕北及西北广大地区的农民每生产1吨粮食就要流失157吨表土。

朱总理说："我们现在要求长江、黄河中上游各个省所作的贡献，不是要你多出粮食，而是要你把水留住，把土留住，别往下冲。你这里不往下冲，下边灾害减轻了，增产的粮食比你生产的粮食要多得多，而且成本也低得多。所以，根本的问题是思路要有所调整。黄河中上游地区不要再以牺牲生态环境为代价生产粮食，主要是治理水土流失，改善生态环境，为下游治理和经济发展创造良好的生态条件。这是为根治黄河奠基，为子孙后代造福。”

过去，林业部门的提法是“封山育林”，而朱总理在这次考察时则把“封山育林”改成了“封山绿化”。

朱总理把当时的国家林业局局长王志宝叫到自己身边说：“我考虑光绿化荒山还不行，所有山里的空地田块都要绿化，把山封起来，保护植被，人和羊都不要上去了，所以叫‘封山绿化’。‘个体承包’，就是把造林任务承包到户、到人，谁造林、谁所有、谁受益，建立健全责任制，明确造林权益，落实管护措施。这块林地要包给他，他要管护、维护这块林地，将来围绕林地搞副业，但是不能砍，绝对不能砍。有些速生林可以间伐，要规定一些办法。每家每户承包的山地如何还林，怎么种上树，种上草，也得有个办法。”

朱总理说：“延安这个地区可以搞大面积的飞播，然后封山。飞播时，乔木、灌木、草籽一起来，活不了的，人工再去补种。‘以粮代赈’就是农民减少了粮田，所需的粮食由国家无偿提供。当然，具体办法要研究。情况要核实，你退了多少田，应该给你多少粮食，然后给你粮票户口，不能吃大锅饭。还要有一个严格管理的办法，退的田还得植上树，种上草，你把它荒在那里，还吃我的粮食，那也不行。”

总理提议，这件事中央由国家林业局牵头，会同有关部门共同来做。地方上陕西成立领导小组，组长由程安东担任。总理对程安东说：“你这辈子办好这一件事就行了，上对得起祖辈，下对得起子孙。只要搞好了，就应该给你立碑。我希望你这个‘米袋子’省长要变成‘种树’省长。”

大家想乐，但谁都没有乐出来，因为总理此时的神情是极为严肃的。

总理说：“整个项目要按程序办，要有规划，一切审批程序都要履行，这个项目由计委提，然后报国务院。但今年可以灵活一点，先启动，我们干什么事都得有点机动灵活，今年需要多少钱，报到财政部楼继伟那里，我来特批。在这个问题上，一定要花钱，要投入，为子孙后代、为中国的长远利益是应该花钱的，而且是值得花钱的，要马上起步。我们把这个步子一迈开，年年都这么搞下去，我相信10年、

20年，陕北的面貌就改变了，全国的面貌就改变了。”

朱总理用手指了指程安东：“安东，花出去了吗？”

程安东乐了：“你给我们多少就能花出去多少，10亿有10亿的干法，20亿有20亿的干法。”

朱总理：“这要做好多准备，要规划，要航测，要苗圃，还有承包，承包就很复杂。如果他根本就没有造林，拿着粮本来吃粮，那还得了。特别要搞好‘以粮代赈’，你不能白拿了我的粮食再去倒卖。黄土高原治理，延安是一个重点。在陕北这么一小块山沟里边，曾经养育了共产党的几万军队。军队要吃饭，不吃饭怎么革命？所以就开荒、砍树烧炭。为了夺取全国的胜利，陕北人民作出了重要贡献。现在这个情况，你一看，满山遍野许多地方还是光秃秃的，心里很难受。因此，你们要尽快动手，作为先行一步的试点。延安人民要继续发扬艰苦奋斗精神，把过去‘兄妹开荒’的革命精神，发展为‘兄妹造林’。在水土保持、绿化荒山、生态工程建设方面，我是一定要投入，一定要保证，就看你们花钱的本事了。要看你绿化荒山的本事，首先把延安的郊区绿化起来，三年以后我再来，没有这个秃头秃脑的，你们能不能保证三年以后延安郊区山上都把树种起来？我这个要求不高吧？”

程安东从位子上站起大声说：“我们保证把树种起来！”

在陕西省委汇报会上讲话时，总理用了一句意味深长的话结束了讲话。他说：“1991年我第一次来陕西，主要是清理‘三角债’，1992年第二次来陕西，帮你们批了一条铁路。事隔七年，我1999年来，就送你们三个字：‘多栽树’。”

哗——，全场响起如潮般的掌声。

1999年秋季，退耕还林试点工作在四川、陕西、甘肃三省率先开始。“树上山，粮下川”，“用粮食换林草”——几乎是一夜之间，中国的乡村就出现了这种全新理念的标语。

朱镕基总理说种树

“大种树，种大树！”这是朱总理的另一句名言。

朱镕基总理对绿色一往情深，故乡的老宅掩映在一片翠竹丛中。他说：“退耕还林要到户。”他在总结退耕还林的基本经验时指出，必须切实把握“林权是核心，给粮是关键，种苗要先行，干部是保证”这几个主要环节，确保退耕还林取得成功。

绿色带给人喜悦。

2001年4月3日上午，我在人民大会堂听朱镕基总理讲了一次话。

“大种树，种大树！”就是总理在那次会议上提出来的。

走进典雅辉煌的人民大会堂，心底忽然生出一丝神圣的感觉。约9时，在欢快的进行曲声中，朱镕基、温家宝等领导就座。会议开始了。温家宝主持，周生贤（国家林业局局长）宣布表彰先进的决定和名单。朱总理穿着一件西装，打着一条红黄蓝三色相间的领带，很有神采。

温家宝宣布开始颁奖。朱总理站起来，主席台上的人也都跟着站起来颁奖。先进工作者们排队走上主席台领奖。

颁奖完毕。温家宝说："下面请镕基同志讲话。"哗——，长时间的掌声。朱总理站起来抱拳向大家致意，掌声才停息。我一下兴奋起来，我所期待的一刻就要出现了。

历史往往在瞬间产生，又往往在瞬间发生变化。

朱总理说："在纪念全民义务植树运动开展20周年之际，国务院召开大会表彰造林绿化先进集体和个人，这是一件非常有意义的事情。我代表党中央和国务院表示诚挚的祝贺和衷心的感谢！"这是一种典型的高层语言，但在如此的场合如此的时间，出自共和国总理的口，那效果是绝对不一样的——全场立时响起一阵热烈的掌声。"本来，我的讲话到此就结束了。接下来该是家宝讲了。"总理的话又掀起一片笑声。我知道，朱总理带有个性风采的话还在后面呢。"但刚才会议开始之前，他们非要让我说一说。"他用手指了指温家宝，还有周生贤。"好吧，那我就只讲一个观点，讲一句话。我们提的口号是造林绿化，是呀，绿化要靠造林，要种树种草，我们退耕还林也是这么讲的。啊，这没错。但我们绿化的重点是种树，我看这个认识不要模糊，要种树，大种树，种大树，绿树才能成荫呐。"

哗——，掌声。还是掌声。两天前，也就是4月1日，朱总理在奥林匹克体育中心种下一株华山松。他挥锹铲土，一锹是一锹，干得相当在行。

"没水种不了草，种草种不起呀，同志们！种草的耗水量太大，而且还要花很大成本。啊，周生贤，啊，种不起呀，我们很多城市没有水。搞南水北调需要花很

近年来，地处湖南洞庭湖防洪保安西北源头和张家界风景区南大门的湘西土家族苗族自治州，开始了以生态林业为突破口、以退耕还林还草工程为重点的“生态州”建设，先后实施了生态环境建设工程、世界银行贷款造林工程、长江中下游防护林工程、国债资金造林工程、绿色通道工程、天然林保护工程和退耕还林等八大生态林业建设工程。“九五”期间，全州共完成重点造林工程45.46万亩，其中用材林15.45万亩，森林资源实现了面积、覆盖率和蓄积量三个增长。他们还计划退耕还林还草180万亩，其中造林80万亩。左图为村民对生姜苗进行维护。右图为防护林建设现场。（龙弘涛/摄，图片来源：新华社）

多钱啊。”全场所有的人都在凝神倾听着。近年来，大面积的种草与兴建大型城市广场相伴而生，各地掀起了一股种草热。有些地方甚至出现了砍树种草的现象。我国北方降雨极不均衡，而草地必须定期浇水、灌溉。据调查，北京所有的草坪浇一次需要水4亿吨。我国是世界上13个贫水国之一，严重的缺水城市有100多个。水在许多城市已是不堪重负，大面积种草的结果必然是草地与人争夺饮用水。

“目前的水价低，浪费水现象相当严重，要节水，就得提高水价，自来水同矿泉水的价格一样，大概就不会有人浪费水啦。不过，大家别紧张，北京的水价不会

马上涨。”哄——，又是一片笑声。

“改善生态环境最根本的办法还是要种树，十年树木，百年树人嘛。种树的绿化效果好，树叶子掉下来，也可以养牲口嘛！在农村根本不用种草，把山封起来，草就能长，哪里还要种啊！”朱总理停顿一下，喝了一口茶，然后就说到自己家的小院。他说：“我家有个小院，屁股大的地方，我种草种了三年了，可到现在也没有种活。”朱总理的宅院在北京某寻常的胡同中，灰砖老瓦，格调古朴。据一位知情人讲，总理及夫人劳安都喜欢养花种草。花养得不错，但草始终长不起来。一个治理大国的总理，对区区小草竟也无计可施呢。对此，朱总理颇有感慨。他说：“种草不是一件容易的事，大家不要盲目种草了。北京申办奥运种草的成本不低，大连种草种得好，但成本很高，种草还不如种花呢！”种草种花种树的成本和效益，看来，在共和国总理的脑子里还是有过比较、算过账的。在场的人听得非常开心，每个人

都笑逐颜开。

朱总理扬了扬手，“最后说一句：大种树，种大树！我希望全国都能山川秀美，绿树成荫！”哗——，如潮般的长时间的掌声。

会议结束后，当我随着人流步出东门，走到停车的地方，又禁不住向人民大会堂投去深情的目光。那高大粗重的大理石柱子撑起人民大会堂辉煌的屋顶，在融融的春光中，在灿烂的阳光下，国徽耀眼生辉。

“大种树，种大树！”

遥远的历史与一样遥远的未来都不能没有绿色啊！

“退耕还林还要苦干10年！”朱总理的话在我的耳畔久久回荡。

远古以来，森林一直是人类的绿色屏障——似乎是人类发展的取之不竭、用之不尽的资源。由于森林可以提供木

2001年隆冬农闲时节，宁夏西海固地区农民却在热火朝天地平地整畦，挖出一排排规整的树坑，准备明年开春植树种草，退耕还林。西海固常年干旱少雨，土地贫瘠，植被稀少，水土流失严重，是我国政府重点扶持的贫困地区。为改变这一局面，该地区在国家大力支持下，计划用十年时间完成退耕还林还草434万亩、荒山造林种草418万亩，建立一个以林木为主体、功能完备的林草生态网络体系，逐步实现生态环境的良性循环以及与经济效益的有机结合。截至此图拍摄时，西海固已完成退耕还林（草）50余万亩。这是准备退耕的山地里已经挖好的树坑。（武斌/摄，图片来源：新华社）

材、柴薪、野味以及多种多样的其他产品，所以它们过去是，现在也是人类社会的原料的关键来源。随着社会的发展，我们也越来越认识到，它们提供的不仅于此。当我们需要土地时，它们提供了比我们所需要的更多的土地。它们平衡和管理着我们的水源以及我们的江河的流动。它们是决定我们气候的主要力量。

倘若没有森林，许多古老的文明就可能不会产生。即便产生了文明，许多文明在耗尽了森林之后，便开始走向衰败，甚至从此销声匿迹了。

发展是硬道理，但发展万万不能以牺牲生态为代价。当我们去银行从户头上提取一笔钱，然后把它挥霍掉，那么事后我们是更富有还是更贫穷？当然是穷了，因为银行户头上的钱减少了。我们并没有“生产”钱，而是提取了原本就已经储蓄在那里的钱。当我们从地下开采了石油，当我们从地上毁掉了森林时，就仿佛从一家银行提取了本来已经存在那里的一些东西。

然而，这一切在我们的国民经济的统计中并未得到反映，并未有什么地方有什么东西相应减少。

不少经济学家的研究都以市场为中心，而事实上我们发现，市场以外的自然对人类和社会的发展可能更有价值。美国《自然》杂志近期发表一份报告说，人类每年要花费 2 500 亿美元用于荒野转为他用。科学家经过计算认为，森林、湿地和其他自然生态系统对人类经济活动的价值远远超过农场或建筑用地，投入效益比为 1∶100，并且其价值是可持续利用的。

爱默生说：“在普遍意义上，自然是指未被人改变其特征的事物，如空间、空气、河流、植物的叶子等等，而人工则是由人的意志与自然事物的会合而成，这种合成表现为一座房子、一条运河、一尊雕像、一幅图画等等。这种把人的意志与自然物合成一体的行为其实是微不足道的，如把某物削一下，把某物烤一下，把某物修补一下、洗一下，等等。世界给人的影响广大而深远，人对自然的改变毕竟微乎其微。”

我读过爱默生的书，他的书中多半都是对自然的沉思，闪耀着智慧的光芒。但在这里，他显然低估了人的力量——人对自然的改变不是微乎其微，而是足以毁灭它。好在我们已经认识到了这一点。

退耕还林是历史的一种回归，也是耕稼文明在 21 世纪的一种理性退缩。这里的“退”和“回归”不是倒退，恰恰是一种进步，是对人类文明的一种提升。“退”和“还”，虽然仅仅是两个字，但这两个字却是人与自然关系的重新调整，在调整的过程中，确立了人与自然协调发展的意识和观念，把属于自然的东西还给了自然。

我们对经济增长要有冷静和正确的认识——经济增长本身不是目的，目的是让我们这一代和未来的各代都能过上幸福的生活，都能享受到越来越好的生活质量。

21 世纪注定是绿色的世纪。

中国退耕还林工程的启动，标志着人类已经能够理智而审慎地对待自己的行为。前代留下的生态问题，我们一定设法解决，但更重要的是，我们不能给后代留下生态问题。

文明是需要付出代价的吗？

（选自 2003 年第 3 期《报告文学》，有删节，作者：李青松）

叩问长江

——对中华民族生态环境的一次生死访谈

日月经天，江河行地，悠悠万事，何以为大？我们赖以生存的家园！可为什么经济发展了，我们的生存环境却日渐恶化？为什么我们丰衣足食了，威胁我们生命和健康的危机却与日俱增？为什么多年来我们重拳出击治理环境污染，有的地方却收效甚微甚至死灰复燃？带着这一串串疑问和忧虑，本文作者走长江下江南，采访生者，探问逝者；叩问长江，拷问良知。历史文化贯穿其间，忧愤之情溢于言表。这是一部关于环境、关于生态、关于未来的现代“警世恒言”，也是作者行走长江两万里纵横江域十三省之后的所见所感、所思所想。

长江每年承接的污水最多，全流域一年废水排放量在140亿吨以上，约占全国污水总量的40%。其中工业废水水量占全国的45%左右，生活污水占全国的35%左右。

2001年6月2日，记者团乘车从上海市出发，前往江苏省镇江市，至此进入长江的第十二重门。

6月3日晚在南京，江苏省人大宴请记者团。餐毕，我采访了黄炎培先生的后人，全国人大常委、江苏省人大副主任黄孟复先生。

现在许多年轻人已经不大知道黄炎培先生了，所以少不了在这里做一个简单介绍。

黄炎培，字任之，别号抱一，1878年诞生于原上海市川沙县。黄炎培先生在半封建半殖民地的旧中国，产生了“教育救国”、“实业救国”思想，并主张：“智育，授以生活上所必需之普通技能，强调一切教育须具有实用价值；德育，宜归于实践；体育，求便于运用。”由此，便萌发和孕育了中国职业教育的理论体系。

他大声疾呼：“提倡爱国主义的根本在职业教育。”

他于1917年赴美国考察，回国后在上海创立中华职业教育社，担任理事长，创办中华职业学校和《教育与职业》杂志，并宣告：“职教社的唯一信仰，就是爱国、报国。”

“九一八”事变后，他立即投身到抗日救亡运动中，很快成为国民参政会中公认的“职教派”领袖。

1939年，国民党掀起第一次反共高潮，他与其他三党三派领袖组织了“统一建国同志会”，配合中国共产党，为抗战出力。

全国解放后，他以党派领袖的身份，拥护支持中国共产党多党合作的制度，担任中央人民政府委员、国务院副总理兼轻工部副部长、政协全国委员会副主席、全国人民代表大会常务委员会副委员长，积极投身于社会主义改造和社会主义革命斗争。

1965年12月21日，黄炎培因病医治无效，在北京逝世，享年88岁。

黄炎培生前给儿子写了一幅座右铭：“理必求真，事必求是；言必守信，行必踏实；事闲勿荒，事繁勿慌；有言必信，无欲则刚；和若春风，肃若秋霜；取象于钱，外圆内方。”

可见黄老先生的人生观和做人的操守，有这些垫底，自然也就有了黄孟复先生如下一番条理分明字字真切的话。

笔者：你是黄老先生的后人，一直在长江边上生活，谈谈你们一家人和长江的关系好吗？

黄孟复：我祖父是江苏川沙人，今属上海市。国民党时期从上海迁往重庆，我就出生在重庆，抗战胜利后又回到上海。解放后有一段时间我跟我祖父去了北平，在北平上小学、中学。后来又到南京上学，仍然在长江边上生活。可以说，我和长江的关系非常亲密。记忆里，长江的水比较清，虽然有些黄颜色，但是很淡。有时在江岸还可以看见鱼在水里游的样子。上海的苏州河也是一清见底。现在我们见到一条一清见底的河流会觉得很稀罕、很兴奋，那时却觉得很平常、很自然。上古八辈子河流本来就是清的，不清反而会觉得很奇怪。那时人们常去长江里游泳，毛主席不是就多次横渡过长江吗？我在南京上大学时是学校游泳队的，那时玄武湖的水很清，先在玄武湖里训练，训练好就和同学们一起去横渡长江。呵，那时在长江里游泳的感觉是很好的。现在谁还敢去长江里游泳呢？

黄孟复：那时长江两岸有许多芦苇中还有血吸虫，我得了血吸虫病，治了好久。那时根本没有污染这个概念，只是怕长江在汛期发大水，漫过堤坝，造成损失。江苏经济发展比较快，有很大一块是乡镇企业，当时人们没有环保意识，80年代江苏省境内的许多小河小沟就不能淘米洗菜和游泳了。长江从90年代发生了重大变化，水土流失加重。再加上长江两岸都是污水往江里流。我那时是分管工业的，经常去检查工作，虽然长江水量大，但是那时已经发现沿江两岸的水和江心的水明显不同，两岸的江水已经严重污染。如果整条长江都污染了，对中华民族尤其是江苏来说，不仅仅是财产损失，更是大灾难！

笔者：可是有一件事情让我很是不解。我们光是用眼睛看，就发现长江污染很厉害，可是我们一路上得到的资料上却说长江是二类水体。二类水是什么概念？是可以直接入口饮用的。这使我们大家感到很困惑。

黄孟复：一般来讲，江的中心区是可以达到二类水质的，但两岸百米内的水根本不可能是二类水。可以这么说，长江水量是够用的，可是因为水质不好，许多地方守着长江没水喝，使劲开采地下水。我在人大分管环保这一块，去年，我们几个人大代表搞了一个提案，禁止无锡开采地下水。那个地方因为掠夺性开采地下水，使地面沉降了不少，造成更大的生态问题。如果长江的水质那么好，谁还会费力气开采地下水呢？环境是需要综合整治的，方方面面都不能忽视，要建立政府考核机制，加大投入，加大力度，扎扎实实做工作。过去，小河沟里的水可以捧起来就喝，跳下去就洗澡，现在谁还敢？尽管我们已经富足，但是这种富足所付出的代价也太大了，现在有些东西想恢复已经不可能，得有一个漫长的过程。

笔者：长江的水是不是比过去黄多了？

黄孟复：比过去黄多了，不光是黄，两岸水的颜色还有点黑。淮河就是个教训。淮河的水污染很厉害，它恢复起来要比污染时多用几倍的时间。长江也是这样的，沿江企业都在向长江排污，有些大企业搞得好些，可是有些小企业还是偷偷地排污。环太湖地区现在禁止使用含磷洗衣粉，东太湖的水有所改善，但西太湖的水还是不行。污染起来容易恢复起来难呀！我们破坏自然，也会遭到自然的报复，泥石流呀沙尘暴呀什么的，比过去也多多了！

笔者：秦淮河现在怎么样？过去又是怎么样的？

黄孟复：我刚到南京时，秦淮河的水是很清的、很好的，那时的建筑没有现在这么漂亮，可是水是很好的。晚上坐上船在里边划，很是一种享受。前几年就不行了。那次来了几个外地朋友，我负责接待他们。他们想乘船游秦淮河，一到河边，那种味道，唉，我都不好意思了，只好请他们另外安排别的活动。现在秦淮河我们每天都用五万吨的水来冲，一方面是冲淡它，一方面让它流动起来。现在不那么臭了，但是还有点味道。现在想加大流量，好在现在污水基本上不进秦淮河，我相信加大流量来冲它，总有一天，秦淮河会恢复过来。

笔者：你祖父生前对自然是很热爱的，有过一些什么说法没有？

黄孟复：我祖父写过的诗，有咏玄武湖的，还有咏黄山的，他是很热爱自然的。那时我们到北戴河度假，到颐和园玩，他对自然是很热爱很亲近的。我祖父吃素，他去美国看见人家在屠宰场里杀牛，牛那么痛苦的样子，所以从此之后再也不吃肉了。

人文生态的污染，是自然生态环境持续恶化的根本原因，腐败不除，生态难安。

1945年7月初，黄炎培老先生应邀访问延安，向毛泽东提出这样一个问题：“我生六十多年，耳闻的不说，所亲眼看到的，真所谓‘其兴也勃焉’，‘其亡也忽焉’，一人，一家，一团体，一地方，乃至一国，不少的单位都没有能跳出这周期率的支配力。大凡初时聚精会神，没有一事不用心，没有一人不用力，也许那时艰难困苦，只有从万死中觅取一生，既而环境渐渐好转了，精神也就渐渐放下了。有的因为历史长久，自然地惰性发作，由少数演为多数，到风气养成，虽有大力，无法扭转，而且无法补救。”接着又说：“一部历史，‘政怠患成’的也有，‘人亡政息’的也有，‘求荣取辱’的也有。总之没有能跳出这周期率。中共诸君从过去到现在，我略略了解的了，就是希望找出一条新路，来跳出这周期率的支配。”

毛泽东当即回答：“我们已经找到新路，我们能跳出这周期率。这条新路，就是民主。只有让人民来监督政府，政府才不敢松懈。只有人人起来负责，才不会人亡政息。”

黄炎培先生表示赞许说：“这话是对的。只有大政方针决之于公众，个人功业欲才不会发生。只有把每一地方的事，公之于每一地方的人，才能使地地得人，人人得事。把民主来打破这周期率，怕是有效的。”

物换星移，从那时到现在，倏忽过去了多半个世纪，已经进入了21世纪。

有那么一些人，以为时下是太平盛世，大可以红巾翠袖，当歌则歌，当醉则醉，当睡则睡，梦里不知身是客，天天过年，晌晌贪欢。有那么一种做法，视当今为繁华光景，七宝楼台，当拆则拆之，当取则取之，当踹则踹之，直把家国当外国，损人害已，招招阴毒。

有诗云：人生几何我自知，梦里不知身是客。风灯总有兴废时，直把家国当外国。

这些人似乎知道：为富之道，在于不仁；为权之道，在于厚黑。

怎奈何春秋不再是风花雪月的五彩春秋，江山不再是绿水青山的锦绣江山。

有人痛心疾首地论定说：污染的背后是腐败，不惩治社会腐败而单纯治理环境污染，等于隔靴搔痒扬汤止沸。人文社会生态的污染是自然生态环境持续恶化的最根本原因，是因和果的关系。腐败现象存在一日，污染的现状就会持续一天。腐败不除，生态难安。

所以现在我们重温这件旧事，再拾这段历史掌故，不免就有陈子昂“前不见古人，后不见来者”的怆然。

记得那天我向黄孟复先生提出的最后一个问题是：黄先生，如果你的祖父黄炎培老先生还活着，看到现在的江河湖海山川草木成了这个样子，会有如何一番感慨？

黄孟复先生端然而坐，笑而不答，只眉宇间有几分忧郁。

后来，我见到了黄炎培老先生咏黄山莲花峰绝顶的诗，黄炎培老先生在这首诗中已经很好地回答了我最后提出的那个问题，诗曰：

南条一脉接仙霞，江浙平分两水涯。
读书廿年想云海，攀天今日上莲花。
巉岏俯极三千界，缥缈高承万里槎。
第一兹游快心事，名山大好属吾家。

答案就在“第一兹游快心事，名山大好属吾家”这两句诗中。先生认定普天之下的山水风光都是自家的东西，这些东西让人给弄坏了，弄没有了，自然会心疼生气，跑去找毛泽东：“自然地惰性发作，由少数演为多数，到风气养成，虽有大力，无法扭转，而且无法补救。”腐败是这样，污染也是这样。

长江的第十一重门是安徽，此行考察长江乃逆长江而上，不走合肥而先至芜湖而后抵安庆，时下文苑高手多半居于省城，这样一来，纠集高手打群架的把戏在安徽便难以得逞。安庆岂无人乎？有张恨水，故而与恨水做隔世谈。不免到时唤他出来，为长江助拳。

说起来有些无知，以前只知道张恨水是上世纪二三十年代国内走红的作家，同时在七八家报纸连载小说，以《春明外史》、《金粉世家》、《啼笑因缘》等小说倾倒无数男女。据说他的作品多达2 000余万字，可惜我竟然一本没有拜读，解嘲为年代隔膜，但仍觉汗颜。

因为病急乱投医，要唤他出来助拳，查询一番，才知道，他原来的名字叫张心远，生于江西广信。从小喜读中外文学作品。少年时代主要在江西读私塾。16岁回潜山自学。后考入蒙藏垦殖学校，因学校解散而返乡。1918年任芜湖《皖江日报》编辑，开始写作生涯。1919年发表第一篇小说《南国相思谱》。因“自是人生长恨水长东”，故而起笔名为张恨水。同年赴北京，任《益报》校对、上海《申报》驻京办事处编辑、北京世界通讯社编辑。1924年主编《世界晚报》副刊《夜光》，此后创作了大量社会言情小说。1935年举家迁至上海，编辑《立报》副刊《花果山》。次年往南京与张友鸾创办《南京人报》，编辑副刊《南华经》。抗日战争爆发后到重庆，任《新民报》主笔，并主编副刊，被推选为中华全国文艺界抗敌协会理事，写了许多小说和诗文。1946年任北平《新民报》总经理，编辑副刊《北海》。1948年辞去《新民报》职务，结束了40年的新闻生涯。1949年初发表他的回忆自己生活和创作的《写作生涯回忆》。此后任文化部顾问、中央文史馆馆员、中国作家协会理事。所写长篇小说《秋江》、《孔雀东南飞》、《凤求凰》等发表于香港、上海等地的报刊上。读者极广，鲁迅的母亲就是他的忠实读者，连毛泽东当时也读他的小说。

1944年5月，重庆《新民报》记者赵超构随中外记者团访问延安，晚上与毛泽东坐在一起看戏，赵超构谈起张恨水写的《水浒新传》，毛泽东一听便说：“这本《水浒新传》写得很好，等于在鼓舞大家抗日。”次年秋，毛泽东来重庆谈判，曾抽空邀见过张恨水，谈了两个多小时。后来家人曾问起那次谈话的内容，张恨水说：“主席说的是关于写爱情的问题。”

1955年春节在全国政协团拜会上，毛泽东见到张恨水，问：“为什么不见你的新作？”张恨水说：“一来生病多年，二来对工农兵生活不熟悉，恐怕难以胜任。”后周扬向张恨水转达了毛泽东的意见：为工农兵服务，不能从字面上理解，老作家还是要写自己熟悉的题材。

1956年1月，张恨水出席了全国政协二届二次全会，又有了与毛泽东见面的机会。茅盾向毛泽东介绍：“这是张恨水……”毛泽东连连说：“还记得，还记得。”

还无意中得着张恨水的一篇散文，名为《奇趣儿时有》，其中谈到夫子庙和秦淮河。

“于是我回忆到南都，虽说是卖菜佣都带有六朝烟水气，其实现在已寻不着了。纵然有一点，海上来的欧化气味，也把这风韵吞啮了，而况这六朝烟水气还完全是病态的。就说七月十五烧包袱祭祖，这已不甚有趣味，而城北新住宅区，就很少见。秦淮河里放河灯，未建都以前，照例有一次，而以后也已废除，倒是东西门的老南京，依然还借了祭祖这个机会，晚餐可以饱啖一顿。二十五年的中元节，有人约我向南城去吃祭祖饭，走到夫子庙，兴尽了，我没去。这晚月亮很好，被两三个朋友拖住，驾一叶之扁舟，溯河东上（秦淮西流），直把闹市走尽，在一老河柳的荫下，把船停着，雪白的月亮，照着南岸十竹疏林，间杂些瓜棚菜圃，离开了歌舞场，离开了酒肆茶楼，离开了电化世界，倒觉耳目一新。从前是‘蒋山青，秦淮碧’，于今是秦淮黑，但到这里水纵然不碧，却也不黑，更不会臭。水波不兴的上流头，漂来很零落的几盏红绿荷叶灯，似乎前面有人家作佛事将完。但眼看四处无人，虫声唧唧，芦丛柳荫之间，仿佛有点鬼趣，引出我心里一种说不出的滋味。”

文中的“二十五年”，即民国二十五年，也就是抗战前夕的1936年。

张恨水先生悠悠地说，以前是“蒋山青，秦淮碧”，不过那时闹市区的秦淮已经有些黑，若离开闹市区一点，“到这里水纵然不碧，却也不黑，更不会臭”。

我说，秦淮是这样的么？那么你的故乡安徽呢？还和以前一样吗？

张恨水先生背身，抄手而逝，只留下一句：我在潜山候着你！

“这是一场清与浊、善与恶、红与黑的反复较量。水能载舟，亦能覆舟；善恶如水，清浊立判；善者，明若清水，无色无味；恶者，浊如酱汤，恶臭熏人。清者自清，人民，祈盼‘清官’。浊者自浊，中国，拒绝‘污吏’。”

安徽我曾来过一次，是为了淮河变清的事儿。到了安徽便直奔主题，连顺便去拜谒黄山的工夫也没有，只遥遥地向云襟雾袖的黄山说了一声“你好”，便冲满河的污水走去。

这一次又到安徽来，为的是叩问长江，随行有大部队，更没有理由脱队去讨自己一个喜欢。山望着我，我望着山，人和山都渴望亲近。我的心明白，黄山的雾也明白。水是雾的爹娘，雾是黄山怀抱里的妖娆女人，没有雾的缠绵缭绕哪来黄山的神秀诡奇？

山川万物比我们还要明白，它们只有一条长江，它们比人类更需要长江。

有必要在这里旧事重提。

1993年10月8日晚上7点，中央电视台“新闻联播”播出了李风采制的三条有关河南境内小黑河小洪河被污染、当地群众深受其害的连续报道。

当时的国务院总理李鹏亲自主持召开了一次国务院会议进行研究。

据说，在会上，李鹏神色显得很沉重，问大家说：“河南上蔡县小黑河污染的那条新闻大家一定看过了，这件事情曝光了，大家看怎么办？”

与会的人都说：“这还有什么可说的，应该下决心治理！”

李鹏又问：“这种事存在不存在？有没有像他们说的那么严重？”

大家七嘴八舌：“实际上比那还要严重！”

李鹏当时的神情变得更加凝重，一字一板地对在场的人们说：“污染情况如此严重，绝不能听之任之，一定要下决心治理！”

在李鹏多次过问下，宋健九次到淮河实地调查研究。当时，上上下下的心情都很急切，故而起先研究决定，要在1997年让淮河变清，后来因为时间太紧，集思广益之后，当时的国务院总理李鹏向全世界庄严宣告，中国政府有信心也有决心让淮河在2000年内变清。

1998年我二赴安徽是为淮河2000年变清的大决战而撰写《中国档案》进行采访，随行有中央电视台社会新闻部年轻的制片人李风、记者潘晓锋、编辑王厉子、摄像张祖伟。

《中国档案》共分上下两册，光明日报出版社出版，上册是《高层决策写真》，由毛泽东写到相关的第三代领导人，为从无到有的中国环保进程立了一个传，下册是《新闻曝光的背后》，忠实地记录了中央电视台曝光淮河污染者时的真实片段。

将红色的存档，为黑色的立案，是当时真实的想法。

故而当时在扉页上为这本书写了几句开宗明义的话，可悲的是，至今看起来那几句话还毫不过时，还很适用于时下的淮河和当下的长江，故而觉得有必要抄录如下：

“这是一场清与浊、善与恶、红与黑的反复较量。水能载舟，亦能覆舟；善恶如水，清浊立判；善者，明若清水，无色无味；恶者，浊如酱汤，恶臭熏人。清者自清，人民，祈盼‘清官’。浊者自浊，中国，拒绝‘污吏’。”

虽然2000年零点钟声敲响之后淮河并没有如期变清，有些流域污染依旧，但我仍然认为那是一场震古烁今的大仗——不论是上边还是下边都付出和投入了大量的人力和物力，可以说是竭尽了政府和地方的所能，表现出前无古人的气概和惊人的壮士断腕的勇气。

如果非要说失败的原因，那绝非我们无能，而是因为对手过分顽劣和强大。

2001年，中央电视台“新闻调查”栏目的记者刘春曾再访淮河一个多月，回来后曾痛心疾首地对我说，淮河上游闸着两亿立方米污水，只要一放，下游就会产生灾难性的后果，还说他们当场捉获了那个著名的大企业，他们竟然偷排污水，COD高达一万有余。

当时，我把刘春拍的片子请老尚转交曲格平主任，希望能引起这位德高望重的中国环保权威人士的格外关注。他后来是否看过这个片子，我没有问过，但是曲格平主任对淮河的事情是一向很关心也很了解的，我和他几次谈起淮河的问题，他神情间都有些焦灼和伤感。

说到淮河，不能不提到老潘。

老潘的真名叫潘晓峰，安徽安庆人氏，曾任安庆电视台副台长。我见他那年，他已经51岁，是中央电视台“新闻三十分”采编人员中年纪最大的一个。我开玩笑地把他划入老而弥辣的族类，这一族类首推辣椒其次便是葱、姜、蒜。老潘不属于辣椒，辣得直截了当，辣得只剩下了辣；也不属于老姜和老蒜，二者虽然都是调味的高手，但前者辛而后者熏，老姜者，非寒不食，容易上火，老蒜者，吃后便须独处，非得嚼食一撮茶叶，方可去了蒜臭。老潘属于老葱，很不起眼地长在地里，冻不死也晒不死，干了外皮里边还鲜活着自己，打春时随便往土里一插，照样能活。不喜欢吃辣椒的有之，不喜欢食姜的有之，不喜欢嚼蒜的也有之，但不喜欢炒菜放葱的人却很少。

我印象里的老潘，就是这样一棵老葱。

1995年，李风忙于草创“新闻三十分”，忙得不可开交，冥冥之中似乎有个神灵要促成淮河的好事，急忙就送来个老潘。李风考虑到老潘年纪大，不适合在下边跑，就放在通联策划组，搞通联和策划。老潘当时也并不知道李风便是当年小黑河和小洪河的报道者，在策划选题的过程中老潘发现淮河污染的报道还没有固定专门的记者去做，就主动请缨。

李风正中下怀，马上拍板说：“这可是好事，你可以下去看看！”

正好国家环保局的督察组要下去检查淮河流域关于19家企业的关停情况和限制企业排污的事情，老潘就背一个简单的包，跟着一起下去了。一路检查到安徽阜阳造纸厂。阜阳造纸厂是污染大户，属19家大造纸关停企业之一。督察组走入这家造纸厂时，往日繁闹的生产景象已如明日黄花。厂方告诉督察组说这家企业已经按国家的规定关停两个多月。督察组很满意，老潘却看出了破绽，当下也没多说什么，随督察组一起返京，当天就找李风作了汇报。

时过几日，老潘在7月31日悄悄潜回安徽阜阳市，美美休息一夜，次日下午5点才出动。果然不出所料，人力车畜力车机动车满载秸草正络绎不绝地开进阜阳造纸厂的大门。那个厂根本没有把中央的三令五申当回事，以为政府又是在走过场玩花活，只为应付检查才停了一天工，督察组前脚一走，就又开了起来，不料却被老潘捉个正着。

后来我问老潘是怎么发现那家造纸厂弄虚作假的。老潘操着浓厚的安庆话说：“其实很简单的，你想想，哪有停产两个月，蒸球还是热的，上面连一点灰尘也没有的？”

我赴淮采访期间，老潘与我一路同行，途中发病，住进一个小医院输液，笑开一嘴雪白的牙齿，操着一口浓浓的安庆话安慰我们说：“没有事的，睡一下就会好的！”

到蚌埠后送老潘去医院输液，晚上去看老潘，老潘已经谈笑风生。但不敢掉以轻心，决定老潘留在蚌埠继续输液，我与厉子和祖伟继续余下的行程。为此，我十分遗憾，因为老潘对淮河的情形了如指掌。那年，老潘成为首届“地球奖”的得主，老潘想赴上海去领奖。我劝老潘不要去，老潘笑嘻嘻地说:“没事的，你看，我现在已经好多啦！”

从淮河回来我和老潘再次见面，知道老潘果真亲自去上海领了奖。

那段在北京的日子，老潘怕我寂寞，时常去看我，还送家乡的茶叶给我喝。他说安庆是个产茶的地方，等什么时候他请我去安庆玩，安庆有好多值得去看看的地方。我走之前，老潘还骑着单车跑去看我，说得了“地球奖”还没有请我吃饭，执意请我吃了一餐涮羊肉。

1998年7月9日晚11时许，我给李风打电话。李风在电话里悲痛地告诉我，淮河报道的始作俑者、中央电视台“新闻三十分”的记者潘晓峰，14日刚过51岁生日，16日就溘然病逝于医院。闻之如轰雷掣顶，若非李风言之凿凿，简直难以置信。

老潘雅号潘淮河，当之无愧是淮河报道第一功臣。当年参与淮河报道的中央电视台的记者，“零点行动”后被病魔悉数击倒。李风最早住院，老潘撑到淮河报道结束发病，一检查是严重的心脏病。那天，我刚刚就此事在即将杀青的《中国档案》中开玩笑地写道：老潘在淮河行动中得到两样东西，一样是心脏病，一样是“地球奖”，如果让老潘重新选择，放弃“地球奖”，便不会再得心脏病，我不知老潘将会如何选择？谁知老潘已经无权选择。

老潘当年的愿望就是继淮河之后再去做长江、做太湖，做尽中国环境保护的文章。他那个宝贝日记本上已经积累了大量有关长江污染状况的调查资料。当时记者们已经在开他的玩笑说:“下一回咱老潘不再叫潘淮河，该叫潘长江了！”

李风伤感地告诉我说，老潘临走时都没有闭上眼睛。

你到底还有什么不放心的事呢？没有人猜得出，也没有人想得到，猜到想到了也没有人会相信，说出来也只是让世俗的人们笑话罢了。在这个日益功利和实用的年月里，大约已经没有人相信什么是崇高或是神圣，说出来也会被人们当成是一种拔高而已。不过，李风相信你，我相信你，记者们相信你。有这么多人相信你，你还有什么遗憾呢?

老潘过世那年，离2000年淮河变清还有不到两年时间，我曾把他的死画蛇添足地写在那本书的最后一页，只为了让人们知道，中国曾经有过一个名叫潘晓峰的人，是当年“零点行动”的始作俑者。这件事情让你活得充实而且长久，哪怕是你死了以后，事情仍然还活着。

我这样写道:“你的死会令淮河的污染者也幡然悔悟。2000年已经不远，为了你死不瞑目的缘故，中国一定会让淮河在2000年零点变清。你放心地去，就等着瞧好吧！”

可是21世纪的今天，涛声依旧，污染依旧。让我对老潘说什么好呢?

皖江八百里沿岸共有九座大小不相上下的城市，每天将近百万吨污水不经任何处理，浩浩荡荡直排长江!

来之前，我对芜湖市基本没有什么印象，只从如下这段报道注意到了芜湖市。报道称:

> 当天清晨，长江浓雾密布，“武汉801”轮，装载40余个货物集装箱下水行驶。6点10分，该轮行至安徽芜湖荻港水道黄兴圩缓流时，突然看到前方有两条小机动船迎面驶来。货轮急忙采取避让措施，由于操作时舵角过大，船体发生大幅倾斜，甲板上堆放的四层集装箱中的上面两层（约20个，具体数字暂未查实）顿时滑落江中，其中有近20箱黄磷。小机动船则安然无恙。事故发生后，芜湖航道、港监部门采取了积极援救措施。已有部分落水时浮在水面的集装箱被打捞上岸，其余均沉入江底。当地港监局发出通电，要求过往船舶加强值班瞭望，发现集装箱要及时上报。据了解，黄磷属于剧毒危险品。

当时我想的是，这些黄磷是从哪里来的? 落入江中会造成什么样的危害?

到了芜湖市才知道，芜湖是一座很现代很漂亮的城市，位于安徽省东南部，辖芜湖、繁昌、南陵三县和镜湖、新芜、马塘、鸠江四区。全市面积317平方公里，人口215万，其中市区人口63万，属享受国家沿海地区对外开放政策的国家沿江开放城市之一。近几年，又先后被国务院及国家有关部委批准为国家优化资本结构试点城市、国家技术创新区域试点城市和发展新型试点城市，还被世界银行确定为中国国企改革技术援助试点城市。

可是谁能想到，这样一座繁荣发达的城市竟然没有一座污水处理厂，沿江有11条吊桶般粗大的“黑蟒”日夜不停地狂泻入江，两岸的江面上黑沫翻滚腥臭袭鼻。更让人吃惊的是，皖江八百里沿岸共有九座大小不相上下的城市，除马鞍山有一座处理能力很小的污水处理厂外，其余几座城市和芜湖市如出一辙，每天近百万吨污水不经任何处理浩浩荡荡直排长江！

来之前还担心外来的黄磷落水给芜湖段的长江造成可怕的生态损害，殊不料，芜湖市早已自毁家园，仅每天十万吨的污水就已经把哺养城市的长江污染得不成样子。

地方官员称，造成这种现象的原因一是因为欠账太多，二是因为沿江城市的经济实力有限，致使城市生活污水处理厂建设严重滞后，要想解决这个问题，得国家给钱。

老尚听了当即生气地反驳说：“你们八百里皖江的沿江城市跟比赛似的，一座比一座建设得漂亮，一座比一座繁荣现代，怎么会没有经济实力？还是自扫门前雪的思想在作怪吧！”

于是我想，长年累月的自我污染，比几箱外来黄磷的偶尔落水，不知要可怕多少倍啊！

我看见，长江像烈日中的花朵，正在人类为富不仁的淫威下，一瓣一瓣地枯萎、凋零。

我隐约还听见大地之上，苍穹之间，幽冥之中，有一个潜山口音的苍老声音在吟咏：“除死已无消恨术，此生可有送穷年？丈夫不须嗟来食，养母何须造孽钱。”

哦，原来是张恨水先生捺不住焦躁，不等招呼便主动为长江助拳来也！

地灵方可人杰，没有这么好的风水，安庆会出那么多的名人吗？

6月7日下午从芜湖出发，驰入安庆境内，便见老潘迎面走来，龇着满口洁白的牙齿，咧着厚厚的嘴唇冲我微笑:“啊哈，你这回终于来了，我早就说过要请你来的呀！”

我伏在窗前，认真打量老潘的这片风水宝地，只见长江如带，绿野葱茏，湖泽广布。

安庆市区地处长江北岸，皖河入江处，皖西南的中心，长江过境流程243公里。

安庆总面积541.3平方公里，临江近海，北枕大龙山，南瞰长江，东夹石塘湖，西跨皖河，具有“控制吴楚，保障江淮”的战略地位，向为“淮服之屏蔽，江介之要冲”(《明一统志》语)，乃“万里长江此咽喉，吴楚分疆第一州”。安庆自古就是沟通南北、贯穿东西的交通要道，东连宁、沪，西接汉、渝，史称“上控洞庭，下扼京口，分疆则锁南北，坐镇则呼东西”，自古是安徽省的历史名城也是安徽省最早的省会。现为省辖市，至今仍是皖西南政治、经济、文化、交通中心，长江十大港口之一，国家一类外贸口岸。

历史上的古皖国就在这里，安徽省简称“皖”即由此而来。

安庆古名彭蠡泽，曾是一片烟波荡荡的大泽，现在还有大量河流湖泊残留，依稀可见旧时的影子。境内江湖水面为1 623.7平方公里，占安徽省水面的10.3%。流域面积在300平方公里以上的河流有9条。长江沿岸分布有华阳河湖群、武昌湖、破罡湖、菜子湖、白荡湖、枫沙湖等主要湖泊，境内流域面积为8 791.76平方公里。长江年过境水量达9 104亿立方米，皖河流域面积6 441平方公里，华阳河流域面积5 511.4平方公里。武昌湖流域面积为1 083.7平方公里，库容量101万立方米。陈瑶湖流域面积为209.3平方公里，库容量3 300万立方米。菜子湖流域总面积3 346.88平方公里，库容量2.16亿立方米。全市有水库511座，总库容量为31.52亿立方米，水库有效灌溉总面积为115.19万亩。

安庆属北亚热带湿润气候区，气温宜人，季候分明，年平均降水量在1 250毫米～1 430毫米之间，多年平均降水总量为210.4亿立方米。春季南北气流频繁交汇，春雨连绵，气温不易升高。秋季经常在冷高压控制下，多晴朗天气，气温下降较慢。盛夏的安庆，骄阳如火。年平均极端最高气温37.6℃。最长酷热期48天，出现于1967年7月～9月。境内年平均极端低温－6.9℃。1969年2月5日，出现年极端最低气温－12.5℃。故安庆有“三九四九冰上走”的民谚。90年代冬季，气温普遍上升，出现“暖冬”的异常气象，“冰上走”已少见。

我望着窗外的湖光山色，感慨万千，一种人也亡物也亡的伤感，从心头轻烟般掠过。

“除死已无消恨术，此生可有送穷年？丈夫不须嗟来食，养母何须造孽钱。”

这首诗和如下一段故事见于两篇文章，一篇是邓刚的，一篇是王东丽的。

邓刚先坦言了自己对张恨水先生的敬意：我始终为中国能出这样的作家而甚感惊讶，在没有电脑的时代，他竟能写下中、长篇小说100多部，短篇、散文、杂文万余篇，还有3 000多首诗词，共计字数4 000万，这相当于10个作家一生创作量的总和；而且张恨水先生还担任过新民晚报的记者、编辑和总编，其工作量之大却又能更大量地写作，简直就是超人。

接着，邓刚有些忧伤和无限感慨地表示了自己的不解：然而，这样一个勤奋的、有着传奇色彩的作家，解放以后本应是更加如虎添翼，更加辉煌，可万万想不到的是，正当中年的他竟从此一蹶不振，声销迹匿。邓友梅站在张恨水的遗照前，感叹地说，50年代，北京文联开会，张恨水拄着拐棍，艰难地走进来……感叹的余音让我们又无限地感叹。后来我才得知，当时病重的张恨水连工资也没有，只能靠民政局发的救济金过活。他想写小说挣点稿费过活，但又不让他写“言情小说”。实在没办法，当时的文联领导说，你不是只能写情感吗，那就写“梁山伯与祝英台”吧，写这样的情感不会犯错误。张恨水就在家里伏案写“梁山伯与祝英台”。谁知写好之后，还是不准发表，只好寄到香港的报刊。不过，张恨水幸亏不会写别的，否则就更惨了，连红小鬼出身的革命作家邓友梅都难逃打成“右派”的厄运，何况写情写爱的张恨水！

邓友梅先生或是吴泰昌先生在自己的文章中提到上文这首诗：在那个曾经战乱纷纷的年代，他不论是在何处，都肩负着上至老母、下至妻儿弟妹的数十口人的生活；也无论何时何地，他都拥有忠诚的读者、相知的友人和迅速驰骋的文思。最为可贵的是，他以一介布衣身份，从不优游宦林，做“写而优则仕”的打算，他深知自由公正的声音只能从独立的笔墨中发出，而这正是民间所需要的、读者大众所希望的。所以，虽有慕名而来以同宗相称的少帅，有各种各样的诱惑与暗礁横亘途中，但恨水先生仍不改“书生意气”，他是一个有骨气的人。正如他自己诗中所说:“除死已无消恨术，此生可有送穷年？丈夫不须嗟来食，养母何须造孽钱。”因此，他的小说明嘲暗讽，以民众喜爱的爱情命运故事揭示着一个时代各种层面的各种现象，他自称这是以“社会为经，爱情为纬”。小说的空前成功使好事者竟以《红楼梦》来比拟他的《金粉世家》。他的杂文、评论犀利老辣，直指时弊；他的诗词作品不仅是报纸副刊版面的“即时贴”，可以方便地补上版面文字的短缺，而且文采颇佳。张恨水的一生是坎坷的，这当然与时代风云的跌宕有关系。公允而言，即使他不是一个斗士，起码他也是一个笔为心声的正直文人。

以上这两篇文章使我知道，张恨水先生晚年穷得连一件像样的衣服都没有，穿的还是毛泽东主席送给他的旧衣服，吃民政局的救济，可是却安于贫贱，从不向国家和友人叫穷或是打秋风，可见铮铮硬骨是一条好汉子，故而才有“丈夫不须嗟来食”的豪迈诗句。

令许多人不解和愤怒的是：时下我们已经温饱有余，社会上大部分人的日子过得比过去强多了，送穷之举大见成效，贫穷大体上已经被我们送走，市场繁荣，社会稳定，经济发达，唯自然生态环境和社会生态环境却不知为什么会全面恶化？恐怕连张恨水这个九泉之下的人都忍不住想跑出来仰天一问：何以我们送穷有道，发财有术，治理污染却无策乎？

恨水先生循循善诱地规劝人们：大丈夫贫贱不坠青云之志，何况日子已经好过，又何须终日提心吊胆地吃那些嗟来之食？齐家治国平天下是人生一番轰轰烈烈的功业，生儿育女也是天经地义的事情，但千万不可以用造孽的钱来抚养后人孝敬爹娘，那是要折寿的啊！

恨水不清的张先生惊呼：现在就是把你们糟害得来的那些造孽钱和中饱私囊抢来的不义之财全用来救治我们的自然母亲也不为过啊！也难以恢复我们自然母亲曾经拥有的那三春的娇艳啊！也不足以赎取和弥补我们对自然母亲的愧疚和犯下的滔天罪孽的万分之一啊！

好一个“养母何须造孽钱”！天地万物，苍生黎庶，本就是我们的父母呀！

但愿共和国的大丈夫们顶天立地，知错能改，不吃嗟来之食，不花造孽之钱，不愧对天地社会和自己的良心，勿令天下万物和苍生，“除死方可消此恨”！

2001 年 9 月 3 日，中华环保世纪行“保护长江生命河”记者采访团历时 105 天、行程 20 000 余公里，抵达位于青藏高原唐古拉山、沱沱河畔的“长江源”碑旁。全体成员发出倡议：唤醒全民族保护长江生态环境的意识；进一步完善保护长江流域生态环境的法律体系；认真搞好水土保持工作；大力推广小流域综合治理的经验；呼吁全社会为保护长江源头的生态环境献计献策……此次中华环保世纪行记者采访团从长江入海口上海出发，途经 13 个省市，沿长江流域进行了一系列长江生态环境的采访。(李明放 / 摄，图片来源：新华社)

何以野火烧不尽？乃是因为年年都有春风吹来呀。那助长野火生长的春风一日不除，野火将一日不灭。欲灭野火，得先除姑息养奸助纣为虐的春风啊！

6 月 8 日，我们去安庆市的防洪建设工地采访。工地上彩旗招展，戴安全帽的工人师傅冒着酷暑，井然有序地紧张施工。当地的有关人士介绍说，安庆市是全国 31 个重点防洪城市之一，1998 年大洪水险些吃个大亏，那时大部分堤段防洪标准较低，堤顶高度均未达标。

国家对此投入巨额资金，地方政府也格外地重视，为彻底消除隐患，全部重建加固。在满足防洪保安的前提下兼顾环境保护，借鉴邻地的成功经验，加上人行道路、旅游观光、人文景观、美化绿化、仓储商贸等多功能开发，该工程目前已经投资1亿元。

此行沿江一路走来，可以说是喜忧参半。沿江每一座城市的堤防重建工程，可以说是一堤比一堤漂亮，以至后来在巢湖的无为大堤上老尚再次质疑：怎么无为也是这样呢？

无为大堤位于长江左岸安徽省巢湖市境内，全长124.17公里，是巢湖流域的防洪屏障，属长江一级堤防。历史上，无为大堤多次溃堤，灾后瘟疫肆虐。无为大堤隐蔽工程是1999年国务院第46次总理办公会议决定兴建、由长江水利委员会负责实施的长江重要堤防隐蔽工程之一。工程质量及环境保护获双赢，被当地百姓誉为“德政工程”、“民心工程”。

遗憾的是，巢湖市的城市污水，也是未经任何处理，直排入江。

老尚忧心如焚，私下和我嘀咕：怎么都一样，建大堤有钱，建污水处理厂就没钱？

以前，沿江的堤坝也是不被重视的，之所以重视起来，是因为1998年那场特大洪水教人们学了点儿乖，知道洪水猛兽是不留情面的，是可以在一个瞬间就直接伤害到人的生命安全的，不重视不行。可是污染和水土流失就有所不同，水是往下流的，上游水土流失直排污水乱扔垃圾，受害的却是下游。淮河、黄河和长江都是一样的，都是你污染我我污染你，反正大家都这样，无非是黑点儿臭点儿，一下子也死不了人的。再说了，长江不是我家的也不属于我们一省一地的，是中国的长江是大家的长江，我们瞎着急有什么用？前者是为了保护自己，后者是为了保护长江，孰轻孰重心里明白着呢！何况，长江也好，黄河也罢，淮河也算，等它们统统玩完时，我们这些人大概也早闭眼蹬腿了，苦果是给后人吃的，我们急的哪门子？上边吆喝时就跟着喊两嗓子，不吆喝时就睁一只眼闭一只眼，嘴上说重视环保，实际上心里却不以为然，因此一样的长江，也就有了两样的待遇了。再则，说没钱是真的，说有钱才是假的，人浮于事的机构得养，重复的城市建设要搞，年年升级的豪华公寓不建不行，屁股下的坐骑也得要跟上社会潮流，送往迎来，招待费动辄成千上万，预算花销一再超支再超支。只能是“家有千件事，先从紧处来”，吃喝拉撒哪样不花钱，桩桩件件都关乎国计民生和稳定团结的大局，唯有环保无关紧要，不碍大计，能拖则拖，能省则省，能赖则赖。

有位朋友感慨地说，地方领导之所以不重视环保，污染企业之所以敢偷排偷放，小型污染企业之所以总是死灰复燃，说到底还是一个犯罪成本的问题，环保犯罪的成本太低而因此获取的利润却很是巨大，捉住也不过罚几个钱，挨一顿批评，顶多是换一个地方，继续做官罢了。

其实，环保上的犯罪比杀人放火更可恶。杀人放火是在明面上，危害他人生命造成诸种损失，人人都能看见，量刑容易，可是环保犯罪是在暗地里，污水入江，垃圾进水，你说他是投毒杀人也可谋财害命也罢，危害是长远的，损失无法精确量化，论起罪来，量刑不易。

也正是知道政府的这个难处，所以有些人才敢钻这个空子，怙恶不悛，以身试法，冒天下之大不韪，污染企业屡关屡开，偷排偷放一犯再犯，死灰复燃不断，反弹现象不绝。野火烧不尽，春风吹又生。何以野草烧不尽？乃是因为年年都有春风吹来呀。那助长野草生长的春风一日不除，野草将一日不灭。欲灭野草，得先除姑息养奸助纣为虐的春风啊！

对春风的姑息便是对野草无形的纵容，他们能不欢欣鼓舞吗？能不铤而走险、以身试法吗？是春风在纵容野草犯罪，纵容他们怙恶不悛，害人害己，造孽当代，遗患子孙呀！

那春风是谁呢？你敢站出来吗？你敢面对自己面对天下人吗？春风不语。

所以我对老尚提议：让记者们写个内参上去，建议中央加大环保违法的惩处力度，加大环保违法乱纪的犯罪成本，为官为民一视同仁，统统按律判重刑，看看谁还敢蔑视环保法！

老尚由不得感慨：环保欠账太多，当个国家领导人，也真不容易呀！

“好一座富于东方美的大城市呀，他整个儿在战栗！好一座千年文化的结晶呀，他不断地在枯萎！呼吁于上天，上天无言；呼吁于人类，人类摇头。其奈之何！”

那天，记者们去游览天柱山，我中途下车，去看望张恨水先生。

张恨水先生解放后一直住在北京，直到1966年，72岁的张恨水先生方才在“文革”的炮声中，很落寞地回到自己的故居安徽省潜山县。我走去看他的时候，他已经住进了仿故居式的位于太平塔下的新居。太平塔坐落在彰发山的皖光苑内。据旧志记载：“太平塔始建于晋咸和间（326年～334年），寺前有太平塔，塔前有真武殿，殿后有玉皇阁、石华表。”

太平塔为七层八楼阁式砖塔，高43米，砖仿斗拱结构，外旋中空，弧檐翘角。塔体内外壁镶嵌砖雕佛像近千尊，形象生动。塔内砌有台阶，穿楼绕廊，可上可下。登上最高层，远眺天柱，群峰峥嵘，风光无限；俯视县城，楼宇林立，井然有序。

故居中摆放着他心爱的花瓶、鱼缸、笔砚、印章等遗物和各个时期出版的著作及手稿、书信等，以及孙起孟、林默然、张友渔、赵超构、高占祥、蒋纬国、陈立夫等海内外知名人士的题词、赠画与研究专著。

我进门时，张恨水先生正在故居中的心远亭前、莲花池畔、题字碑林间，背抄了手儿踱步，显是等我等得有些不耐烦，见我来了也不肯上前招呼。

我只好和张恨水研究会的几个朋友搭讪。他们带我挨个去看那几块名人题字碑林，见老舍写的是：“恨水兄就是最重气节，最富正义感，最爱惜羽毛的人。所以，我称为真正的文人。”以为论定高矣，且出自老舍之笔，得此评价一生足矣，别人说什么也就不再重要。

故舍了其余不看，去和恨水先生说话。我问他潜山的风水好还是北京的风水好。

张恨水先生答曰：“能够代表东方建筑美的城市，在世界上，除了北平，恐怕难找第二处了。描写北平的文字，由国文到外国文，由元代到今日，那是太多了，要把这些文字抄写下来，随便也可以出百万言的专书。”“北平的房子，大概都是四合院。这个院子，就可以雄视全国建筑。洋楼带花园，这是最令人羡慕的新式住房。可是在北平人看来，那太不算一回事了。北平所谓大宅门，哪家不是七八上下十个院子？哪个院子里不是花果扶疏？这且不谈，就是中产之家，除了大院一个，总还有一两个小院相配合。这些院子里，除了石榴树、金鱼缸，到了春深，家家由屋度过寒冬搬出来。而院子里的树木，如丁香、西府海棠、藤萝架、葡萄架、垂柳、洋槐、刺槐、枣树、榆树、山桃、珍珠梅、榆叶梅，也都成人家普通的栽植物，这时，都次第地开过花了。尤其槐树，不分大街小巷，不分何种人家，到处都栽着有。在五月里，你如登景山之巅，对北平作个鸟瞰，你就看到北平市房全参差在绿海里。”

我不忍告诉先生，他说的那已经不是北京，而是北平。北京的风水已经坏了，大气污染众所周知，沙尘暴一年比一年厉害，水不光越来越少，而且还污染了。

张恨水先生这时方才显露出至情至性的赤子本色，他娓娓动人地告诉我说：“我在北平住的三处房子，第一期，未英胡同三十六号，以旷达胜。前后五个大院子，最大的后院可以踢足球。中院是我的书房，三间小小的北屋子，像一只大船，面临着一个长五丈、宽三丈的院落，院里并无其他庭树，只有一棵二百岁高龄的老槐，绿树成荫时，把我的邻居都罩在下面。第二期是大栅栏十二号，以曲折胜。前后左右，大小七个院子。进大门第一院，有两棵五六十岁的老槐。向南是跨院，住着我上大学的弟弟。向北进一座绿屏门，是正院，是我的家，不去说它。向东穿过一个短廊，走进一个小门，路斜着向北，有个不等边三角形的院子，有两棵老龄枣树，一棵樱桃，一棵紫丁香，就是我的客室。客室东角，是我的书房，书房像游览车厢，东边是我手辟的花圃，长方形有紫藤架，有丁香，有山桃。向西也是个长院，有葡萄架，有两棵小柳，有一丛毛竹。毛竹却是靠了客室的后墙，算由东折而转西了。对面竹子是一排雕格窗户，两间屋子，一间是我的书库，一间是我的卧室与工作室。再向东，穿进一道月亮门，却又回到了我的家。卧室后面，还有个大院子，一棵大的红刺果树，与半亩青苔。我依此路线引朋友到我工作室来，我们常会迷了方向。第三期是大方家胡同十二号，以壮丽取胜。系原国子监某状元公府第的一部分，说不尽的雕梁画栋，自来水龙头就有三个。单是正院四方走廊，就可以盖重庆房子十间，我一个人曾拥有书房客室五间之多。可惜树木荒芜了，未及我手自栽种添补，华北已无法住下去。你猜这租金是多少钱？未英胡同是月租三十元，大栅栏是四十元，大方家胡同也是四十元。这自不能与今日重庆房子比。就是与同时的上海房子比，也只好租法界有卫生设备的一个楼面。与同时期的南京房子比，也只好租城北两楼两底的弄堂式洋楼一小幢。住家，我实在爱北平。让我回忆第一期吧。这日子，老槐已落尽了叶子，杈桠的树干布满了长枯枝，石榴花金鱼缸以及大小盆景，都避寒入了房子，四周的白粉短墙，和地面刚铺的新砖地，一片白色。北方的雪，下了第一场雪，二更以后，大半边月亮，像眼镜一样高悬碧空。风是没有起了，雪地也没有讨厌的灰尘，整个院落是清寒，空洞，干净，洁白。最好还是那大树的影子，淡淡的，轻轻的，在雪地上构成了各种图案画。屋子里，煤炉子里正生着火，满室生春，案上的菊花和秋海棠依然欣欣向荣。胡同里卖硬面饽饽的，刚刚呼唤过去，万籁无声。于是我熄了电灯，隔着大玻璃窗，观赏着院子里的雪和月，真够人玩味。住家，我实在爱北平！”

“我也爱你说的那个北平，”我字斟句酌地说，“可是那个有情有趣的北平已经失落在实用功利的繁华光景里，说亦无益，徒增伤感尔。我想和先生谈的是眼前的要紧事。北京人就快要没有水喝了，得调长江的水给北京人解渴，因此保护长江沿岸的水质清洁至关重要，因为不仅是北京，还有许多省份和地方，许多的人畜万物，从今往后得靠这一江水活命呢！”

我这时才对先生坦陈来意：“我来这里的目的，是想请先生利用自己在乡梓的大威望和大影响，恳请沿江的地方长官父老乡亲，莫要乱垦乱挖往长江里乱排污水乱扔垃圾了！”

张恨水先生闻之，始而茫然，继而耸然动容，再而涕泗涟涟，面冲他梦牵魂系的那个北平，慨然叹曰：“好一座富于东方美的大城市呀，他整个儿在战栗！好一座千年文化的结晶呀，他不断地在枯萎！呼吁于上天，上天无言；呼吁于人类，人类摇头。其奈之何！”

满头白发无风自动，恨水先生怆然仰天叩问：“谁实为之？孰令致之？”

早已物换星移，奈何人非物非，古书古诗古画，所叙旧时美景，如今已无觅处。

在安庆时，坐船又去采访过一次长江采沙，中午在马鞍山市吃午餐。

马鞍山位于长江下游南岸，“九峰环一湖，翠螺出大江”，翠螺山突兀江畔，采石矶绝壁临江，集“雄、奇、险、秀”于一体，风景奇幽，被誉为长江三矶之首，素有“千古一秀”之誉。是真实写照，同时又是古代江防要塞、关津渡口，为历代兵家所必争。千百年来，骚人墨客曾在此流连忘返，留下许多不朽诗篇。李白、刘禹锡、白居易、王安石、苏轼、陆游、文天祥等都曾来此踏歌赋诗。唐代大诗人李白曾多次登矶游览，写下《横江词》、《牛渚矶》、《夜泊牛渚怀古》等脍炙人口的诗篇，最终埋骨于距离市区20公里的青山脚下。

据说李白逝世后原葬于龙山之麓，史载南齐诗人、宣城太守谢朓酷爱其胜，谓之“山水都”，曾筑室山南。唐诗人李白“一生低首谢宣城”，曾有“宅近青山同谢公”的夙愿。唐元和十二年（817年），宣歙池观察使范传正根据李白生前“志在青山”的遗愿，将李白墓迁至青山西南。至今，当地还流传着李白“跳江捉月”、“骑鲸升天”的动人传说。

吃饭中途，央人找来武汉大学的同窗严歌平，小叙几句。

我问他：“来时，我在甲板上看到，马鞍山市一片乌烟瘴气的，是不是大气污染很严重？”

歌平笑曰：“一定是你看错了，或是江上有雾吧？我们这里可是国家级园林化城市！”

乘船航行了上百里，一路天气晴好，偏马鞍山这一带有雾吗？知道歌平在撒谎，却不便揭穿他，也就一笑了之。一来因为只是路过，二来这种情形见得太多，三来至少马鞍山还有一座处理能力很小的污水处理厂，为八百里皖江所仅有，已经是相当相当不错了啊！

饭后离去，依依惜别，捉空儿与李白聊了两句。李白不食人间烟火，仍吟满嘴儿歌，诗中景象还停留在贞观之治，什么“君不见黄河之水天上来，奔流到海不复回”，什么“脚著谢公屐，身登青云梯，半壁见海日，空中闻天鸡”，什么“朝辞白帝彩云间，千里江陵一日还，两岸猿声啼不住，轻舟已过万重山”，什么“平林漠漠烟如织，寒山一带伤心碧”之类，几近满口胡言。

问起马鞍山的来处，说是楚汉战争时，楚霸王项羽在垓下全军覆没，败退至和县乌江边，自觉无颜见江东父老，便请渔人将心爱的坐骑乌骓马渡至对岸后，自刎而亡。乌骓马思念主人，长嘶不已，翻滚自戕，马鞍落地化为一山，马鞍山因此而得名。

后李清照有词赞曰：“生当作人杰，死亦为鬼雄，至今思项羽，不肯过江东。”

参加过2000年的“三晋环保行”之后，我在一篇文章中写到项羽。

那天、那地、那山、那水，被剥去皮、剔净肉、折断骨头，奄奄一息束蹄等死。河流里没有水，井里也没有水，山体原本可怜的一些树也快要被他们砍光了。坡谷间的小草细弱稀疏得像老年人的头皮。还有好多土地连皮肤也被人们剥光，露出白森森的骨头。这儿的人除挖煤炼焦别的营生什么都不会做，甚至连地都不想种。他们恨不得把土地的骨血都挖出来吃光喝净，值点钱的东西都被他们挖出来拿去贱价出售，结果越挖越旱，越挖越穷，恶性循环，别说只是四年不收，恐怕永世不得翻身。

以为污染不堪一击，殊不料身陷连造物主也能困死的十面埋伏，如此铁血阵图十万八千个韩信再生恐怕也营造不出。这才知道什么叫束手无策！什么叫无力回天！什么叫痛心疾首！那种无法表述的撕心裂肺四面楚歌的感觉，纵令今日之医学或是克隆之术可将楚霸王救回一千次或是克隆一千次，相信他也还会毫不含糊地再自杀两千零一次。

西楚霸王置身这种重围，除四顾八荒、怆然而涕下外，大约只剩下一个恶心了。

现代人却有些不齿：项羽那厮脸皮也忒薄，只要多少厚黑一点，也轮不到那流氓称帝！

又评说：要不咱派个人去换项羽回来，甭论派谁，村长、乡长、县长、书记、厂长、经理、理事长、董事长、秘书长、街道干部、居委会主任、派出所所长，反正只要带个长字就成，不是我吹嘘，这拨拉人都有真功夫，准保个个都能把刘邦那老流氓给活活气死！

鲁继胜点头："这虽然是文学语言，可也的确是事实。不过我还是那句话，如果要排大小的话，水土流失可是一只虎，污染相比不过只是一头狼呀！"

在安庆期间，记者团还派了一个小分队去安徽宣州扬子鳄繁育研究中心采访，我那天却和大部分记者去大别山一带考察安庆市水土流失状况。

安庆市属大别山区，山丘区面积占70%，年降雨量1 300毫米～1 400毫米，土壤质地疏松易风化，再加上人为不合理的活动，水土流失严重，是一个典型的易遭洪、旱、涝、渍、水土流失、泥石流等多种灾害侵袭的地区。

途中沿线远望郁郁葱葱的，走过去一看，却见树下寸草不生、沟壑纵横、流失严重。

山区也是这样，远看青山绿水，近观水土流失。据实地踏查和有关方面介绍，安庆全市水土流失面积4 600平方公里，中度以上水土流失面积2 000平方公里，全市塘坝淤积量平均35%，水库淤积量占兴利库容的8%～40%，大小河床平均淤高1.5米～4.3米，湖泊平均淤深2米。在许多地方，等到发现水土流失严重时，已是塘库沙满。

然而，安庆市的水土流失治理至今还停留在试点阶段，大面积的水土流失仍在继续。

水利总局水保司的鲁继胜处长告诉我说："安庆还不算什么，沿江大部分地区的水土流失状况几乎都比安庆厉害，至少也和安庆不相上下。你说严重不严重？可怕不可怕？所以我想说，长江的污染固然是一个不抓不行的大问题，但如果和长江流域的水土流失状况相比，污染问题就要退居次要位置了。可以这么说，长江最大的问题是水土流失，次之是污染！"

闻之惊心，我耸然道："别不承认了，事实上，长江现在已经是第二条黄河了！"

鲁继胜辩解说："可还是有所不同，黄河是斗泥斗沙，长江还没有到那种程度！"

我道："这一路走过来，我们见到的长江看上去和黄河已经没有什么两样，只不过是水多些，至少已经形似黄河，如果年年这么流失下去，迟早会斗泥斗沙，成为名副其实的黄河！"

鲁继胜默然良久，说："这正是我们大家都害怕的，我们水利总局和长江委之所以与'中华环保世纪行'联手，以长江的水土保持做今年的采访主题，就是因为这种情况实在太严重，发展下去太可怕，如果现在不能引起上上下下全社会的广泛关注，后果将不堪设想！"

我不觉感慨："说起来，长江也真够可怜的，前门有狼，后门有虎，雪上加霜呀！"

鲁继胜点头赞许："你这虽然是文学语言，可也的确是事实。不过我还是那句话，如果要排大小的话，水土流失在前，环境污染在后，水土流失是一只虎，环境污染只是一头狼！"

我想：单单一只虎并不可怕，武松一条哨棒三拳两脚也就收拾停当了。光是一头狼更没什么了不起的，1962年出了那么多的打狼英雄。可是现在不是一只虎而是无数只虎，不是一头狼而是无数只狼，最可怕的是这些虎狼还合了群，同仇敌忾地与我们做了对头。

这群虎是我们养大的，这群狼是我们喂肥的。前门放走了虎，后门放走了狼，现在虎狼上门来寻仇了。黄鸦鸦的一群堵在前门，黑黝黝的一片围在后门，跃跃然，环伺着我们，牙尖爪利，嘴张得血盆似的，欲择人而噬。前有虎嘴，后有狼牙，我们悔不悔？我们怕不怕？

从人齿剩余下的野生扬子鳄目前已经从原来的 200 多条减少到 100 条左右。我不明白，这样稀罕可怜的“活化石”难道人们也吃得下去吗？

今人胆大妄为，有什么不敢说的么？几乎没有。

有什么不敢做的么？除了杀人放火，什么都敢做的。

有什么不敢吃的么？大约除了毒药，天上地下，什么都敢吃。

什么猴子、孔雀、老虎、大象、梅花鹿、中华鲟、娃娃鱼、扬子鳄，逮住什么吃什么，百无禁忌，直吃得山空林毁，河干湖净，飞鸟无踪，走兽绝迹，天穷地苦。

网上有报道说，安徽有四家饭店领了许可证，专卖扬子鳄大餐，也不知真假？

扬子鳄产于安徽、浙江和江苏的交界处，别名中华鼍、土龙、猪婆龙，属于鼍科，学名为 Alligator sinensis。成体全长可达 2 米左右，尾长与身长相近。头扁，吻长，外鼻孔位于吻端，具活瓣。身体外披革质甲片，腹甲较软；甲片近长方形，排列整齐；有两列甲片突起形成两条嵴纵贯全身。四肢短粗，趾间具蹼，趾端有爪。身体背面为灰褐色，腹部前面为灰色，自肛门向后灰黄相间。尾侧扁。具有冬眠习性。多在江湖和水塘边掘穴而栖，性情凶猛，以各种兽类、鸟类、爬行类、两栖类和甲壳类为食。6 月份交配，7 月～8 月产卵，每窝可产卵 20 枚以上。卵产于草丛中，上覆杂草，母鳄则守护在一旁，靠自然温度孵化，孵化期约为 60 天。初生小鳄为黑色，带黄色横纹。

1973 年，联合国将其定为濒危种和禁运种，我国政府亦列其为国家一级保护动物，并相应地建立了研究中心和自然保护区。

研究中心已放归 80 条人工养殖扬子鳄。初放的扬子鳄不怕人，听到声音就会聚集过来，捕食能力较弱，说明扬子鳄的野性有一定程度的退化。

保护区成立之前，当地百姓有“见鳄杀鳄，见蛋吃蛋，见巢毁巢”传统，现在这种状况已大为改观。放归和保护扬子鳄须给当地百姓一定的经济补偿，保护区还规定，每交回一颗扬子鳄蛋奖励 50 元钱。

目前人工繁育的扬子鳄数量已达 1 万条以上，集中在安徽宣州和浙江长兴。宣州扬子鳄已经繁衍三代，种群数量达 9 000 余条，照每年 1 500 条到 2 000 条的速度发展，不出两三年，保护区就将鳄满为患，无奈，只好对其实施总量控制。

更让人忧虑的是，野生扬子鳄呈逐年递减趋势，人工繁育的扬子鳄却出现种群衰退现象，幼鳄的畸形率有较大幅度上升。

扬子鳄是中国特有的珍稀动物，也是中国唯一的鳄种，它源于中生代，与恐龙、翼手龙同宗同族，逃过7 000万年前的那场大灭绝而延续至今，被称为“活化石”。

目前，扬子鳄的远亲——湾鳄已经灭绝，扬子鳄与美国的密西西比河鳄，成为世界上仅有的两种生活在温带的淡水鳄。

然而，逃过物种大灭绝的扬子鳄，最终能否逃过人类的捕杀？我很怀疑。

从人齿剩余下的野生扬子鳄目前已经从原来的200多条减少到100条左右。

我不明白，这样稀罕可怜的“活化石”难道人们也吃得下去吗？

水土似虎，污染如狼，奈何前门拒虎，后门纳狼。八省争雄，黄河几近枯涸，年年断流。四邻觊觎，互相推诿，淮河大半沦丧。万里长江亦泥沙俱下，龌龊紧逼，漕运每每受阻。时闻楚歌声声，沙漠已兵临北京城下。常见尘暴阵阵，旱魃欲举火千里掠地。

6月9日是在安庆市的最后一天。

上午，冒着潇潇细雨，老尚和我偕同中央电视台的李晶晶、邢颖红、阿雷等人，去看望潘晓峰的家人。邢颖红告诉我，这是社会新闻部的制片人吴光秋再三交代过的，到安庆一定要到老潘家里去看看。她还说，他们部里的领导都很关心老潘的身后事，几乎年年都要派人去看望老潘的家人，年年都要给老潘家人一些经济上的补助，这回又带来点钱让她交给老潘的家人。她说：“我真发愁，要是不肯收下，推来推去的多不好，到时你们可要帮我说话呀！”

待我们走出车门，天空灰暗，那雨已经细微得像些雾。淋淋的水汽，慢慢散去。我知道，这细雨是造化在惋惜老潘的英年早逝，嘉赏他护持自然的事迹，故而在我们面前表一个态。可是老潘却不乐意让我们淋雨，就拿一把大伞在天上给我们遮着，于是我说了声谢谢。

认识可以多种多样，但做环保是在积德，这是我和老尚以及许多记者的共识。有一个信念在支持我们，那就是天佑环保者，不是因为迷信，而是相信自然的灵性。

这是一报还一报的事，你帮助了造化，造化才会反过来护持你，种因得果，种玫瑰者得花，与迷信无关。

今天我们之所以兴师动众地来看老潘，便是为了体现造化的这个简单道理。

老潘的妻子是一位小学教师，见了我们不觉潸然泪下。她哽咽着声音告诉我们，就是1998年的今天，她接到中央电视台盖主任的电话，说老潘病危，没想到会这么巧，记者团偏选了这个日子来看老潘。老尚和邢颖红他们都大吃一惊，因为这是谁都没有料到的，之所以今天来看老潘，是因为前几天根本没有一点时间，一推再推才拖到了今日。我也觉得吃惊，不过我知道，这又是造化的一次精微的安排。造化总是试图让人类明白，它虽然不得不时常在人类面前装聋作哑，任凭不法之徒掠夺它祸害它荼毒它污染它，却并不真的痴愚。

果真出现了邢颖红在路上就担心的事，老潘的爱人眼含着热泪，说着千恩万谢的话却执拗地不肯收下那只装钱的信封，害得我们不得不你一言我一语一遍又一遍地给老潘的爱人做耐心细致的思想工作，轮番说服她收下那些钱。那不是钱，只是一些心意，钱可以拒绝，可是心意必须接受。墙上的老潘目光炯炯，默默地注视着这动人的一幕，只是不肯说话。

终于强迫她收下了信封，我们逃也似的离去。每个人的心灵都是饱满的，每个人的眼睛都是湿润的。老潘的儿子代母亲送我们下楼，依依不舍地送我们上车，大家这才松了口气。

小邢眼红红地说："真是不能再待了，再待下去，我都要哭了！"

我此时此刻的心情最是复杂，我在心里一直念叨着：老潘，你是因为淮河的治理才罹患了严重的心脏病的，可是现在淮河怎样了呢？我真的不想告诉你啊老潘，可是我又不能不说。我刚刚看到记者沈路涛撰写的一篇报道，为了慰你的死不瞑目，我只好摘录给你：

今年3月份以来，淮河流域平均降雨量较往年同期减少40%至70%，大部分河流处于断流状态，河道内的蓄水主要是工业企业达标后排放的废水、城市生活污水和农田废水。上游主要支流沙颍河颍上闸以上形成总量达1.44亿立方米的污水源。从7月20日起，沙颍河上游普降大暴雨，并形成洪峰，各闸坝相继开闸泄洪。随着上游泄洪，这股污水源形成污水团，开始向淮河干流排放。30日上午，颍河口至鲁台子水体呈黑色，带有臭味，有大量悬浮物和泡沫并发现少量死鱼。随着这团污水的流动，昨天淮河干流淮南段水质还维持在三类水质，今天水体中氨氮浓度就已经开始超标，高锰酸盐略有超标，整体水质超过了规定的三类标准。目前，这1.44亿立方米的污水源已经下泄至干流0.6亿立方米，其余蓄积的污水还将陆续涌入，易形成大污水团。加上淮河干流水量偏少，水闸一直关闭，预计污水会部分滞留在干流内，直接影响淮南、蚌埠两市的饮用水安全，并且容易发生污染事故。

哦，老潘，读了如上这段报道你会有何感想呢？你没有合上的眼睛这回一定更闭不上了吧？你对淮河治污是抱有最大期望的，因为你的家就在淮河流域，你爱这片土地啊！

我知道得赶紧走了，再待下去，连墙上的老潘你，都要哭出声来啦！

我想，我们还是不要哭，还是趁着现在我们还拥有长江，长江还没有变成淮河，及早尽最大的心和最大的力保护我们的长江吧！我现在知道你为什么不闭上眼睛，那是因为你觉得你费了心也费了力可是淮河却没有如你期望的那样变清！那么长江呢？你在问我，万一我们保护长江也像保护淮河一样失败了怎么办？这个问题，我也想请问你啊，老潘！

我想，至少我们现在就可以多多地储备一些眼泪，以备不时之需吧？当长江也变成淮河的时候，当所有的江河和地下水全部被污染的时候，当人类走到尽头的时候，当这个世界上再也没有一滴干净水可喝的时候，唯一可以解渴的大约只有我们自己的眼泪了吧？

如果我们还不猛醒，我们哭的日子还会远吗？

哦，老潘，你就是为这个想哭的吗？

攻杀每每裹足不前，只为投鼠忌器，瞻前顾后。失地屡收屡失，盖因暗箭明枪，顾此失彼。野火不熄，乃是春风之功。春风得意，疑为刑罚不力。敌鼾卧榻，谋堕神州，社稷家国，防患未然，危哉！险哉！

那天从老潘家出来，去拜谒中国共产党的创建人之一陈独秀。

陈独秀原名庆同，字仲甫，1879年生于安徽安庆。陈自幼丧父，随人称“白胡爹爹”的祖父修习“四书五经”，得到的评价是：“这孩子长大后，不成龙，便成蛇。”

1914年，他写文章用“独秀”笔名，有人讥讽为自大，其实此名来源于他潜山家乡的独秀山。在中国共产党的历史上，陈独秀是党的创始人之一，一生毁誉参半。

不过谁也不敢否定他是《新青年》的创办者，他确是近代新文化运动的旗帜，被毛泽东称为“五四运动的总司令”，是先驱的启蒙者，追溯中共的建党不能不提及陈独秀。

我们这些后人，没有理由和资格为这个了不起的人物伤感，虽然他的一生充满坎坷。

敬献一支香烟给独秀先生？不知先生生前吸烟否？此乃一瓣心香是也。

老尚亦敬献香烟一支。鞠躬如仪之后，我们默默地离去。

陈独秀先生却目光如电，长衫飘飘，横身拦住我们大家的去路，亢声说道：“近时敌鼾卧榻，谋堕神州，俄经满蒙，法伺黔贵，德人染指青齐，日本觊觎闽越，英据香澳，且急急欲垄断长江，以通川藏印度之道路，管辖东南七省之权力。万一不测，则工商裹足，漕运税饷在在艰难，上而天府之运输，下而小民之生计，何以措之？”

我对先生拱手道：“时下中华民族面临之危局，生态列强八面环伺，有地皆遭水土溃散，无水不为黑臭所苦。水土似虎，污染如狼，奈何前门拒虎，后门纳狼。八省争雄，黄河几近枯涸，几乎年年断流。四邻觊觎，互相推诿，淮河大半沦丧。万里长江亦泥沙俱下，龃龉紧逼，漕运每每受阻。时闻楚歌声声，沙漠已兵临北京城下。常见尘暴阵阵，旱魃欲举火千里掠地。攻杀每每裹足不前，只为投鼠忌器，瞻前顾后。失地屡收屡失，盖因有暗箭明枪，顾此失彼。野火不熄，乃是春风之功。春风得意，疑为刑罚不力。敌鼾卧榻，谋堕神州，社稷家国，防患未然，危哉！险哉！比之昔日多国来犯更为凶险莫测，更为窘迫难堪，先生何以教我们？”

先生批曰：“总论全江大局，若防内乱必据上游，若遇外侮必备下游，必长江之备已周，再有海军为辅，则欧西之铁申（甲）虽强，亦不容其越雷池一步矣。”

信然先生。记者团虽小小水师，却上有中央政府和人大领导，下有各级人大和政府为辅，更有沿江百万民众的支持，上游下游同心，此行必奏凯歌，绝不容其越雷池一步矣！

先是张恨水先生介入，一日间又连着看了两个逝去的人，莫非是有什么约定吗？

哦，连死去的人，都对中国的生存现状如此牵肝动肺，更何况我们这些生者呢！

（选自2002年第7期《北京文学（精彩阅读）》，有删节，作者：哲夫）

《卧虎藏龙》的奥斯卡之路

2001年3月25日，第73届奥斯卡电影金像奖颁奖仪式在美国洛杉矶圣殿礼堂举行，由李安导演的中文影片《卧虎藏龙》荣膺最佳外语片、最佳艺术指导、最佳摄影和最佳原配音乐四项大奖。这篇文章以李安自述的形式讲述了《卧虎藏龙》的奥斯卡之路。

我想拍武侠片

我想拍武侠片，除了一偿儿时的梦想外，其实是对“古典中国”的一种向往。武侠世界对我最大的吸引力，在于它是个抽象世界，不存在于现实当中，我可以将内心的许多感情戏加以表象化、具体化，动作场面有如舞蹈设计，是一种很自由奔放的电影表现形式。武侠片，除了武打还有意境，最重要的就是讲情与义。情感来时，要如何处理爱恨，才够义气，这些对“侠”是很重要的。

武侠片我从小就想拍，机会成熟自然跃跃欲试，至今出手，当然已掺杂了不少成人的心理因素，不再只是儿时的梦想了。对武侠世界，我充满了幻想，一心向往的是儒侠、美人的侠义世界，一个中国人曾经寄托情感及梦想的世界。我觉得它是很布尔乔亚品味的。这些从小说里尚能寻获，但在港台的武侠片里，却极少能与真实情感及文化产生关联，长久以来它仍停留在感官刺激的层次，无法提升。可是武侠片、功夫动作片，却成为外国老百姓及海外华人新生代——包括我的儿子——了解中国文化的最佳管道，甚至是唯一途径，然而他们接触的却是中国文化里较粗俗劣质的部分。对此，我始终耿耿于怀，却无能为力。

由于拍摄武侠片需要许多条件配合，现今文戏导演很难插手武戏，武术指导又对文化没多大兴趣。加上市场考量，制作费用比现代文艺片高出许多。俗话说“穷文富武”，武侠片要能打得好看、做出场面，制作费就不能省，经费有限有时文戏也不得不牺牲，可文戏又关乎意境。

我心里一直想拍一部富有人文气息的武侠片。对我来讲，它不只是打，武术招式及出手也是角色个性的延伸，“对打”好比“对待”，它可以表现角色关系的发展，它可以是以戏剧为主的。直到三部西片拍完，各方条件渐趋成熟，我觉得已然储蓄了一些能力、势力，也许可以试试，照自己的想法拍摄。对武侠片的生态来说，我这次是有点霸王硬上弓，硬掰至接近我理想中的模样。

这样逆着它的性子来，我知道是件吃力不讨好的事，也使得我和工作人员经常是双方作难。拍片时，我一直挣扎于意境与武打之间。包括武术指导袁和平（八爷）都常常问：“你到底要打还是要意境？是要跑远路去拍山水，还是要花时间打？钱就这么多，到底你要什么？”之所以这么不痛不快，就因为我心里对武侠类型的爱恨纠缠。

我也考虑过观众可能会不习惯，但还是想试试看。当然这里面也有面对西方艺术院线时要拿得出手的问题，若一旦被老外认定是 B-Movie（指低成本、制作较不精良的电影，并非成人电影），就很难翻身，我觉得会对不起这个类型，因为它本身不该被局限于此。这是责任和愿望的部分。至于看到儿时梦想的轻功、招式呈现在银幕上，倒也是挺好玩的。

就拍《卧虎藏龙》

回台湾宣传《饮食男女》时，我读到王度庐的《卧虎藏龙》。以前曾看过王度庐的其他小说，那是好友舒国治从大陆带回的影印本，当时就很喜欢。武侠小说里，我最喜欢白羽的小说，其次是王度庐。因为学长蔡国荣看了《饮食男女》，不知为何，觉得我可以拍武侠片，就写了个企划案给徐立功。我一听是王度庐的小说，想起以前看过，就说，拿来看看，这才起了个头。

拍《理性与感性》时，我一面构思《冰风暴》，同时由徐立功作代表洽购《卧虎藏龙》的版权。就我所知，这本小说以前只有四川电视台在 80 年代拍了部电视剧，还有一部少有人知的闽南语片《玉娇龙与罗小虎》。

原著大概以清朝中叶为背景，描述一个古典中国社会的文化及人情世故。它有个很有趣的女主角。一般武侠小说总以男人为主角，比较阳刚，女角多为陪衬，易流于样板。《卧虎藏龙》的重心则是女主角玉娇龙，心理层次诡谲复杂，白天是千金大小姐，晚上开打谈情说爱，是个对江湖儿女情有所幻想的难驯少女，也是个中国戏剧少见的角色。打，还不是很离谱；有轻功，但比较写实。这些都是我喜欢的。

通常我选择题材，是看它的元素是否足以构成一部有趣的电影，哪些元素彼此碰撞，在两个钟头里能产生什么酵素。武侠小说不是什么经典文学名著，多是爬格子上报连载的营生。后来我去拜访王家时，王老夫人告诉我，王度庐当年将笔名取为“度庐”，即意指寒庐度日。从这个抑郁的笔名可见一斑，他只是为文抒发心中的无奈辛酸，并不求全，良莠不齐自是不免，经常有一段精彩绝伦，接下来半本拉拉杂杂。我就从中抽取一些有趣的元素，加以发展，拍我想拍的东西。

当初大家并不看好，因为书中的大侠李慕白与俞秀莲戏份不多，篇幅甚多、十分传神有趣的小人物刘泰保无法挑大梁，主角玉娇龙又是个人人避之唯恐不及的凶角色，除了我喜欢外，没人赞成。加上版权接洽过程也不顺利，于是着手找寻其他中文题材。但几年下来，真的也没动心的。我就跟徐立功说：“拍了三部西片，我一定要拍华语片了，定下来，就拍这个。”

身心俱疲的拍片经历

第一批外景地包括新疆戈壁沙漠、天山冰川，驻扎的基地是乌鲁木齐，在那里拍摄三周。接着回北京拍摄。之后，全体下江南，至安徽及浙江安吉县的竹林出外景。再回头往北，至清朝皇室避暑夏宫的承德及苍严山取景，最后返回北京片厂拍摄。后制时，在纽约进行剪接、对白及音效的混音，同时录制马友友的大提琴部分。洛杉矶做特效及录制主题曲。上海广电大楼录音乐。香港做特效、录对白。北京录对白及混音。

外景第一站到新疆，就遇上沙漠风暴、大洪水。本以为 8 月正值旱暑，新疆应该是晴天，当地又极少下雨，一定干燥。事实却全非如此。开镜典礼一拜完，连下了一星期的雨。我说：“往西把水给拜来了。”化妆小梅姐（仇小梅）还安慰我说：“港片遇雨都大卖。”当地百姓则是欢喜地说：“你们把一整年的雨都拜来了！”

但这些雨却成了我们的灾难。外景之一的五彩城，缺了烈阳城就没五彩，什么也拍不到。那么辛苦用卡车及火车将大队人马、器材，千里迢迢地从北京运至新疆，结果先前看好的景全变了，让人觉得运气真是背，似乎新疆不想让世人看到她的美丽壮阔。你费尽力气，追求的却是个非常脆弱易变的东西，大自然或命运的稍一拨弄，就改变了一切。只有想尽办法，拍一点是一点。

开镜一星期就发生沙漠迷途事件。那天下午吃完饭出去拍到半夜，有个车队迷路没回来，大伙开车到处去找，带回来时已是隔天清晨7点了。延到下午2点再接着拍，刚拍完第二个镜头，沙漠风暴来袭，足足刮了两个小时，来了一次又一次，眼看太阳就要下山了，赶快抢拍几个镜头。那个外景场地，第一次去拍时，沙漠居然都是烂泥，车子全陷进去，整个车队得拖过来；第二次去就遇上沙漠风暴。三天两头的老碰上这种事。

大洪水是我们到另一个景点时遇到的，桥被洪水冲断了，得绕道。新疆大部分的地方只有一条路，当地小路常断，也没路标。整个车队被堵在半路上，不上不下地老转不出去。当时又闪电又打雷下雨的，半夜带着一家人及整个剧组，小孩也在，大伙在暴雨的沙漠中摸索找路。加上当地路况很差，为了绕过坑洞，司机老是刹车、转弯，刚开得顺一点，又常“砰”一下跳起来。前面似乎通行无阻，但就是不敢放手疾驰。经常一开就是十几个钟头，开得司机两眼猩红，又多是烂车，光坐在上面也难过。一切都让你觉得，人在那边是很无助的！

回到北京又分日、夜两组拍摄，两班我都得看，武戏要是不看怕连不上。就这样，有一度连筹备到拍摄长达八个月没回家，我也没有半天休假。到了拍片后期，我的身体机能开始抗议，某天清晨入睡时呼吸困难，看来像是休克，赶紧去医院。我不知是不是抗压性失调，因为拍戏时保持高度敏感，对付压力的开关开始弹性疲乏，整个免疫系统失调。拍片时我就知道这笔账将来会找回来，因为当时精神亢奋，不会病倒，但常感觉像要死掉似的。果不其然，过了两个月全都找了回来，那时正是我拍完片回美国开始忙剪接、配音等后制时。加上勘景爬山时过劳的脚踝又得了肌腱炎，遵从医生嘱咐，从北京、上海、香港一路包着脚，坐在轮椅上，像个废人。回美国又牙痛拔牙，整个人就这么捂着。

事后录音是个大工程，共有两组人员录制。头一组共四人，一位录音工程师带着三名技师，专门录制音乐，分别在纽约录制马友友的大提琴，之后与上海交响乐团合作在上海广电大楼录制其他配乐并将音乐混声。那位录音工程师是世界顶尖好手，马友友指定非他不可，但在纽约录音乐时，我因为正处于神经紧绷的敏感状态中，听出有些音不准，录音师回头再听，的确也是。上海广电大楼仿英国录音室买入全新的录音设备，我们又常是几十个声音一起混声，也被我一一挑出毛病。但上海录配乐还算是小 case，只花了几个工作日。最后在纽约的总体混音——将音乐、对白、声效等的混制过程，才是最最痛苦的时刻。这时又由另一组录音人员负责。

《卧》片的音效比美国大片还复杂，美国影片的音效多很固定，《卧》片音效的频率很高，变化较多。尤其是青冥剑的响声，诡异复杂，加上斗剑或兵器交锋时的声音变化，美国音效师没有这方面的经验，我要在一旁盯着，注意频率变化时的细节。加上当时我陷入一种神经质的挑剔中，人很敏感，对白、音效等稍有一点差异就让他们再三回头做，加上交货时间的压力，搞得混音工程师都快疯了。

又如调光时，十六分之一的光圈变化许多几十年的老手都难分辨，我觉得那个镜头比上一版亮一点，技师回去看表，就差十六分之一点，而一般两点以内都看不出差异的。就这样，我自己难受，大家日子也不好过，连我也受不了自己。但要做出水准，就得磨。最后总体混音时，我连坐都坐不住，是躺着做的。后来打类固醇，吃抗压药，人比较麻木，没那么挑剔，大家日子才比较好过些。

后制期间，我老是心揪着，脸发黑，血压、神经、胆固醇等全乱了套，肌腱炎加上心悸一起爆发。睡觉时身体会放电，四肢充血，醒睡换档之间会暂停呼吸。人常被吓醒不说，每逢夜晚即如临大敌，经常睡眠失调，有时整晚无法入睡直到晨曦微露，坐在窗前看到日出，眼泪就不由自主地流下来，人很沮丧，心神无法控制，当时觉得真是熬不过去了。

再加上促销、交货、冲片都不顺利，宣传期又长达一年，就这样拼了一年。所以到奥斯卡时我真的受不了了，颁奖典礼后，才想着自己终于活过来了。直到暑假在家，我才能真正地休息。

自成一格的制片方式

这次《卧虎藏龙》的拍摄模式，是结合好莱坞与港片过去十几年在大陆磨出的方式，成员则为两岸三地的混合军。这次我没带什么特别的做法进入剧组，因为这次的幕后班底均为华人电影中的精英，各小组的负责人都拍过西片，本身的素质就是世界水准。尤其是鲍德熹，他会很主动地把器材及好莱坞的标准带进来，当然也所费不赀。而且港片基本上已具有西片基础，它是介于西片与华语片中间的制作水准，我就在这个基础上提出我的要求，我不管他们怎么做，只要达到要求的品质就成。

《饮食男女》时带入新制度的做法我不再重复，当时比较有热情有傻劲。这次是看什么能做我就做。我是跳出好莱坞，不同于美国一般的做法。因为我想体验一种比较灵活、另类的拍片方式，享受创作的自由，但品质上必须达到好莱坞的水准。我只是用我可行的方式拍片。

拍西片，工作有规律。拍《卧虎藏龙》，我又重回华语片的不规则工作方式，不过这次的不规则，又和拍摄《饮食男女》时有所不同。拍完《理性与感性》后升级了，以后在制作规模上均是专业水准，《卧虎藏龙》也是。

这次的标准比较高，场面比较大，工作人员均是成熟的、顶尖的。同时拍摄时间有五个月，从1999年7月31日开拍，到同年12月22日在北京前门饭店办杀青酒。

拍《卧虎藏龙》我再次接受挑战，一如拍《理性与感性》，导演的尊重要自己去挣。这次是以香港工作人员为主创班底，我是新手，所以需要再“赚”一次。虽然我是中国人，但并不表示我就全懂中国的文治武功。连好莱坞都要向他们取经，他们自成一个体系，我单枪匹马地去做领导，就要吸纳那个体系的东西，要向他们学习，然后再尝试变化他们的惯性，同时还要和大陆方面合作，其实并不比到英国拍《理性与感性》容易。我有想法，他们有技术，要怎么去挖那个技术，指导他们做事，对我是个很大的挑战。

这两次就好似猛龙过江，一个人去和一团人合作。我面对的是英国、香港的电影精英，又是搞他们的本行，一个是简 · 奥斯汀，一个是武侠片，我觉得是个很好的锻炼。其他的片子拍完就完事了，就照我的意思拍，而这两部片子拍完后，我感觉自己好像升了一级，头脑也变灵光了些。其实我拍片感觉最像是回家、最舒服、最自在的是在美国，到别的地方是去做客，要去“赚”。

香港电影熟悉好莱坞的作业方式，沟通没问题。不但接轨，有些做法也比好莱坞能变通，而且能“熬”。

除了各种纸上作业、工作习惯与好莱坞的制作模式接轨外，摄影、音效等人员跟特技公司间的往返沟通也非常娴熟。而且港片自有一套做法，但它会吸收西片的经验。当我拍华语片时，西片也会吸收华语片的经验，相互交流。西片的工作方式比较照着流程来，香港反应快，不过还是比较刻苦，预算低，有因陋就简的习性。两者最大的不同在此，我必须要适应。

很多导演都有班底。我的融合性还行，我喜欢与当地的工作人员合作，他们熟悉地方，做的东西地道。这次要不是大陆制片刘二东等人的帮助，说实在，也拍不成《卧虎藏龙》。大陆方面的工作同仁待我非常好，令我十分感念，官方也相当礼遇，合拍公司与北影厂都给予我们最大的支持。所以大陆方面除了合拍的郑全刚总经理外，我一定要请刘二东代表来参加奥斯卡。典礼当天索尼经典电影公司的庆祝酒会结束后，当他跟我说：“我觉得这次的经历很值得！”我再也憋不住了，和二东两人抱头痛哭。

拍摄期间，我们真的是一路一起熬过来的。

我是第一次到大陆拍片，需要一个跟当地关系熟络的人来搞定一切。因为拍华语片没个固定模式，所以我会有野心，希望一分钱能做十分事。这是制片的本性。而其中的层层关节，除了港方的策划崔宝珠及制片主任畲伟森外，就要靠刘二东和他的班底搞定。他们得人面广、关系好，有八面玲珑的本事，软的硬的都来得。整个情况是一种我无法控制的复杂。但死搞活搞，最后都给搞定了。

拍完后，刘二东跟我说起他为什么这么拼命，就因为前置时詹姆斯来探班，我介绍他时曾说:“詹姆斯对我帮助很大，以前担任我的制片，很能干，帮我杀价。”二东受到刺激，当时虽没吭声，但已下定决心，在大陆一定要事事都帮我搞定。结果拍完后他才向我吐露实情:“现在总算熬过来了，我就赌那一口气！”真的很可贵。

二东最苦的时候是在新疆。记得那天我要拍大队人马路过火焰山下，他得找骆驼。现在已经没人用骆驼队了，我们又没算对季节，骆驼都在山上，得发动车队上山去载骆驼。二东在山上找到60多匹，毛又长，块头又大，夏天了却还没掉毛，很漂亮，大家都很高兴，说好第二天几点钟到场。没想到，前一晚上山去载时，骆驼硬是不上车。因为现在大家都开车，不用骆驼拉货，骆驼都野了，就算抓住了也不肯上，乱踢乱跳，好不容易弄上车，又从车上跳下来，还把一个工作人员的腿都踢伤了。忙了一个晚上，直到第二天中午人全被搞惨了，可是一匹骆驼也没搞上车。没法子，只好再找。结果找来的是那些给游客拍照的瘦不拉叽的丑骆驼，有十只，价钱又贵了五倍。他一肚子火，我则完全不知情。

忙了一个晚上，二东一口东西都没吃。在路边一个面店坐下来，面端上来，他正要吃，我们的车队到了。我一看，怎么骆驼站错了地点，差了十几公里，就在车上叫他。结果他筷子一放，面也没吃，又花了三个钟头把骆驼拉到我要的地点。谁知道当地又开始刮起沙漠风，什么都看不到。当时临时演员也拉来了。我就要他们先布置，我去另一个沙漠拍罗小虎与玉娇龙马上追打的戏，后来迷路也没拍到。再回来，他们已拍了两个镜头，灰蒙蒙的，什么火焰山，跟堆狗屎一样。

我们拍了十几天，把片子寄给詹姆斯，他剪了一个片花在戛纳放给片商看，好有个交代。

不久回到北京，周润发请吃饭时搞了个花样，把这段片花放来给大家看。二东一看到新疆的第一个镜头出现，眼泪立刻喷了出来。我的助理朱洪波坐在他身边，说他哭的样子很好玩，问他："你怎么啦？"二东嘴上说"没什么，没什么"，人倒忍不住悲从中来地跑到旁边去哭。那大半年真不知他和他那组人是怎么活过来的，真的令人很感动。

他也不嫌我跟他的工作方式不一样。我的要求是比较好莱坞的要求，没有的，他就想办法去弄。他们以前也和港台合作过，没见过这么啰唆的，而且是每个部门都啰唆。香港有香港的做法，我有我的要求。不过跟他们相处都一直蛮好的。

戛纳首映

千禧年5月18日晚间6点，《卧虎藏龙》在第53届戛纳影展"特别放映"项目举行世界首映，我与杨紫琼、章子怡、张震等人一起出席。这是我的电影第二次在卢米埃戏院作世界首映。第一次是1997年5月12日的《冰风暴》。两次感受很不同，法国人对电影的热情及营造气氛的手法堪称一流。

《冰风暴》放映前，我心里七上八下的，因为片子挑衅观众，又与我以前的片型不同，完全无法预期。放映时，观众席一片安静，演完后，先是全场一片漆黑，短短的静默空当却长得让人心焦难熬。接着，一盏聚光灯由偌大的戏院屋顶对着我一个人打下来，顿时头上像是加了顶光环，全场起立鼓掌足足有七分钟，气氛很感人。我真的很感动，那次的经历很特殊。

这次《卧虎藏龙》是武侠片，又没参加竞赛，我的心情比较轻松。17日我一到戛纳，刚下飞机就是连串的访问。因为记者场已在早上先试过片，口碑传出,《时代》周刊、《新闻周刊》等多家媒体要求访问提前。听到反应好，我长久紧绷的神经稍微放松，也比较放心了些。首映那天一进场，观众就从楼上后座刷地全冲向前来，热情得令人难忘。我想这是从《饮食男女》、《冰风暴》起陆续累积下来的人缘与印象。这次首映一演完，灯光霎时全亮，演出当中的反应持续至结束时到达高潮，观众以十分钟掌声来表达他们的喜爱。之后，我们随即在戛纳卡尔登饭店前的海滩上举行庆功宴，大家情绪都很高亢。当时预估，美国市场大概可以冲到1 500万美金，大约是《饮食男女》的两倍，很美了吧!

其实我对参赛与否也很矛盾，当时觉得有点对不起工作人员，因为参赛的荣誉感对他们来说别具意义，还好之后的奥斯卡补足了这个遗憾。

从亚洲打回欧美

《卧虎藏龙》先亚洲再欧美，上映顺序与前三部华语片相同。不同的是，这次《卧虎藏龙》亚洲上片及宣传方式都是西片做法。

5月戛纳之后，就开始准备7月亚洲地区的上映。香港是武侠片的老大，因而成为开张的第一站，接着是马来西亚、新加坡、中国台湾、中国大陆、以色列及韩国、日本。从6月底到7月底，我开始亚洲巡回宣传。亚洲票房好坏参半，新马、韩国和台湾反应很好。韩国的女翻译还说:“两个女人对打我当然想看，要是男人打，管他打个你死我活的！”让我对女人戏又多了一层认识。

台湾虽有国语发音等问题，但在家乡《卧虎藏龙》也获得最大的支持及回响，在华语片的低潮中能突破票房纪录，我感觉最开心。很欣慰的是，观众群包括了各阶层，男女老少都有，而且重复观赏的不在少数。不过在台湾上片时，《卧》片是以好莱坞影片的发行方式做宣传。我本来对中片西做很不以为然，如预告片以英文旁白在戏院放映，我本来想改成中文，但此地发行商说，不要改，就是要用好莱坞影片的宣传方式才能吸引观众，因为华语片市场太冷。

香港反应平平，则在我的预料之中，因为武侠片虽是香港片型，这次又用他们的技术，但拍出来不是他们的味道。加上当时武侠片正处于低潮期，不是个卖座片型，又是国语、广东话参半发行，所以在香港上映时吸引力有限，反应呈现两极化，有捧的，有批评的，中间意见也有。

日本因发行系统不擅做特殊类型片（包括外语片、艺术片等），把重心放在先一步上映的好莱坞大片《霹雳娇娃》上，错失良机。

大陆反应不佳，则出乎意料。以前我的电影在大陆电影及文化圈内非正式放映时的回响好像不俗，本以为大陆和台湾口味差不多，但从这次的反应来看并非如此。我也不清楚原因，这是我的电影第一次正式在内地院线上映。

以前我在亚洲是走大众市场，到了欧美走艺术院线，这次，我们企图在欧美突围，从艺术院线走入大众院线，因为看片后大家都很兴奋，觉得值得一试，但做不做得成，谁也没把握。毕竟这是以前从来没有的事，《卧虎藏龙》还是一部华语发音的外国片。美国一般观众一向没有看字幕的习惯，上字幕的外语片从未打入过主流院线，中间仍有许多灰色地带有待突破。我有个心愿：我们从小到大都看中文字幕的西片，如果现在能反过来，让老外走入戏院看打上英文字幕的华语片，感同身受一番，会很过瘾。不过，当时也只是个想头！

8月起，我开始为欧美宣传做准备。通常，非英语片导演多半参加几个主要的区域影展，举行个记者会，做几个专访就可以了。美国大片多是制式做法，把世界各地记者请来，集中到一个地点做访问，再来几个大型杂志的专访。《卧虎藏龙》的宣传策略及做法则是细致绵密，多重交叉进行，逐步建构。欧美地区除了各大影展外，欧洲各国、美国各地区还分别做了访问，重点加强。

欧洲从9月起由法国率先上映，各国票房陆续开出好消息，一来为美国上片热身，二来替奥斯卡之路造势。

美国是千禧年12月8日从纽约两家戏院、洛杉矶一家戏院开始上映。上片的时间表跟着奥斯卡的时间而定。

转战各影展

以前奥斯卡的风向球只有金球奖，现在越来越多，除了年底各大影评人协会，许多影展都具有指标性作用。这些年，奥斯卡的前哨战渐次挪前，先是10月的多伦多影展成为起跑点，2000年更提前到8月底的泰勒莱影展，来年奥斯卡的热门人选从那时就开始碰头了。

泰勒莱位于美国科罗拉多州的高山上，为一滑雪胜地。居民十分富有，买下整片山几千亩地。该影展就是居民自行举办、自家人参与的活动，他们按照自己的品味选片，不受影评、媒体的影响。因为办得不错，慢慢传出口碑，自然形成造势作用，是一条终南捷径。整个影展很舒服，受邀方能前往，没记者没访问，我还有时间看电影，游山玩水，和索尼经典电影公司的老板迈克尔·巴克尔及汤姆·伯纳德交换意见。该影展颁给我终身成就奖，我带着家人前去。

泰勒莱之后，10月去北美地区最大规模的多伦多影展，纽约影展则选了《卧虎藏龙》为闭幕片，各有记者会。影展会带来高潮，有观众反应、有评论、有新闻，导演、明星出席，拍照、造势、访问，会热上一阵子。媒体除了报纸、杂志、电视、广播外，现在又多了网络。多伦多影展时还连做两组访问，一是北美地区记者会，一是国际记者会，包括印度、阿根廷等地及我没法去的一些小地方的记者。当然没法做全，遗漏的，下个影展再补上。

北美地区的宣传点划分得很细，一次记者会做不完，也不会一次做完，就是要不停地制造话题。

影展之外，每隔一阵子又累积一批，来个联访。我就纽约、洛杉矶、芝加哥等各大城市跑，访问一直不断。

纽约影展之后，我开始跑欧洲影展，如法国杜维尔影展、德国汉堡影展，11月去北欧四国的斯德哥尔摩影展、西班牙圣萨巴斯汀影展及英国伦敦影展。每个影展就照顾一区。欧洲媒体的水准很高，访问都很深入，尤其是英国，所以每位记者至少给他半个到一个小时做访问。

从《饮食男女》起，英国媒体就对我最为友善，也是我的电影最卖座的地区。这次《卧虎藏龙》我去了三趟：伦敦影展外，谭盾音乐会时主办单位给我办了个回顾展，颁发终身成就奖，再来是英国影艺学院奖颁奖时前往。2001年，英国影艺学院奖恢复几年前的做法，提前到奥斯卡之前颁奖，风向球的作用大增。

打入大众市场

欧洲各大影展跑完，接下来的最大目标就是12月8日的美国上片。美国影艺学院每年选出一部影片义演作为筹款，千禧年选了《卧虎藏龙》，12月5日在洛杉矶比佛利山的塞缪尔—戈尔德温戏院举行，我们将美国首映与之合并，我和杨紫琼一同出席。

为了《卧虎藏龙》的宣传，美国发行商索尼经典电影公司派了三组公关人员负责策划，纽约的两组人马从一开始就企划上片的所有事宜，洛杉矶的一组则专门负责奥斯卡。大家都很努力，知道身负开创新局的重任。企划小组连着半年都没有周末，大伙忙着想新点子。在一般人印象里，好像只要搭上好莱坞发行系统，就吃香喝辣地稳赚，实情并非如此。《卧虎藏龙》能够创新纪录，靠的是苦功加创意，一点一滴打下来这片新江山，大伙虽辛苦，但很过瘾！

动脑的结果是，设立许多目标阶段，订出不同的策略分别进攻。因为《卧虎藏龙》不是第一个周末一翻两瞪眼、一开始就在几千家戏院放映的模式，而是分阶段建构，是小火慢炖、逐渐炒热行情的做法。原则上由小到大，先稳住艺术院线再逐渐扩展到大众院线；从核心扩散到边缘，先抓住中产都市观众群，再从都市逐渐扩散到一般观众及乡镇地区。

第一个阶段的目标，是维持我原先艺术院线的观众群。

第二个阶段主打武术及传统武打片的观众群，即看武打片录影带的观众群。

第三个阶段则瞄准青少年观众群。

总之，大家会去试探新途径，找出新的观众群，了解这些群体的口味如何，然后对症下药，制造风声传出去。如当时职棒世界杯正在开打，于是举办派对招待球员看片。

将宣传点扩散到乡镇地区的新做法也奏效。索尼经典电影公司不采用砸大钱做大广告的大一统方式，而是先到各地小乡镇去进行详细的调查，如哪个地方举行篮球赛、输赢行情如何、最热门的电视时段是什么时间等，全摸清楚之后，然后根据居民的品味，选择恰当时段来打广告，如此一点一点地各个击破。

执行时完全照着计划来，不受外界意见左右。如第一批艺术院线上映后，口碑很好，大家力劝该公司乘胜追击大开戏院，他也不开，酝酿渴望。到后来，开了两千家戏院，有人问，是不是开太多戏院了？他也不理，就照着自己的步骤来。第一波宣传做完，艺术院线稳了，各大城市卖座，观众大排长龙时，广告诉求才开始多样化，着手开辟新路线，吸引新的观众群。

这些步骤一样样地执行之后，接下来就是奥斯卡造势接棒，再冲一波，赚一票；得奖之后最后一波，全部扫尽。

而上映后每一次扩大放映厅数，都是个大节日，如上片两个礼拜后的圣诞节，又是一波宣传。他们的计划是步步为营，稳扎稳打地逐一实施，我得要配合，日渐深入草根。

媒体策略也是一波接一波，大报先曝光，接着相关报系跟进，媒体几乎全上。如堪萨斯城的媒体访问过后，泰勒莱及科罗拉多地区接着就会散播一些相关讯息。纽约有报道，再下来就是纽泽西的报章跟进。洛杉矶访问之后，橘郡等区的访问我得接着做。访问几乎涵盖了所有层面，每个媒体性质不同，各有观众群。

就这样点点滴滴，聚沙成塔。《卧虎藏龙》终于成功地打入美国主流电影市场，更一路打入金球奖及奥斯卡，同时在美国引发出《卧虎藏龙》的文化效应。

其实影展、影评人协会的肯定，都是造势，也都是奥斯卡的指标。各地影评人一组织起来成立协会，评比颁奖，发挥影响力，就有权力。明星、片厂都会捧场，因为目标均指向奥斯卡。

奥斯卡是由5 000多名美国影艺学院会员投票选出，票数很多，与电影工业有很密切的关系。参加奥斯卡竞赛，就和参加选举一样，造势、拉票，要投入很多本钱。至于如何造势，各有法门。有的声势还不见得能造得出来，有的刚好和大众投缘顺势而上。全世界有十亿观众透过电视转播观赏奥斯卡颁奖典礼，是个很大的宣传活动。各大明星不仅当天出席，而且早从前一年年底各大影评颁奖典礼时就乖乖地前来报到。保守估计至少要忙上四个月。

若拉长战线来看，《卧虎藏龙》从2000年5月戛纳亮相、网络形成话题起就开始起跑了。为了该片的宣传，我整整忙了11个多月。所以到了奥斯卡前夕，几乎撑不下去。参赛期间，我不断地找理由来鼓励自己，包括背负着替华人争光露脸、改变世界影坛潮流、推介中华文化等责任。当我受到反击时，心中也不禁泛起“为谁辛苦为谁忙”的辛酸与无奈。又得给自己找理由，把它当成一个任务，希望有个“大我”在那边撑着，我这个“小我”就能够为它牺牲服务，忘掉自我的感受，顺水推舟地去做这些事，不然我会很难受。

这次全美最重要的五个影评人协会里，《卧虎藏龙》获得三个协会的肯定：洛杉矶影评人协会最佳影片、最佳摄影、最佳艺术指导、最佳音乐，全美影评人协会最佳外语片，波士顿影评人协会最佳外语片、最佳摄影。奥斯卡前夕的独立精神奖也获得最佳影片、最佳导演及最佳女配角三项奖。

2001年1月22日，对我来说是个特别的日子。第58届金球奖由朱莉娅·罗伯茨颁发最佳导演奖，当她念出我的名字时，当时我脑中一片空白，有些慌张，只见大家都跳起来指着我直叫，快步上台时我还想着该怎么办，等下要说些什么。57年来，金球奖最佳导演从没给过外国导演，这又是一部华语发音的电影。

从朱莉娅手中接过奖座，沉甸甸地握在手里，因为根本没准备感谢词，只好把事先为“最佳外语片”准备的感谢词挪前使用：“我的惊喜之情难以形容。我要感谢我强悍的太太，她是《卧虎藏龙》里除了碧眼狐狸以外所有女角的典范。我到大陆拍片一年，处理了我的童年幻想与中年危机。”

致完辞正要往后台走时，我突然想到还没有谢谢双亲，赶紧折回用中文说：“爸妈，谢谢你们！”远隔重洋，我知道父母朋友及乡亲们正守在电视机前为我加油打气。第二次上台领最佳外语片奖时，我刚从外面接受访问回来，詹姆斯临时拟了个感谢名单写在一张小卡片上，我就在台上念一遍，把刚才漏谢的人给补上，结果还是漏了蒂姆·斯奎雅斯及芭芭拉·罗宾逊两人。因为当时角逐外语片，所以没顾着谢老美，只想着中国人该谢的别漏了。

旧历除夕的前一天，拿下最佳导演及最佳外语片两座金球奖，我很高兴能不负期望，带给大家一个新年贺礼。这是我第二次拿到金球奖，上次是1996年以《理性与感性》拿下戏剧类最佳影片，但两次的感受很不同。这是一个美国主流奖项，华语片能打进来不容易，这次还算蛮争气的。我觉得这不只是一个导演奖，它代表了一种眼光、心胸的开阔及接纳，开始了一个新局面，这方面我觉得很有意义。

第53届英国影视艺术学院奖,《卧虎藏龙》入围14项。2001年2月25日颁奖时，除我到场外，杨紫琼、监制江志强、摄影指导鲍德熹、艺术指导叶锦添等工作人员也齐聚伦敦，这是入围美国奥斯卡之后大伙首次团聚。结果,《卧虎藏龙》又得了四个奖：最佳外语片、导演、音乐及服装设计。

颁奖典礼当天，我一到伦敦就被接往埃玛·汤普森家。她亲自下厨招待我，老友重聚分外温馨。

晚上颁奖典礼由凯特·温斯莱特颁发最佳导演奖。她拆开信封时兴奋地大叫“Ang Lee”，热情感染了全场。我一上台，她抱着我又叫又笑地恭贺我，我感慨地说:“拍《卧虎藏龙》训练章子怡时，我时常想起你当年拍《理性与感性》的情形，那都是你们的第二部剧情长片，也都是19岁第一次跟大明星合作。当年的训练让你吃了那么多苦，没想到现在你还拥抱我！”这一讲，惹得凯特及全场观众大笑。那晚的感觉真好，我感受到很多善意的祝福。

而第一次上台领取最佳外语片奖时，我邀请监制江志强一起上台，他也致辞谢谢所有工作人员、英国的发行商及英国影艺学院。

从《推手》起，我就和江志强建立起合作关系，到今天，大家还一起分享荣耀。当初《推手》在香港上片时，因为一般大片的发行方式不适合该片，经由张艾嘉介绍，找到香港安乐公司的老板江志强，特为《推手》量身定做一套发行方式，彼此合作愉快。之后我的影片《喜宴》、《饮食男女》在港都由他发行，这次拍《卧虎藏龙》时又找他担任监制之一。

奥斯卡十项提名

2月13日，清晨5点，洛杉矶第73届奥斯卡提名揭晓。当天我正在拍BMW（宝马公司）广告最后一天的戏，整夜出外景没睡觉，一进旅馆就赶上提名揭晓。那一刻，我真的很开心。助理李良山逐项告诉我有哪些入围，听到第八项，我开始问，还有谁没有。啊，杨紫琼没有，章子怡没有。我心里很希望演员至少有一个代表入围，事前，我们觉得章子怡的配角有些希望，杨紫琼很难，因为女主角项目历

《卧虎藏龙》海报。（图片来源：新华社）

年来外国明星被提名的只有两次，除非大牌如索菲亚·罗兰。不过工作人员都入围，连编剧、主题曲都有。

《卧虎藏龙》集合了华语片中的许多好手，大家要彼此融合。我的角色及工作很多是协调统御。这不仅是我个人的创作，我还要想怎么让这些顶尖人才在一个片子里合作，其实很难得也很难做。

入围揭晓后，我于第一时间和台湾媒体进行联访。当大家问我感受时，我直觉就说："恭喜大家！"当时我心里真是这样想的。这个片子从台湾开始，以香港的创作班底，在大陆拍摄，又到美国后制，虽是我带头做，但背后有很多人的推动及努力，我觉得是一同推大家的片子。我真没想到它会冲到这么高，当初因为连拍三部西片后想回头拍华语片，我仅希望能像《喜宴》一样，在台湾受欢迎，到海外进入艺术院线。想不到，原想退出美国反而反攻核心，成为首度打进美国大众院线、票房破亿的外国片，同时奥斯卡又如此全面地接受这部华语片。我知道大家对我的期待更高了，我的心理压力也很大。如今更加谨慎外，我更期待这种事经常发生在更多华人身上，分散一些注意力。

奥斯卡主戏登场

抱着平静的心情，我3月22日从加拿大飞抵洛杉矶，参加奥斯卡及之前的相关活动。这是我第四次入围，第三次参加奥斯卡。

踩在人家的地盘上，得奖与否全凭人气、人缘及人旺，不到最后一刻，谁都不知道结果。

颁奖典礼当天，我带着太太、两个儿子于下午3点多抵达会场，这是我们一家四口第一次一起走红地毯。我穿着阿玛尼提供的西装，太太被我硬逼着放弃那套唯一的三宅一生黑礼服，挑了雷切尔·泰勒的燕尾服新装，足蹬高跟凉鞋，她只好抱着"伸头一刀，缩头也是一刀"的心情尽她的义务。半天下来，把她累惨了，凉鞋的带子嵌进脚背留下好深的一道痕，事后她说："真是痛彻心肺！"平常她都是球鞋一双就打发了。不过那天她还是全程陪伴我、支持我。

记得我第一次参加奥斯卡是抱着凑热闹、参加派对的心情来的，这次心理上多少有点准备。进场后大家坐一排，很有风度。颁奖前，镜头都会对准你，宣布时，镜头会刷的一下对准得奖者扫过去。

当天颁奖典礼上，我主要的想法就是：希望一切进行顺利，平平安安度过，不要出什么纰漏。那天晚上，《卧虎藏龙》团队很风光，成为晚会的主题之一。从我们进场、就座、表演、得奖的反应，到上台领奖等等，整个实况透过电视立即传送到全世界十亿观众面前，面子十足。四个人得奖上台致辞，也都很拉风，好像一家人一样，谁得奖大家都跳起来，又抱又叫地为他高兴。整体来看，华人频频露脸，一会儿领奖，一会儿周润发、杨紫琼上台颁奖，李玟唱主题曲，马友友大提琴演奏，章子怡入场秀礼服……旗袍、西装、晚礼服等等都很称头。第二天报纸一翻开，赏心悦目，煞是好看！

拿到最佳外语片，我还蛮高兴的，一路都很顺利。我事前对外语片也没把握，因为它比较邪门，常常是大家最意想不到的片子得奖。记得1993年《喜宴》与《霸王别姬》同时入围最佳外语片，那年是西班牙的《四千金》得奖，揭晓后徐枫还问我："怎么是这一部？这部也参加柏林影展了，你记得不？"我都不记得了。

这回大家比较看好的是导演奖，不过提名那么多项，哪一个奖不拿都有可能。

那天晚上，我们是先盛后衰。第一个奖项——最佳美术设计由叶锦添拿下，之后是鲍德熹拿摄影、谭盾拿最佳音乐。当最佳外语片由朱丽娅·比诺什宣布时，大家也都高兴地跳起来。我先是拥抱坐在身边的太太，接着和工作伙伴们相拥祝贺。上台致辞时，我除了感谢美国影艺学院的肯定外，同时也谢谢两岸三地的工作伙伴及亲友。就这样，前面一直得奖，到了后半段就全部杠龟，是有些可惜。不过那种场合，很少想到个人，我想到自己的，就是上台致辞时别讲得乱七八糟，担心的就是这些事。

拿着小金人来到后台，工作人员正要带我到记者会现场接受采访。这时，导播室有人打电话来说："不要，他后面还有奖！"我就问："那我是不是可以回座？"当时节目还在进行，要等那个段落的广告时间才能回座，我就在后台等了一阵子。后来算算时间，其实也还够去记者会，可能导播怕赶不上吧。

最佳导演奖公布，我没得。当时感觉只是有点奇怪，大家都回过头来安慰我，说没有关系。镜头照到我，我正在拍手。史蒂文·索德伯格那边则爆出欢呼及掌声。最佳影片宣布前我已知道没有，因为导演奖都没得。我很抱歉没拿下导演奖，没机会再次上台用中文谢谢双亲及家人，太太则安慰我说："没关系，人不可以太贪心！”事后也没什么侧面消息，因为这么多人投票，大概百分之六十五都是演员，原因谁也不知道。

其实，一路走来，导演奖的得与失都很意外，我是从拿下金球奖最佳导演后，才开始觉得角逐奥斯卡最佳导演有点希望。之后，没想到英国的BAFTA颁给我，美国导演公会的最佳导演奖又是我拿。导演公会的最佳导演奖很难拿，由内部成员投票，是个最核心、最男性、最白人的奖，听说是年轻一辈的导演支持我。拿了这个导演奖后，我心里才比较笃定了些，有了点信心。所以，奥斯卡是我唯一为“最佳导演”准备感谢稿的一次，结果反而没得。由于奥斯卡本身就是件大事，新闻价值又那么大，对它就有种爱恨关系，我是拿也好、不拿也轻松，宣布前的那一刻，当然会想自己会不会得，可是过去也就过去了。

本来一部外语片要角逐奥斯卡最佳影片、最佳导演，照以往的情势来看，根本不可能，颁奖前我们之所以燃起希望，就是因为奥斯卡最佳影片的几个重要指标——泰勒莱影展、多伦多影展观众票选奖、美国影艺学院年度义演影片、《好莱坞报道》奥斯卡特辑封面的电影、金球奖及美国导演公会，《卧虎藏龙》全中。每一中鹄，就引起大家谈论，也凝聚起对《卧》片的向心力，所以我们也有了侥幸的心理。比较遗憾的，可能是我们男女主角都没入围，不过主角要入围真的很难，一来很难提名外国演员，二来我们不是走传统的明星路线，加上戏份又分掉了。唯一觉得稍有希望的新人章子怡，也没入围。再说，索尼经典电影一家公司，在票源上、气势上也抵不住两大片厂合挺的片子。

身在人家的地头上，能拿下四座奖已经很不容易了。我是没有遗憾，但有点可惜。电影拿下最佳外语片，也算是为华语片争光了。奥斯卡73年来，毕竟这是亚洲电影第一次拿下四座奖。我觉得每个奖就单项来看都还好，包括最佳外语片，只因为华语片从未得过，比较稀奇些。在我眼里，三个技术奖及十项提名来得更重要更有意义，那是对影片整体制作的肯定。近些年来，华语片没什么主流电影，不是艺术片就是武打片，和西片相比，主流电影更是缺乏，要赶上似乎是遥不可及。

这次总算是争了一口气！

（选自人民文学出版社《十年一觉电影梦》，2007年10月出版，
作者：张靓蓓）

王伟的故事

2001年4月1日上午，美国海军EP-3侦察机逼近我国领空实施侦察活动，两架中国战斗机紧急升空追踪监视。9时07分，美机突然向我军飞机转向，其机头和左翼与王伟驾驶的歼八Ⅱ战机相碰，致使我军战机坠毁，飞行员王伟下落不明。南中国海成为世界关注的焦点。王伟成为世人关注的焦点。

雏鹰展翅翔海天

2001年4月1日，星期日，晨。低云笼罩着海南岛陵水机场。机场上一片宁静。

在外场担任战斗值班的海军航空兵某团副参谋长赵宇和中队长王伟像往常一样，吃过早饭，回到值班室，各自拿一本书看了起来。

王伟看的是《英汉词典》。最近，他正在用自己的“奔腾Ⅱ”电脑把团里研究的战术课题做成三维动画。他认为要提高动画制作技术，首先要提高英语水平。

上午8时20分，值班室接到上级通报：在我海南岛以东空域发现一架不明国籍的大型飞机。

警铃突然炸响，王伟和赵宇“腾”地跳起，抓起头盔和氧气面罩，以百米冲刺般的速度冲出值班室，跑向值班飞机，立即进入一级战备状态。

8时45分，随着指挥员一声“开车”的命令，一颗绿色信号弹腾空而起，战鹰如怒狮般咆哮着冲向跑道，一前一后升上云空，飞赴目标所在空域，执行跟踪监视任务。

执行这种任务，对赵宇和王伟来说，每人都有几十次的经历。仅赵宇调到这个团三年多的时间里，两人就曾一同战斗起飞十几次。

海南的青山绿水，被迅速抛在翼后，迎面而来的是南中国海的波翻云涌……

谁也没想到，随后这里就发生了震惊世界的碰撞。

南中国海成为世界关注的焦点。

王伟成为世人关注的对象。

这一天，在浙江省湖州市一个普通家庭里，女主人王月琴像是自言自语，又像是在问丈夫:“晓宏（王伟的乳名）这两天怎么没来电话？”

丈夫王明说:“孩子肯定是有任务。”

只要有时间，王伟每个星期必定往家里打电话，问候父母，问问送回父母身边的儿子王子的情况。

王月琴叹了口气:“再过几天就是晓宏的生日了。”

王明摸了摸孙子的头，说:“是啊，一晃 30 多年过去了。”从孙子的脸上，他仿佛看到了儿子王伟儿时的模样……

儿时的梦

4 月，在祖国内地正是阳春季节。山青了，水绿了，春色染透了浙江湖州。

1968 年 4 月 6 日，后来成为英雄的王伟，就是乘着这盎然春意诞生于湖州一个普通的工人家庭。父亲王明，母亲王月琴，都是当地一家机床厂的工人。

王家几代单传，爷爷和奶奶多想有个小孙子啊！小王伟的出生圆了老人的梦。

小王伟一生下来就长得眉清目秀，口阔鼻直，惹人喜爱，以至于王伟那位当过兵的大姨父见到王伟的照片竟然发出赞叹：这孩子要是当兵，准是块好料！

想不到竟被王伟的大姨父言中。后来王伟不仅当了兵，还当上了飞行员，成了引人注目的英雄！

王伟的父亲王明，当时却没去想孩子今后将走一个什么样的人生道路。他自己是一个普通的技术工人，没有多少知识和文化传给王伟。在他看来，自己的责任就是要教会孩子学会独立生活，用自己的实际行动告诉孩子如何做人做事。

王明在到湖州机床厂工作之前，在郊区一家工厂上班，每天要步行十几里路，常常是早出晚归，但他从来就没有叫苦叫累，而且平时爱画个画什么的，生活很是达观。家里一度生活拮据，上要赡养王伟的爷爷奶奶，下要抚育王伟和他的姐姐王琳，但王明从没把这些当作生活的负担。

王伟的外公住在沭阳，是个老医生，在红军长征时期曾以自己精湛的医术挽救了不少红军战士的生命，在当地极受人敬重。有人曾劝说王明去找岳父帮他安排一个好点的工作，但王明从来没开这个口，就是在最困难的时候，他总是咬咬牙挺过去，很少向亲戚伸手要什么照顾。他一直很自立、自强、自尊，这对小王伟的影响很大。小王伟秉承了父亲这些可贵的品质，在人生的道路上，一步一步锤炼自己刚毅的性格。

王伟6岁那年，母亲王月琴带他回沭阳娘家。外公见到远道而来的小外孙，心里异常高兴，抱着可爱的小王伟亲了又亲。小王伟乖极了，拽着外公的胡子，要外公给他讲故事。外公给他讲红军爬雪山过草地的故事时，小王伟总是说："外公，我也要去爬雪山、过草地，我也能像红军爷爷那样吃苦。"

外公夸奖他："好，好，我外孙从小就有志气。"

春节前夕，王明一家应亲戚之邀又去了青岛。

王伟的大姨父和二姨父都住在这个美丽的海滨城市。

大姨父、大姨和二姨父都是参加过长征和抗日战争的老军人。这是两个军人之家，小王伟的几个表哥也都是军人。两个姨父家的大儿子是飞行员，春节都在家休假。看到两个大表哥身穿军装威武英俊的样子，小王伟羡慕极了，他多想和表哥一样，当个人民解放军啊！

孩子的心是一块沃土，只要撒下了种子，他就会自己慢慢生根、发芽、生长，小王伟就是这样带着"当解放军"的梦，一天天长大。

上高中的时候，王伟的思想渐渐成熟。一次，老师布置了一道题目为"秤"的作文题。老师批改后，特意表扬了两位同学，其中的一位就是王伟。他从秤的红黑外形联想到黑脸包公，联想到包公的刚正不阿，秉公执法。在作文里，王伟说要做一个品行端正的人，像包公那样为国为民，作出自己应有的贡献。

在老师和同学的印象中，王伟那时的理想就是成为一名军人，当飞行员，翱翔在蓝天。

一次，王伟班里组织元旦文艺会演，排了一个有关飞行员的节目。当时班里没有安排王伟参加，他心情很难受，就去找班主任，主动要求参加这个演出。老师问他为什么，他说："我喜欢空军，如果将来能成为飞行员就好了。"

老师同意王伟参加演出，他显得特别高兴。他还风趣地对同学说："我的身体条件好，肩膀又平又宽，天生就是当飞行员的料！"

1985 年，王伟从湖州三中转到湖州四中的电子职业班学习。电子专业是个热门专业，湖州正在大力发展电子工业，毕业后找个好工作绝对没问题，可王伟却“另有所图”。他向班主任路新元老师透露了自己内心的秘密：“飞机上有许多电子仪表，我到这里来学习就是为将来开飞机打基础！”

在学校，王伟的物理成绩很好，但他的英语成绩却有点跟不上。在报考飞行学院时，他为了能考出好成绩，每天都早早地跑到学校找凌全化老师，请凌老师给他补习英语……

机会永远属于有准备的人。1986 年春天，通向理想的大门终于向王伟敞开了。

空军飞行学院来到湖州中学招飞，整个校园都沸腾了。这个消息更让王伟兴奋不已，儿时的梦想，多少年的期待，瞬间就来到了眼前！自己刻苦求学等的不就是这一天吗？遏制已久的感情就像山洪般暴发开来，他仿佛看到自己穿着一身崭新的军装驾驶着雄鹰在天空翱翔……他迫不及待地报了名，郑重地在志愿表上签上了“王伟”两个字。

王伟“过五关，斩六将”，终于在杭州顺利通过了体检，他被选中了。这一次，他是湖州四中唯一被空军招飞选中的学生。幸运来自他的优秀，来自他不懈的追求和努力。

王伟在一步步把他的理想变成了现实，他把他的挚爱洒向了祖国的蓝天。

初恋故事

中美撞机事件发生以后，王伟的命运牵动着全国人民的心，但最牵肠挂肚的莫过于王伟的家人，特别是他的爱妻阮国琴。仰望着天上飘过的白云，倾听着大海涌起的涛声，自然的一切景物都会把阮国琴的思绪带回到过去的时光……

阮国琴和王伟是高中同学，而且王伟就坐在她的前排。阮国琴还清楚地记得她第一次注意王伟时的情景：那是上高二时，坐在前排的王伟忽然转过身来向她借橡皮，大大的眼睛里透出一份惊喜：“嗳，你的铅笔盒和我的一样。”

“是吗？”

阮国琴悄悄把全班同学的铅笔盒比了一遍，发现就他们俩的是一模一样。

后来阮国琴还在想：难道那是命运之神对她的暗示——她这一生注定要永远与

王伟联系在一起！

阮国琴真正第一次被王伟拨动心弦，是王伟替她当“人墙”。

那天上政治课，阮国琴想瞒着老师做数学作业，她在后面悄悄地捅捅王伟：给我挡住，别动！

王伟心领神会，挺直了腰板，竭力挡住老师的视线，这一挺，就是整整一节课！

少女的心，被小伙子那份情谊深深地打动了……

1986年6月，王伟以优异的成绩迈出了实现自己理想的第一步——成为空军飞行学院的一名飞行学员。

王伟上飞行学院不久，就开始与阮国琴通信，共同探讨人生和理想，随着时间的推移，他们的爱愈来愈深。鸿雁从南到北，又从北到南，传递着他们动人的爱情故事。多情的阮国琴在信中赠给王伟一首诗，许诺要做一朵静静的百合花，默默地为他开放……而令阮国琴没有想到的是，多才多艺的王伟竟为它谱上了曲子，自弹自唱，录成了磁带寄给了阮国琴。阮国琴真的被感动了，常常在夜深人静的时候，听着王伟唱给自己深情的歌，遐想着与王伟美好的未来……

处在幸福中的阮国琴做梦也没有想到，一场爱情的危机会突然向她袭来！一天，阮国琴突然接到王伟的来信，他在信中讲，他爱上了一名女大学生，要与阮国琴一刀两断，在信的末尾还画了一座令人心悸的坟墓，墓碑上写着：“王伟之墓”，并在旁边注了一行小字：“这辈子再不跟你好，死了这条心吧！”

接到这封信后，阮国琴吃不下饭，睡不着觉，伤透了心。

同事们劝她：王伟现在是“空中骄子”了，找个女大学生也是很正常的，你也不要太伤心。凭着阮国琴对王伟的了解，她不相信他是这样的人，但白纸黑字，写得清清楚楚，叫人不得不信。

伤心之中，阮国琴也给他回了一封绝情的信，信中说，我最恨背叛爱情的人，永远不会原谅他。

过了一段时间，阮国琴又收到了王伟的信，他说他要回湖州给她解释，她回信说：“我永远不想再见到你。”

其实，信发出去后，阮国琴就有些后悔了，怕太伤他的心，影响他的飞行，毕竟，他们曾经深深相爱过，而且，她现在还牵挂着他，也许，应该听他解释一下原因。

没过多久，阮国琴收到一封从王伟驻地寄来的、显然不是王伟笔迹的厚厚的挂号信，捧着这封信，她的心情紧张起来，她想：别是王伟出了什么事，要是那样的话，我才是永远不会原谅自己！

这时，阮国琴发现，她的心仍然在爱着王伟，在等待着王伟……

她怀着忐忑不安的心情打开了这封信，一看才知道，这是与王伟朝夕相处的10名战友写来的联名信，信中道出了王伟要与她“一刀两断”的真正原因：原来，王伟的部队在进行跳伞训练时出了一次事故，一名学员牺牲，这使王伟对飞行员这项职业的危险性有了更加直接和现实的认识。他热爱飞行事业，又怕将来有个万一给她带来痛苦，他想，长痛不如短痛，那就把痛苦留给自己吧！就是在这样一种矛盾的心情下，给阮国琴写了那封“绝情”信。他知道他们之间的感情太深，怕她，也怕自己下不了决心，于是又在信中编造了一个根本就不存在的“女大学生”。

王伟的战友在信中还告诉阮国琴：“王伟珍重你们的感情胜过珍重生命，当他从你的信中得知他伤害了你的感情后，内心非常痛苦，夜里躺在床上常常默默地流泪，他非常期望能得到你的原谅。”

王伟在飞行学校时的资料照片。（图片来源：新华社）

信的末尾是10名战友的签名，而且在签的名字上还分别按上了10个鲜红的手印！

看着这10个鲜红的手印，阮国琴被深深地震撼了：他们分明是想用10颗年轻纯洁的心来证明王伟对爱情的忠诚！

这时的阮国琴，早已是泪流满面，月光下，她仰望着天上无垠的星空，在心里默默地呼喊："王伟啊，这一辈子我再也不要与你分开，永远不要分开，哪怕是跟你到海角天涯！"

她想，应该让王伟知道她的这份感情，让他毫无牵挂地投入到他的事业和追求之中，她立即就给他回了一封电报："无论你到哪里我都跟着你，哪怕是海角天涯！"

飞向海天

在空军航校学习五年，王伟获得了军事学士学位，毕业后，他被分配到了海军

跳伞飞行员王伟的资料照片。（王定昶/摄，图片来源：新华社）

航空兵部队。

虽然没有了初上蓝天的激动，但对于能够来到这个独特而又神奇的兵种，王伟的心中还是有着一种欣喜与好奇。

训练团，是一个让雏鹰飞向大洋的摇篮，是一个新飞行员向优秀飞行员转变的熔炉。

海军航空兵最独特的地方就是飞海上课目。海上飞行与陆地不同，茫茫大海，一片碧蓝，没有地标，没有参照物，时间一长，天海一色，再做上几个动作，就分不清哪是天、哪是海，容易产生飞行错觉，给飞行安全带来隐患。唯一的办法就是相信仪表。

王伟开始飞仪表带飞课目了。第一次飞向大海，他的眼睛好像不够用了，再加上新改装的机型仪表复杂，与在航校学习时不一样。

带飞一个起落，又带飞一个起落，王伟没有明显的进步，他有点着急。

崔玉忠从见到王伟那一刻起，就觉得他是一个聪明机智、反应敏捷的好苗子。于是，崔大队长决定亲自带教他。

王伟跨进前舱时，崔玉忠又一次叮嘱他："集中精力。相信仪表。"

战鹰吼鸣着载着他们跃上了海天。

这次带飞，使王伟坚定了信心。崔玉忠也发现了王伟飞行中的问题和不足。下了飞机后，王伟认真听着大队长的讲评，暗暗下着决心。

接下来两天部队休息。平时爱说、爱笑、爱动的王伟，这一次把自己闷在屋里，谁叫他都不出去，捧着一本仪表教材在那里钻研。

这一天吃中午饭，哨子响过之后，独独未见王伟，崔玉忠跑到他宿舍里一看，只见他还在那里念念有词地背原理呢。

"一口吃不了一个胖子，该休息时还要休息。"崔玉忠心疼地说。

王伟不好意思地挠挠头，笑了笑："有些原理，我到现在还没弄明白，再飞行还是掌握不好，不搞懂，我心里不踏实。"

崔玉忠见他这么好学，打心眼里喜欢，拍拍他的肩膀说："好，先吃饭，一会我帮你攻克它。"

王伟一听高兴得蹦了起来。

吃过饭，他们两个坐在了一起，一眨眼半天过去了。王伟终于弄懂了一些技术问题，找到了存在问题的原因，想出了解决问题的办法。

一开飞，王伟的技术就进步得很快，连带飞教官都感到很惊讶，连声说:“没想到，没想到，王伟适应得这么快。”

一位新飞行员分到训练团，需要适应的东西很多。初来乍到一个新地方，对气候不适应。这一天，王伟感到浑身乏力，呼出来的气都发烫，他知道自己感冒发烧了。可他这感冒也怪，不但头痛肚子也痛，仿佛有什么东西在腹腔里搅动，把吃过的饭、喝下的水，一古脑倒了出来，交了“公粮”。

王伟硬撑着来到卫生队，医生一量体温，39.8℃。

输完液，王伟回到宿舍，一看同室的战友马国庆也躺在了床上。

从入伍那一天起，王伟就和马国庆在一起，在预备飞行学校是一个队，在航校是一个班，分到团里又在一个飞行大队，住在同一间屋。

王伟急忙走到马国庆床前，问:“小马，怎么啦？”

“身体不太舒服。”马国庆有气无力地回答。

王伟拍了拍自己的脑门，说:“糟糕，肯定是我把感冒传染给了你。”

“哪能怨你呢，说不定是我传染给你的。”

“你等着，我帮你叫航医去。”王伟边说边捂着肚子往外走。

马国庆知道王伟比自己病得还重，可怎么叫也没有拦住他。

几年的同窗生活，马国庆佩服王伟的为人，更佩服他的毅力和意志。只要是帮助同志，他就忘了苦和累，只要是一说飞行，他也就忘了苦和累。

昨天一起床，王伟就感到有点不舒服了。上午，团里要安排新飞行员座舱实习。他一声未吭，就列队到了外场。

此时正是驻地最炎热的季节，气温达到三十六七度，跑道上达到了四十余度，狭窄的座舱更像一个蒸笼，人一坐进去，汗“刷”一下就冒了出来。

王伟坐进座舱，盯着仪表，默记着各种技术参数，虽然里面闷热难熬，但他还是咬紧牙关坚持着、坚持着……

有些同志坚持不住了，爬出了座舱，有的蹲在机翼下，有的躲到机窝的背阴处。

副大队长高德明来检查了，看到这种情况，语重心长地批评那些偷懒的新飞行员:“干什么都一个道理，不吃苦怎么能练好技术？你们看看人家王伟，怎么不向人家学习！”他还不知道王伟此时正生着病呢。

同志们纷纷又爬进了座舱。王伟对此浑然不觉。等实习结束时，王伟浑身上下都被汗水湿透了。

王伟热爱春天。春的季节里，他们就要在训练团结业了。傍晚，他约上战友王利荣沿着外场联络道散步。绿草红花蓬蓬勃勃地生长、开放，犹如他们那蓬蓬勃勃的青春。

王伟和王利荣是同乡、同学，两个人一块从浙江湖州招飞入伍，一块从航院毕业分到海军航空兵的训练团，现在又到了结业的时候，这对亲密的战友真想分到一块儿。

“利荣，咱们向团领导写申请吧，要去就去个远一点的地方，到南航部队，去海南岛。”王伟动员王利荣。

王利荣说:“听说基地和团领导想留咱们任教。”

王伟摇了摇头，说:“我还是想到战斗部队去，飞先进的战斗机，直接守卫祖国的南大门，守卫咱们的西沙、南沙。利荣，作为一名军人，作为一个海军航空兵的飞行员，虽然说不管在什么岗位上都是尽保卫祖国的义务，但是，太平洋上不太平，我喜欢到第一线，与那些不怀好意的入侵者面对面地干，哪怕把这一腔热血洒到海天上也觉得痛快！”

一席话把王利荣说得热血沸腾。王利荣知道：王伟的这种到战斗部队去建功立业的雄心壮志，已不是一天两天了。

结业考试开始了。

团里要排王伟第一个。

王伟登上飞机。

教官郑德志站在扶梯上，给他讲着空中的注意事项。

王伟认真听着，用心记着。

新闻干事跑来“咔嚓、咔嚓”为他师徒俩留下了几幅十分精彩的照片。

王伟驾机跃上了海天。

王伟俯冲、跃升、八字盘旋……

王伟通场、转弯、平稳接地……

王伟获得了所有新飞行员中唯一的一个5分。

王伟遂了自己的心愿，毕业分配到了南航某战斗机团。

1992年4月20日上午，王伟踏上了征程，留教的王利荣来送他，两个人含泪告别。

王伟攥了攥拳头，向王利荣晃着说："到海南去，我等着你。"

雏鹰展翅翔海天。

南中国海的风，南中国海的浪，把年轻的"海空雄鹰"的翅膀磨炼得更强劲，将"海空卫士"的意志锤炼得更坚强。

无处不在的爱

4月1日这天，王伟和赵宇战斗起飞时，陵水机场上空乌云密布，去底高仅有云底高400米，云层厚约四五百米。要想按时抵达目标空域，并及时发现目标，他们只有驾驶飞机穿云升空。

穿云时，王伟与赵宇配合得非常默契。不用赵宇发口令，他一加油门，王伟就自动跟上来，与赵宇保持10米左右的距离，呈密集队形穿过几百米厚的云层。如果没有熟练的技术和默契的配合，是很难做到这一点的。

出云后，赵宇双机在7 000千米的高度改平。

这时，赵宇发现前面航路上有一架拉烟的大飞机。

赵宇通过无线电问王伟："63，你看是不是？"

王伟说："不像。那个是民航。"

赵宇说："明白了。"

在南海，飞机拉烟层一般在九千到一万二，指挥所通报的目标高度是七千。这架飞机的高度与指挥所通报的目标高度和速度都不一样。赵宇和王伟继续往前飞。

起飞约七分钟后，在赵宇双机左前方20度、距离50公里处，赵宇和王伟几乎同时发现目标——因为距离远，目标小得只有几厘米那么大。

赵宇说："看见了！"

王伟也说："看见了！"

赵宇向指挥所报告："发现目标！"

指挥所命令："加入编队，保持距离！"

赵宇回答："27明白！"

当时我机的速度非常快，与目标大约有400公里的速度差。

在离目标大约30公里时，王伟提醒赵宇说："27，可以减速了。"

赵宇回答："明白。减速。"

他们减速向目标接近，并与其编队。同时判明，这是一架美国EP-3型电子侦察机。

EP-3飞机是一种四引擎飞机，共有24个座位，按正常配置，机上有7名军官，17名现役士兵。

这种飞机上安装了太多敏感的监听设备，而且它在执行任务时总是神神秘秘。美国海军在全世界共部署了12架EP-3电子侦察机，分成两个中队，一个在太平洋，一个在大西洋，任务是监视外国军队的电子和通信信号。据介绍，这种飞机还具有截获雷达波的能力，从而帮助美军判断出这些雷达的具体位置，供美军研究出战时干扰这些雷达和武器系统的方法。它将搜集的大量情报发送到美国海军舰队和其他军事情报组织进行解密、翻译，然后再进行分析。

20世纪90年代，美国相继关闭了设在菲律宾和韩国的基地，大部分对中国沿海进行侦察的飞机来自日本的冲绳基地。据报道，美国EP-3型电子侦察机续航能力可达12小时。从冲绳基地起飞，沿中国海岸南下，到达南海再调头北上，一般需10小时左右。

经过我北海时，我北海舰队航空兵要战斗起飞，经过我东海时，我东海舰队航空兵要战斗起飞，到达我南海时，我南海舰队航空兵也要战斗起飞。由此可见，它每出来一次，我整个沿海机场的航空兵部队都要忙活一阵子。

过去，美机侦察飞行的时间和航线有一定的规律性：一般是早晨从冲绳基地起飞，中午到达南海；航线也相对固定，离我领海线100公里左右。近年来，美机的活动已没有规律可循。像4月1日发生撞机事件这一次，它早上8点多钟就到达南海了！很显然，它凌晨三四点钟就离开了冲绳基地。另外，它的航线也不再固定，经常抵近我领海线三四十公里处进行侦察！

除此之外，美海军还经常将航空母舰开到中国海附近游弋，并从航空母舰上派遣侦察飞机抵近我领海搞侦察活动。

那么，美机到底想要侦察什么？

据专业人士介绍：美侦察机装有非常先进的电子侦察系统，远在100公里之外，就可以接收到中国沿海所有军事装备的电子信号，能够随时掌握我军的所有军事行动，特别是军事训练、军事演习，以及军事装备的试验等。

这一次，不知美间谍飞机又想窃取我国什么军事机密。

中国需要和平，世界需要和平。中国从来不做有损别国利益的事情，也绝不允许任何人损害我国主权、领土完整和民族尊严！

2001年1月26日，《解放军报》曾发表过王伟和战友段辉写的这样一段文字："去年大年初二，我们飞行到西沙上空巡逻，从空中俯瞰，西沙大大小小的岛屿像一颗颗珍珠镶嵌在碧绿的海面上，漂亮极了。我们想，有我们守卫祖国的海天，西沙每天都会像今天一样洒满和平的阳光。"

今天，我们捧读这段文字，依然能够感受到英雄那滚烫的爱国热情！

王伟拥有一颗博大的爱心，他爱祖国、爱事业、爱生活、爱亲人、爱战友，他的爱无处不在……

甘为孺子牛

1992年夏天，刚刚分到海军航空兵作战部队的王伟，带着部队开的结婚介绍信，匆匆赶回湖州，对阮国琴说：我们结婚吧！并将一条用子弹头做项坠的项链挂在了阮国琴的脖子上。

经过整整五年天各一方的苦苦思恋，阮国琴终于成为王伟的新娘。结婚以后的阮国琴再也不愿离开王伟了。

她告别了父母，放弃了很好的工作，舍弃了即将到手的电大文凭，离开了舒适的城市生活，真的实现了自己的诺言，从江南跟王伟来到了海角天涯。

在阮国琴的心目中，王伟永远是她有血有肉、有情有义的丈夫，对家庭、对亲人、对战友充满爱意，对生活充满热情。阮国琴还记得，她随军刚到海南时，已经做好了"白手起家"的准备，可没想到，一到海南，王伟已经给她准备好了一个完整的家，吃的、用的、住的，一应俱全。

后来王伟的战友告诉阮国琴，那是王伟利用休息日搭团里的便车，蹲在大车厢中，顶着海南的烈日，一趟又一趟从县城里采购回来的！

王伟战友的妻子还告诉阮国琴："我第一次来队时，我们连吃饭的碗都没有，第一顿饭是抱着锅吃的。”

她用羡慕的口吻对阮国琴说：“你看，王伟为你想得多周到。”

听完这话，阮国琴的泪就掉下来了。

现在，他们的家中，墙上挂的是王伟画的画，桌上摆的是他制作的插花，窗台上放的是他栽培的盆景，所有这一切，无一不凝聚着王伟对这个家的爱。

1995年，阮国琴为了不影响王伟的飞行，一个人挺着怀了七个月身孕的大肚子回到了湖州老家。直到临产前几天，王伟才从部队匆匆赶回来。

当王伟在产房外得知自己有了儿子后，高兴得蹦了起来。

王伟第一次见到襁褓中的儿子时，轻轻地把他搂在怀里，然后高高地举过头顶，他为儿子、为一条新的生命的诞生激动得浑身发颤！

王伟知道，他所从事的职业和所担负的职责都是充满危险的，他对阮国琴说：“有了儿子，我会更加珍惜自己，注意飞行安全，努力尽到一名父亲、一名丈夫的责任！”

但在家里待了不到两周，王伟就开始坐卧不安了，只要一听到附近空军机场飞机的轰鸣声，就急得满屋子乱转。

阮国琴十分理解自己的丈夫，只好将王伟“放飞”。

王伟像所有的父亲一样，爱自己的儿子，在儿子王子快3岁的时候，把他从老家接到了海南。

在他的耐心引导下，儿子4岁就学会了滑旱冰。

一个难得的休息日，王伟和妻子带着儿子在球场滑旱冰，望着阳光下儿子欢快的身影，王伟的脸上溢满了幸福。他动情地对阮国琴说：“我一定要让我们的儿子幸福，一定要让他在和平的阳光下长大成人！”

去年十月份，一场罕见的台风袭击了我国海南岛地区。

在那段风雨交加的日子里，王伟5岁的儿子患上了重感冒。儿子高烧不退，急坏了王伟和阮国琴。

那几天，也是王伟部队抗台风最紧张的日子，王伟没时间照顾孩子，就经常带着愧意对妻子说：“国琴，白天我没时间照顾儿子，你就多辛苦点，晚上下班回来我再帮你。”

几天后，小王子在妈妈的精心照顾下病情大有好转，但身体一直很虚弱，王伟就利用每天傍晚的空闲时间带着儿子去灯光球场锻炼身体。

为了调动儿子跑动的积极性，王伟每天和儿子玩上 15 分钟的足球游戏。孩子小，再加上感冒刚好，不愿意跑动。王伟就想了个主意，用手在地上爬着和儿子一块玩。

“爸爸和你比赛，你用脚，爸爸用手，看谁把球踢得远。”

儿子一听爸爸用手和他比赛，立马来了精神，迈着小腿跑来跑去乐个不停。

王伟看到儿子欢实起来，就故意把球“踢”到离小王子远一点的地方，让他跑动着去追球。

“爸爸还没小王子踢得好，快点去追球，要不爸爸就赢了！”

逗得小王子一个劲地直乐。

为了儿子的健康成长，王伟可谓用心良苦，“俯首甘为孺子牛”啊。

心中想着别人

在王伟生前的部队，只要一提起王伟，战友们不仅仅夸他飞行技术精湛，多才多艺，还称赞他乐于助人、乐于奉献，对战友、对同志充满爱心。

4 月 1 日那天和他一起战斗起飞的长机飞行员赵宇，就曾多次得到他无私的帮助。

赵宇调到这个团之前就和王伟认识。那是一次海军演习，当时赵宇驾驶的飞机比较落后，他看到王伟驾驶国产新型战机，非常羡慕。有一天，他围着王伟驾驶的战机转了又转，看了又看，并向王伟问这问那。王伟看出赵宇很喜欢这种飞机，就对他说：“老赵，你放心，你也会飞上这种新战机的。”

后来，上级要从赵宇所在部队挑选一批飞行员改装新型战机，赵宇第一个报了名。当赵宇来到王伟部队改装歼八飞机时，王伟已经是一位优秀的“全天候”飞行员了。见到赵宇真的来改装飞行，王伟高兴地往赵宇肩窝里擂了两拳，并自告奋勇地当起了赵宇的“编外教员”。

改装新型战机，赵宇遇到了不少技术难题。新型战机的许多设备性能和他原来驾驶的老战机不一样，赵宇刚开始有点摸不着头脑，王伟就不厌其烦地给他讲要领、做示范，还用自己在电脑上设计的三维动画帮他进行模拟训练。

有一次，赵宇的一个战术动作没有完成好，王伟就毫不客气地对他说："老赵，论年龄你是我老大哥，论军龄你是老兵，可飞新机种不论这论那，动作没做好，你还得重来一遍。"

赵宇学得也认真，他很客气地说："王伟，你能热心地帮我，让我快些改装出来，咋说都行。"

赵宇还自嘲地说："咱这叫严师出高徒嘛！"

在王伟的热心帮助下，赵宇很快完成了改装，驾驭着新型战机飞上了蓝天。

王伟对人热情、真诚，乐意助人。他对自己的同事是如此，对普通的战士也是如此。

陵水场站空勤灶退伍战友史册华，是从江西农村入伍的战士，父母最大的愿望就是希望他能在部队学会开车技术，谁知新兵训练结束后，他却被分到陵水机场空勤灶，当了一名炊事员。面对伙房又脏又累的工作，他有些心灰意冷。

那段日子里，王伟业余时间总爱找炊事班的战士下棋，略懂棋艺的小史就成了王伟的"对手"。渐渐地，他们成了好朋友。在一次下棋时，王伟老觉得小史的棋走得不对路子，就问他："有啥心事，别闷在心里，说给我听听。"

"没啥事。"小史轻描淡写地说。

"没啥事？今天这棋咋走得这么差，有事你瞒不过我。"王伟猜透了他的心事，小史不得不把心里的事说给他听。

"家里人想让我学开车，可我整天围着灶台转，咋给家里人说？"小史心情沉重起来。

"任何岗位都能成才，在炊事岗位上，只要好好钻研，同样有前途。"王伟鼓励小史。

听了王伟的开导，小史心情开朗多了，工作劲头也大了。

后来小史当上了班长，还加入了党组织。接着，王伟又让他报名参加了军校招生补习班。

小史文化基础差，对考学信心不足，王伟就常常利用休息时间帮他补习功课。虽然小史后来没能通过院校招生考试，但文化基础却有了很大的提高。

1998 年年底，小史退伍了，离开部队的那天下着大雨。王伟来为小史送行，他说："送你一把伞，希望你无论遇到怎样的风雨，都要坚强地面对。"

当小史得知王伟壮烈牺牲的消息后，不由泪流满面……

小家连着大家

在王伟所在的飞行团，无论是飞行员，还是飞行员家属，都知道王伟是个爱家的人。王伟的确爱他的家，但作为他的妻子，阮国琴深深地感受到，王伟更爱祖国这个大家，当祖国需要他的时候，他会毫不犹豫地舍小家，去保卫祖国这个大家！

阮国琴记得，当王伟走出空军航校的大门，选择了大海，成为一名海军航空兵飞行员时，她曾问王伟："为什么选择海军？"

王伟回答道："在学校学了中国近代史，知道了中国曾遭受400多次从海上来的武装入侵。中国有1.8万多公里的海岸线，有300多万平方公里的海洋国土，再也不能让外国的飞机和军舰肆意侵犯领海领空的历史重现！"

阮国琴刚随军时，她是王伟他们那批飞行员中第一个随军的家属。一到休息日，那些"光棍"们都集聚到他们家。王伟总要做上几个家乡菜，与战友们一起谈天谈地谈事业谈飞行谈未来。听着他们充满青春活力的爽朗笑声，听着他们对未来事业的追求，阮国琴对别人说："我真的感到很充实、很幸福！"

她还记得，王伟与战友们谈得最多的话题是：他渴望驾驶祖国最先进的战机在蓝天翱翔！

为了更好地学习和研究航空方面的最新成果和外军资料，王伟一直坚持学习外语。他最后一次执行任务离开值班室时，床头还摆着一本厚厚的、翻开着的外语词典。当时，他的战友听到他跳伞的消息后，在词典翻开的地方轻轻地打上折，然后合起来放在了他的书柜里，想等他回来再继续看，可他却再也没有回来……

今年春节，正是万家团圆的时候，阮国琴在海南又没有亲人，心里是多么希望丈夫能在自己的身边，和她一起迎接新年啊！可他已经几天没有回家了，一直到大年初一，他还与战友们驾驶着"战鹰"在祖国的南海巡航。

后来，阮国琴才知道，那天，王伟和战友们又胜利地赶走了在我家门口骚扰的强盗，让祖国人民在平安、祥和、热烈的氛围中迎来新世纪的第一个新年。当《中国青年报》和《舰船知识》等报刊以"春节，我们巡航西沙"为题，生动地报道王伟和他的战友们在去年除夕和今年大年初一两次跟踪监视美机的事迹后，阮国琴对自己的丈夫充满了崇敬之情。

阮国琴还清楚地记得王伟最后一次离开家时的情景。当时，阮国琴因腹腔大出血刚做完手术在家休养，十分需要他在身边照顾，但那些强盗却不让他守在妻子身边，频频在南海上空骚扰。

那天，他像往常离家时一样，轻轻地对阮国琴说，部队有任务。

阮国琴说:“去吧，不要为我担心。”

王伟说:“你要照顾好自己，等着我回来。”

阮国琴想，他这一去，不知要几天才能回来，就问他:“过几天是你的生日，你想要什么礼物? ”

去年他们结婚纪念日时，王伟专门买来一块非常漂亮的真丝衣料，并自己动手为她设计制作了一条时装裙。阮国琴想：他这次过生日，我也要好好为他准备一份礼物。

他说:“我什么也不要，你把身体养好，比什么礼物都强。”

阮国琴知道，王伟想要一个光盘刻录机，因为王伟多次对她说起过，要是有一个光盘刻录机，就可以把全家人的照片刻成一张光盘，作为结婚10周年的礼物送给她。可生活节俭的王伟一直下不了决心花这笔钱，阮国琴想悄悄地为王伟准备好这份礼物，给他一个惊喜!

满怀忧患苦练兵

那天，当王伟和赵宇判明目标后，赵宇向指挥所报告:“发现美国EP-3型电子侦察机，一批一架次。航向240，速度400。”

指挥所命令:“保持距离，跟踪监视！”

赵宇回答:“27明白！”

美机发现我机后，马上调头北上，航向调整至40度。我机也跟着转向。

9时05分，美机又调整航向至110度，我机也转到了110度，与美机同向同速飞行。

这里，要特别说明一下“同向同速飞行”这个概念。

赵宇和王伟驾驶的是超音速歼击机，飞机小，速度快，最大航速是音速的两倍多。美国EP-3型侦察机，飞机大，速度慢，我机很难与其保持同向同速飞行。而它几乎每次都是故意降低飞行速度，给我机增加编队的难度。美机或者突然减速，或者突然加速，企图甩掉我机。这一次，美机又把速度降低到350公里。为了达到跟踪监视的目的，我机只好与它保持同速。

在这个速度上，美机的机动性能较好，而我机在这个速度上机动性能最差。就好比一个骑自行车的人与一个步行的人同速前进，步行的人动作灵敏，突然向骑车人扑过来，骑车人无法躲闪一样。这也是美机突然转向时王伟无法及时避让的主要原因。

在我机与美机同向同速飞行时，我机在海南岛一侧，美机在外侧，我机与美机的距离约400米。这是有关国际条款规定的距离。

也许有人会问：为什么不离得再远一点？那样不就碰不着了么？

举个通俗的例子：如果有条恶狗跑到你家门口闹事，你拿个棍子赶它走，离得远了它根本不理你，只有近一点它才会往后退一退。我机跟踪监视美机，不能离得太远，也是这个道理。

我飞行员要让他们知道我海军航空兵的存在，旧中国有海无防的历史，早已经结束了！

因为我们曾饱受屈辱，所以今天特别珍惜民族的尊严。“生于忧患，死于安乐”，这是一句不可忘记的祖训。一个国家要想不受欺侮，必须要强大；一支军队要想打得赢，必须要强大。

王伟常对战友说：“太平洋上不太平，南海上空常有不速之客，在歌舞升平的年代，一个共和国的飞行员，要时刻想着肩负的责任，地面苦练，空中精飞……”

天道酬勤

团里熟悉王伟的老飞行员都说，王伟这小伙子，肯钻研，善琢磨，对新鲜事物接受得特别快。

说来让人难以相信，连数码摄像机这种高科技产品，王伟用一个晚上就能掌握它的使用方法。

团长范利平提起此事就赞不绝口。

2001年3月下旬，团里正在实施一个高难新科目。为了掌握训练的情况，上级决定将训练过程全部拍摄下来。

需要说明的是，要拍摄空中的训练状态，只能乘坐教练机，而且摄影师最好是飞行员，一是飞行员身体条件好，能够经得起空中飞行动作对身体的折腾，二是拍摄时飞行员知道怎样指挥前舱驾驶员保持飞行状态，以便能够在最短的时间里拍到最需要的画面。

上级配发的数码摄像机的说明书印刷非常精美，却有一个缺点：全是英文，没有一个汉字。团里的飞行员在航校时都学过英语，有些年轻的飞行员不但拥有本科学历、学士学位，而且还通过了国家英语四级考试，但到了部队后，使用英语的机会很少，甚至根本没有机会，久而久之，除了还能说上一两句“good-bye”之类，其他的基本上都还给老师了。

另外，要完成拍摄任务，没有一定的录像技术功底也不行。作为训练资料片，虽然不太讲究艺术性，但图像稳定、画面清晰之类的要求还是有的。最难的是，在空中乘飞机拍飞机，不可能像在地上那样，画面不好可以让别人再摆一个姿势，重来一次，在天上，只能拍成啥样算啥样。

这个需要如此多苛刻条件的任务由谁来完成呢？

王伟自告奋勇：“我来干！”

他信心十足地摆出自己的有利条件：一是英语好，二是摄影技术好，三是完成任务决心大。

团党委掂来掂去，全团众多飞行人员中，也只有王伟具备这些条件了，就把这个任务交给了他。

3月28日，王伟高高兴兴地拿到数码摄像机。

那天，他正好在外场战斗值班，就把这个“洋宝贝”带到了值班室。他草草吃过晚饭，便对照说明书研究起来。

当时和他一起值班的战友叶潮嵩半夜醒来，透过昏黄的台灯，看到他一会儿端起摄像机，对着室外的飞机不停地比划着，一会儿又走到桌子前低下头看看说明书，嘴里不时还轻轻地念着什么。

第二天清晨，当叶潮嵩醒来时，发现王伟不见了。他走出房间一看，只见王伟正抱着“洋宝贝”对着值班室门前的花草拍来拍去。

王伟看见叶潮嵩出来，兴奋得像个孩子：“我会使用数码摄像机了！你快过来看看这画面！”

3月30日和3月31日，王伟接连两天参加了飞行训练。为了拍摄到最佳画面，他坐在团长范利平驾驶的教练机后舱，一会儿指挥范团长向左飞，一会儿又指挥范团长向右飞，时而拉起，时而平飞——愣是当了一回范团长的“指挥员”。

当寻找到拍摄的最佳位置时，他便稳稳地端着摄像机，透过飞机小小的舷窗，把战友们在空中训练的每一个关键环节都收进摄像机镜头。

王伟成功了！他拍摄的画面，不论是构图还是清晰度都比较到位，十分清楚地反映出训练的真实情况，对如何进一步提高训练质量起到了重要作用。为此，他受到了领导的表彰。

现代战争，为了达到出其不意的效果，往往都会选择在深夜或黎明开始，无论是美国打击利比亚的“黄金峡谷”行动，还是多国部队打击伊拉克的“沙漠风暴”，均无例外。而航空兵部队的打击与反打击，则往往是这种战争的前奏。因此，搞好夜间飞行的编队训练，一直是航空兵部队的重要训练科目。

这种训练科目有很大的危险性。其中很重要的一个方面就在于如何保持编队飞机之间的距离。距离过大，队形过于散开，达不到编队训练的效果；距离过小，又容易引发飞机的相撞。在世界航空兵发展史上，因为训练时飞机距离过于接近而导致两机相撞的事件时有发生。

当然，判断两机距离的任务主要在于僚机，因为在编队训练时，僚机要跟着长机飞，长机怎么做动作，僚机就怎么做动作。

要判断两机的距离，在中国航空兵现有的条件下，除了根据飞行座舱里的各种仪表，很重要的一点就是要凭肉眼观察长机的航行灯在不同距离上的区别和变化。

去年，团里组织夜间编队科目训练，王伟飞的是僚机，他也遇到了如何判断和保持两机距离的问题。

那些天里，王伟除了向老同志请教外，还暗地里琢磨点子。

一天晚上，他躺在床上翻来覆去难以入睡，满脑子想的都是夜航编队飞行的事情。这时，他看见从门缝泻进一缕月光，水银一样泻在地上。他突然觉得这就像夜航时僚机在几十米甚至几百米外看长机的航行灯。

想到这里，他"腾"的一声翻身坐起，拿出自己的手电筒，又把同住一室的飞行员叶潮嵩的手电筒拿出来，然后将两只手电筒的灯罩卸掉，打开开关，一前一后放在书桌上，用两只手电比做长机的航行灯。然后，他独自一人在房间里，一会儿向前走几步，一会儿向后走几步，反复体会着不同距离上手电筒灯头的变化，用这种方法来判断自己与长机的距离。

海军功勋飞行员、大队长刘永朴路过他的房间时，听到里边有响动，又有念叨声，不禁心存疑惑：这小子又在琢磨什么呢？推门一看，才发现王伟刻苦练兵的小秘密。

天道酬勤。正式夜航编队训练那天，王伟果然飞出了好成绩。他利用手电筒来搞夜航训练的"小创新"也在团里传为美谈。

去年年底，王伟所在团要参加重大的实兵演练，王伟主动请缨，找到团长："能不能让我上？"团长答应他的请求后，他高兴极了。

王伟中队担负准时到达指定空域进行战术编队的演习任务。在编队中，王伟飞4号机，这个位置最难飞、最难编，只要长机稍微一动作，4号机就要做很大的纠正才能跟得紧、编得上。因此，必须事先详细计算，获得各种飞行数据，才能顺利飞行。

领受任务后，王伟就掏出他的"文曲星"认真算起来。

正式参加演练那天，王伟驾驶"战鹰"，凭着高超的飞行技艺、良好的心理素质，穿云破雾，始终与编队保持密集队形，零时零秒准确到达指定空域，受到了军委领导和演习指挥部的高度赞扬。

勇争第一

"作为一名飞行员，最大的快事就是飞上最先进的战机，最高的境界就是争创一流业绩。"这是王伟在一次座谈会上讲过的话。

入伍十几年来，凡是改装新机种、飞新课目、执行重大任务，他都争着上。

1994年年初，王伟得知上级要从他们团调选一批飞行员改装国产新型战机歼七，为了争取这个机会，他动员第一次怀孕的妻子做流产手术。

王伟动情地对妻子说："我不想错过飞新机种的机会，趁年轻，飞上十个八个新机种，是我最大的愿望。”

妻子阮国琴含泪答应了他。

1996 年 4 月，王伟得知上级要从他们团调选一批飞行员改装国产新型战斗机歼八-B，他又是积极争取，终于如愿以偿，和九名战友一同从外单位调到陵水某飞行团。

理科学习开始了，王伟全身心地投入到对新装备的钻研中。为了检验自己对新机型各类理论、原理、数据的精通程度，他让战友轮流问他，并自告奋勇当起擂主，希望有人问倒他。最后，王伟以第一的成绩完成了理科改装。

在实施第一训练提纲之前，总爱“标新立异”的王伟为了更好地完成改装任务，索性来了一个“剃头明志”，理了头发极短的“寸头”。

他对大队长曾诚说：“我理这种‘准光头’，不是为了出风头，而是以此明志，一定争取第一个改装成功。”

他的决心，他的雄心，他的自信心，使曾诚大队长的情绪受到了前所未有的感染，他跟王伟一样，也理了个“超短板寸”。

由于曾诚的头发疏密不等、分布不匀，效果不是很好，王伟一边“安慰”大队长，一边又鼓动大家统一发型，并拿起理发推子挨个为大家“服务”。

有的战友不愿理“超短板寸”，在理发时很严肃地向王伟提出：“王伟，我把头交给你了，你别开玩笑啊，我不理你那种发型。”

“好，好，你把头交给了我，你就把心放到肚里去。”王伟笑哈哈地嬉闹着，第一推子下去，就奠定了“超短板寸”的基础——贴着头皮从前额往后理，就像在丛林里挖出一条沟，也只能理“超短板寸”了。

战友向他提抗议。

他却说得很有理：“头发理短了有什么不好？海南天热，这样不但出汗少，还好洗头。再说，还有一层特殊意义，咱们改装，就是要从头开始。”

没用几天，这个大队就在王伟的带领下，成了名震全团的“超短板寸”大队，间接地向领导和战友们表明了他们改装的决心。

改装，就是重新开始；

改装，就是从“头”开始。

“雄关漫道真如铁，而今迈步从头越。”

他们以天之骄子的战斗豪情，朗诵了一代伟人的著名诗句。

整个改装过程，他们这个大队非常顺利，用最短的时间完成了任务，王伟也成为同批改装飞行员中的佼佼者。

当年改装歼七，王伟是第一个放单飞的“头雁”；

这次改装歼八，王伟又是第一个参加战斗值班。

王伟知道：

勇争第一，就要不断给自己充氧加压；

勇争第一，就要瞄准时代高度，进行科技练兵。

王伟有非常强烈的前沿意识，始终把目光盯在现代技术的制高点。团里成立战法研究小组，他第一个报名参加；团里的战法研究室，他去得最多。

在初步掌握了三维动画后，王伟又将目光投向了战术研究。

一次，团里组织研究歼八飞机攻击某型飞机的战术动作，但对一些数据的可靠性却把握不准。王伟知道后，主动提出用电脑模拟验证，并第一次将有关数据输入电脑，通过形象直观的显示，进一步敲定了战术动作和各种数据，并制成多媒体供大家参考。

在王伟看来，一个优秀的飞行员必须是智能型的，不仅会飞而且还要会用脑飞，只有这样，才能夺第一，因为战场上无亚军。所以，他战法研究非常广泛，不但把对手的各型飞机研究透，还把对手的舰船摸个清；他不但研究打飞机，还研究打导弹。无论是舰机对抗还是异型机合练，不管扮演红方还是充当蓝方，他都以争当第一的劲头，出色地完成各项任务。

在15年的飞行生涯中，王伟不断书写着一个个骄人的“第一”：

在飞行学院同期学员中，他第一批放单飞，第一批入党；

三次改装机型，他都是第一批放单飞，第一个执行战斗值班任务；

在同一批飞行员中，他第一个飞满1 000小时，成为能飞四种气象的“全天候”飞行员，一级飞行员；

在同龄飞行员中，他战斗起飞的次数最多，执行重大任务最多，出勤率100%，完成任务率100%，成功率100%，没有发生过一次错、忘、漏，没有出现过一次事故征候；

……

严阵以待

苏联解体之后，长达40余年的冷战结束，世界格局发生新的变化。美国趁机对外施行扩张政策，处处以“世界警察”自居，不断干涉别国内政，对世界事务指手画脚。在对我沿海地区进行侦察活动方面，美国更是嚣张，有时竟抵达我领空40多公里处进行电子侦察。

王伟所在的飞行团是驻守在南海前哨的应急机动作战部队，跟踪监视美侦察机的任务非常繁重。王伟曾在一次战术讨论会上说:“我们的使命决定了我们的责任，我们的责任决定了我们的光荣。”

王伟认为，一个好的飞行员，必须围绕任务和使命，立足现有装备，学习现代军事理论，充实自己的战术思想，借鉴国外局部战争经验，瞄准强敌进行战法研究。

王伟有着非常强烈的忧患意识，他总是瞄准强敌苦练精飞。

1998年，团里首次组织新改装飞行员进行“夜复”科目训练。对于新飞行员来说，这是个难度比较大的训练科目。

晚上开训时，机场上空云层较厚。团长问王伟:“怎么样，敢不敢上？”

王伟说:“有什么不敢？”

说罢，他便走向飞机，第一个升空。

明亮的航行灯在夜空中闪烁，仿佛在向祖国人民报告：有我们在这里巡航，你们就安心地睡觉吧！

在团航医主任蒋先宝的记忆中，王伟是飞行最积极、体检最积极的好飞行员。

王伟曾对蒋主任说过这样的话:“家可以不回，但是不能不让我飞行。”

1999年5月，以美国为首的北约轰炸我驻南使馆后，王伟表现出极大的愤慨，爱国热情空前高涨。他积极要求参加战斗值班，求飞的欲望更加强烈。

他表示：一定要飞得多，飞得好，飞出个样子给他们看看，中国人不是好欺负的！

每个飞行员都有一份身体档案，每个飞行日前，空勤人员都要进行身体检查。一天，王伟解除战斗值班回到飞行员宿舍时，太阳已经下山，他又急匆匆直奔团航医室，正巧与蒋先宝主任撞了个满怀。

蒋主任笑着说："王伟，你差一点把我撞翻了。"

王伟不好意思地连声说："对不起，蒋主任。我今天还没有体检呢。"

蒋主任故意跟他摆起架子，说："都什么时候了？洗个澡回家看媳妇去吧！"

王伟着急地说："求求你了蒋主任，我明天还要飞呢！你务必给我检查一下。"

王伟心里清楚，飞行条令上有规定：每组飞行日前，都要接受航医的身体检查，没有拿到体检合格证不能放飞，任何人都不能例外。

蒋主任见他真的着急了，笑着说："落不下你，要不是等你回来，我早就回家了。"

听了蒋主任的话，他这才松了一口气，露出了憨厚的笑容。

科索沃战争爆发时，王伟天天紧盯着战争的进程，他不是看热闹，而是看门道。他既研究进攻一方兵力的调动、使用以及突袭制胜的战法运用，还研究防守一方如何破解攻方的战法和破坏其战术目的的一些策略。在一次战斗值班时，王伟对团长范利平讲了自己的研究成果，并提出了我海军航空兵在未来战争的使用特别是夜间出动的一些想法。

长期的战斗值班使他养成了一个习惯，那就是，无论是在家中还是在营院，无论是走在马路上还是在梦乡里，只要听到警报，他就会飞奔着冲向自己的战斗岗位。

海南的夏天热浪滚滚，夜半难以入睡，一旦入睡又如坠九霄。王伟生怕不能按时起床，不管是在家中还是在飞行大队，他每天早上总是把床头的小闹钟定好时间。

那一天凌晨3点，小闹钟不知为何突然响起，他"蹭"的一声跳下床，嘴里喊着："一等！一等！"一个箭步跑出门外，四处寻找"战鹰"。

"一等！"是飞行部队对"一级战备"的简称。

"一等！"就是发现敌情，就是战斗起飞的命令！

和王伟同室的战友叶潮嵩也跟着跑了出来，宿舍楼前哪有什么"战鹰"，他们都将自己的宿舍当成了外场值班室。

此时的天空星光闪烁。

此时的田野一片寂静。

他们相视而笑，又双双返回各自的梦乡。

虽是一次生活的小插曲，但此事足以证明，严阵以待的战斗意识已经深深根植于王伟和他的战友们的心中。

不辱使命卫主权

9时07分，美机违反飞行规则，突然大动作向我机方向转向，朝王伟驾驶的飞机横压过来。由于事发突然，王伟的飞机又处于机动性能差的小速度上，使得王伟根本来不及避让。

赵宇在王伟飞机的左侧上方，清楚地看到王伟的飞机猛地向下低了一下头，很显然，他是做出避让反应的。他压杆下降，是想躲避横压过来的美机，但是已经来不及了。

美机机头和左机翼撞到王伟飞机的尾部。美机左翼的一个螺旋桨将王伟飞机的垂直尾翼从根部撞掉，打成碎片。

赵宇马上提醒王伟："垂尾打掉了，保持状态，保持状态！"

王伟回答："明白。"

他的声音很平稳，没有一点慌张，接着他还问："美机怎么样？"

赵宇说："你不要管，你垂尾掉了！保持状态，保持状态！"

他仍然很沉着地回答："明白。"

约30秒后，赵宇发现王伟的飞机失去控制，呈右滚下俯状坠落。就是在这时，王伟也没有慌张，他冷静地报告："我操作不行了，跳伞了。"

赵宇马上说："跳伞！跳伞！"

他回答："明白。"

为防止座舱弹出时影响他的安全，赵宇马上驾驶飞机向外转，给他让开一个更大的空间。而后，赵宇与王伟失去了联系。

接着，赵宇盘旋下降高度至3 000米时，发现飞机坠海，还发现空中飘有座椅稳定伞和救生伞各一具。从3 000米高度看海面，只能看到飞机坠海时溅起的一个小小的水花。

王伟跳伞离开了自己心爱的"战鹰"，犹如一只受伤而又不屈的雄鹰，扑向了大海，他用生命书写了一道不辱使命的壮丽航迹……

云中拦截过大年

几十年来，美国军用飞机从未间断对我沿海进行抵近侦察。近年来，王伟所在团针对美国侦察机进行跟踪监视的战斗起飞，每年都有近百次或百次以上。越是在中国的节假日，他们来得越频繁。

1999年农历大年初一，陵水机场战斗值班室。今天担负战斗值班任务的是：长机，领航主任段辉；僚机，王伟。他俩并肩跟踪监视飞入我沿海专属经济区上空的美侦察机有十多次了。

段辉不止一次称赞王伟是“铁杆僚机”，长机做动作之前，根本不用无线电提醒，王伟能根据当时的态势，提前预测到长机下一个动作，滴水不漏地履行僚机的使命。

那天老对手来得早，大约11时15分左右，美机就飞近我领海线侦察。顾不得吃午饭，王伟和段辉就紧急出动了。

那天天气复杂，云量多，并且云层高低不一。出航后，他们就关掉机上雷达，防止美机侦察到，在地面引导下靠近目标。

就在他们发现目标后，一团浓云挡住了他们的去路。绕过去，耽搁时间，可能让美侦察机钻空子，完成侦察我方机密的目的。段辉决定穿云快速出击。他说了句“注意编队”，王伟立即回答“明白”。云中气流乱滚，“战鹰”双翼被颠簸得直颤，段辉有些担心王伟这位亲密的战友。可出云一看，王伟的编队非常漂亮，始终占据着护卫长机的有利位置。

在相距30公里处，美机发现被我机紧紧跟踪后，先是减速到每小时280公里，企图让我机大速度冲到前方。我双机立即放下襟翼，减慢速度，提高升力，增强稳定性。

美机看这一招不好使，又出一招，头一低，迅速钻云下降高度。我机也跟着穿云而下。可是出云后，却不见美机踪影。还是王伟眼尖，发现美机正贴着云底在飞，我机当即盯上了。美机又急忙钻到云层上方，王伟和段辉也毫不犹豫跟了上去。美机看甩不开我机的监视，达不到侦察的目的，只好平飞。可就在此刻，美机飞行员还傲气霸气地做着各种挑衅性手势。王伟气得牙根痛，握紧拳头向他们挥了挥，强压怒火冷静地平行监视。22分钟后，美侦察机只好无功而返。

我机胜利返航后，王伟兴奋地对段辉说："美国人给我们拜年了，只不过方式不对。"

除夕智斗"圣诞帽"

1999年的最后一天。又是段辉和王伟战斗值班。段辉还是长机，王伟还是僚机。

太阳缓缓地从东方升起，晨曦洒在了椰林深处，跑道上也缓缓地升起了淡淡的晨雾。担负战斗值班的"战鹰"在朝阳的照耀下显得更加锐气。

中午11时30分，值班长机段辉和僚机王伟刚端起碗要吃午饭，突然，战斗起飞的警铃响起。段辉和王伟放下碗筷，冲进宿舍，抓起飞行装具，百米冲刺般跑上飞机。

滑跑，拉杆，"战鹰"仰首斜刺海空。

上升高度，调整航向，他俩边空中编队，边向目标飞去……

"发现目标！"长机向指挥所报告。

"保持编队，跟踪监视！"指挥员口令果断。

段辉指令王伟跟上编队，推杆向目标飞去。在距外机400米时，段辉发现，外机座舱里的飞行员个个戴着圣诞帽。

在西方国家，许多人有圣诞节戴圣诞帽的习惯，他们想在圣诞节到来之际，模仿圣诞老人的样子，为人们送去祝福，后来渐渐演绎成为祥和与和平的象征。但是，一个国家的飞行员戴着圣诞帽到另一个主权国家的领空来送"圣诞礼物"，似乎显得有几分霸气和傲气。

段辉一边驾驶"战鹰"一边观察外国侦察机的动机。透过座舱，他发现外国侦察机座舱里的飞行员又在向他们做挑衅性的手势，有的还把圣诞帽摘下来，向他们比划着什么。

春节是我们中华民族的节日，我们要过年了，你们戴着圣诞帽也想过来凑热闹？不行，不允许你们在我们家门口晃荡。

这是王伟牺牲的前一天在空中拍摄的战友们飞行训练的照片。
（王伟/摄，图片来源：新华社）

段辉和王伟以双机编队队形严密监视外机的一举一动。外机见我戒备森严，也捞不到什么“好处”，便灰溜溜地飞走了。

就这样，除夕智斗“圣诞帽”的故事便在该团传开了。

向祖国人民报平安

王伟是在战斗值班岗位上迎来新世纪第一个春节的。

2001 年农历大年初一，南海。浓浓的节日氛围笼罩着海军航空兵某前哨机场。机场外鲜丽的火焰、喜庆的鞭炮给他们带来了无边的欢乐。王伟深知，正是有他们的镇守，才换来了祖国人民的万事安宁。

部队领导来值班室慰问他们时说：过年过节，不能放松战备。

领导走后，王伟和高秉礼预想着一切可能发生的特殊情况，一步一动地进行着

2001 年 4 月 7 日是王伟跳伞落海的第七天，我海军出动飞机、舰艇，海南省和广东省也出动大批民船，继续在有关海域搜寻。图为我海军航空兵陵水机场指挥所的指挥员们昼夜值班，指挥引导各型飞机搜寻失踪飞行员王伟。（王建民／摄，图片来源：新华社）

细致的战术协同，绷紧随时战斗起飞这根弦。

太阳西斜，高秉礼说："这么晚了，会不会有情况？"

"那可难说，它们狡猾得很，说不定一会儿就钻过来了。"

还真让王伟说着了。下午 3 时，值班参谋拉响了战斗警铃："一等！一等！……"

只见他俩迅速戴上白色的头盔，"噌噌噌"，三步并作两步登上飞机。

霎时，一颗绿色信号弹腾空而起，给南疆的海空增添了一道亮丽的彩虹。两架战斗机呼啸而起，斜刺苍穹。

3 时 13 分，他们按照指挥所的指令准时到达目标空域。

"注意搜索目标！"指挥所命令道。

"明白！"长机王伟回答。

"战鹰"在跃升，我们海空卫士的眼睛在警惕地搜索着。

"发现目标，大的，是侦察机！"王伟兴奋地报告。

我军用飞机被美国侦察机撞毁后跳伞的飞行员王伟的安全牵动着全国人民的心。2001 年 4 月 4 日，搜寻工作仍在紧张进行。图为海军驻海南某基地一艘执行任务的猎潜艇的官兵深情地注视着海面，企盼战友归来。（查春明 / 摄，图片来源：新华社）

“保持距离，跟踪监视！”

“明白！”

这是在我国西沙群岛的上空。西沙巡航，让今天担任长机的王伟显得格外兴奋。去年春节战斗值班期间，他和领航主任段辉就曾两次飞赴西沙上空，一次是与某国电子侦察机“编队飞行”，一次是进行常规战斗巡逻。

如果说去年除夕的那次战斗起飞让王伟他们兴奋地过了一个大年的话，那么新千年新春第一天的战斗飞行更是让王伟难以忘怀。

王伟和僚机高秉礼紧紧地跟踪监视着某国侦察机，经过数十分钟的空中监视，一直把外机逼走，他们才奉命返航。

从空中俯瞰西沙，那大大小小的岛屿，在大海的衬托下，像一颗颗璀璨的珍珠镶嵌在碧蓝的镜面上，让人产生无限遐思。

2001 年 4 月 26 日，海军航空兵某部官兵和社会各界群众近千人，在海南陵水沉痛祭奠“海空卫士”王伟。（查春明/摄，图片来源：新华社）

他们不止一次从空中看西沙，可每次都有不同的感受。今天的感受更是特别，因为他们要在这里给祖国人民拜年，并向祖国人民报告：西沙平安。

4 月 14 日晚 18 时，中国迄今规模最大、强度最高、范围最广、历时最长的海陆空立体大搜寻宣布结束。海军党委作出决定，批准王伟同志为革命烈士。

消息传开，全国人民沉浸在悲痛之中，人们以各种形式深切悼念我们的英雄王伟。

年逾古稀的中国航空博物馆首席高级航空工艺美术师陈应明老人亲手为王伟制作了一架名为“铁血战鹰”的战斗机模型。

在英雄的故乡湖州，市委、市政府决定：在市中心广场为王伟塑像。

王伟走了，可他翱翔海天的雄姿永远屹立在南中国海上空。

王伟走了，可他的魂魄已融入了蓝天大海。

4 月 16 日，中央军委主席江泽民签署命令，授予王伟同志“海空卫士”荣誉称号。

4 月 18 日，共青团中央、全国青联作出决定，追授王伟同志“中国青年五四奖章”。

4 月 24 日，中央军委授予王伟同志“海空卫士”荣誉称号命名大会在北京隆重举行，并向王伟妻子阮国琴颁发了中央军委授予王伟的一级英模奖章和荣誉证书。

4 月 26 日，海军航空兵为王伟举行了特殊的悼念仪式——海祭。

南海碧波卷起的朵朵浪花，将铺满英雄魂归的航道。

长空无垠飘来的朵朵白云，将汇成献给英雄的赞歌。

英雄王伟，他的精神与中华民族共存！他的英名与神州大地同在！

（选自 2001 年第 8 期《报告文学》，作者：沙志亮、崔伟光）

中国呼唤建立大规模的“生命银行”

近年，白血病的发病率有逐年递增的趋势。造血干细胞移植，是目前攻克白血病最有效的手段之一，而脐血中就富含造血干细胞。2001年4月18日，天津一个新生儿的父母为自己刚出生的女儿保了一份特别的“险”——从女儿的脐带中取出了166克脐血，并与天津市干细胞科学研究中心签订了储存协议。这对父母成了全国首对为子女做脐带血自体保存的夫妇，既宣告了中国第一家“生命银行”开始正式运营，也吹响了白血病患者痛苦绝望中生命的福音。

中国目前每年有400多万病患者等待着造血干细胞的移植，仅白血病患者全国每年就新增4万人，其中却只有400到500人能够接受干细胞移植手术。而中国每年有1 200万新生儿，这么丰富的脐血资源，我们却一直当作废品白白地扔弃。一边是脐血干细胞的白白浪费，另一边是无辜患者的苦苦期待——这就是我们所面临的尴尬！

一个印证了《旧约全书·创世纪篇》中生命历史的发现

天苍地茫，四野混沌。

和煦的柔风掠过即将诞生人类的福地，那是创世纪时代孕育生命所特有的生机盎然的风。在传说中的从前，面对自己开辟的空寂广袤的天地，无所不能、无处不在的耶和华用悲天悯人的口吻说道：“那人独居不好，我要为他造一个配偶帮助他。”耶和华神把用土做成的各样走兽和飞鸟都带到那人面前，看他怎么叫。那人便给一切空中飞鸟、野地走兽都起了名字。只是那人没有遇见配偶。耶和华神使他沉睡，然后取下他一根肋骨，又把肉合起来。耶和华神就用那人身上所取的肋骨，做成一个女人，领她到那人跟前。那人说：“这是我骨中的骨，肉中的肉，可以称她为女人，因为她是从男人身上取出来的。”这便是《旧约全书 · 创世纪篇》第二章中上帝为男人造配偶过程的文字记载。

公元1988年，在巴黎进行了一次成功的手术，几乎与《旧约全书》中的这段文字有异曲同工之妙：一位法国著名的血液病科学家，在巴黎圣路易斯医院，用他看似不经意的一次手术，使人类在医治白血病的技术上又有了一次质的跨越——全世界第一例同胞之间脐带血移植治疗范可尔贫血病成功。葛鲁克曼，你是全人类的骄傲，因为你用你的手术刀为人世间各种宗教和肤色的人们拨开了又一条新的生命通道！

2001年5月10日这一天，对中国协和医科大学血液病医院这所以国家成员单位代表中国加入世界血友病联盟的全国顶级专科医院来讲，确实是一个非同寻常的日子。在该院主楼八层的干细胞移植科里，不到40岁就当选博士生导师的韩明哲教授正在为来自辽宁营口的12岁的小女孩刘琳琳进行非亲缘供者脐带血移植手术。随着从山东鲁能脐血干细胞中心找到的那份五个位点的46毫升脐带血顺利地输入已属高危组的刘琳琳体内，一朵正在凋谢的生命花蕊开始重新绽放，中国协和医科大学血液病医院首例非亲缘脐带血移植成功！

活泼可爱的刘琳琳和她的父母对血液病医院的感激之情溢于言表。刘琳琳手术后40多天在无菌仓度过，韩明哲教授几乎每天十多个小时待在病仓里观察她的病情变化。刘琳琳母亲的感激之情难以言表。是呀，对于信奉“救人一命胜造七级浮屠”的中国百姓，还有什么能超越这份情愫？随后，韩教授采用同样的手术又连续救活了三条幼小的生命。当我采访韩教授时，他仅是憨厚地笑笑，笑容中还略有些许羞涩。

2001年4月18日下午2时30分，随着天津市中心妇产医院手术室里的一声清脆的啼哭，一个体重3 250克、名叫季依忱的女婴用她响亮的哭声，宣布了中国规模最大、同时也是第一批得到国际脐血组织亚洲脐血库专家组好评的协和“生命银行”正式在天津高校云集的南开区红磡标志大厦运营。这家注册资金1亿元人民币、总投资3亿元人民币的协和干细胞基因工程有限公司，由上海望春花（集团）股份有限公司、华银投资控股有限公司和中国医学科学院血液学研究所共同投资组建。在产业化尚未起步时就一次性投入如此巨大的一笔资金，在国内资本运营市场也堪称大手笔！可其投资人——身兼上海望春花（集团）公司、华银投资控股公司和新组建的协和干细胞基因工程有限公司三家企业董事长的李德福，无论在外貌还是气质上，都与眼下市民心目中的商人大相径庭——这位毕业于南开大学历史系，后又专攻金融管理学的企业家，身上所显露出的人文底蕴和其质朴的外貌一样具有亲和力。

在向笔者谈及协和干细胞公司的发展规划和前景时，李德福的勃勃雄心和自信乐观令闻者深受感染："自从我们这家国内最大的脐血库在天津建成后，不仅天津的市民捐存脐血的人越来越多，就连深圳、西安等地的产妇为了储存脐带血，也坐飞机专程赶到天津来生孩子。短短几个月，已在全国十几个省市采集自体储存脐血3 000余份。目前，我们已利用公司的产业化模式分别与上海等南方城市协商组建干细胞库，下一步，我们将扩大西北和东北的市场。我们脐血库的新址已破土动工，在不久的将来，一个亚洲最大的干细胞库和最先进的干细胞移植中心将在天津高新技术产业园区建成。届时，随着公司系列干细胞基因工程制品、药物、单克隆抗体和基因芯片等技术的产业化完成，一个庞大的生命科学工程帝国将屹立在人们面前。"

这番令听者血脉贲张、跃跃欲试的谈话，从李德福那张质朴醇厚的脸上倒看不出半点的张扬与虚浮。

而国外媒体对干细胞的报道更是一石惊起，涟漪渐开——

2001年1月，英国议会上院以212票赞成，92票反对，通过一项法案：允许科学家克隆人类早期胎盘，并利用其进行医疗研究。

2001年2月，美国80名诺贝尔奖得主联名上书布什总统，要求政府不要阻碍首笔用于资助人类胚胎干细胞研究的联邦研究经费。

紧接着，2001年4月26日的《科学》杂志上，又发表了加州理工学院院长、1975年诺贝尔奖得主巴尔的摩教授的呼吁信，他在信中指出："干细胞研究的消亡，就是科学的消亡。布什及其政府不应成为干细胞研究发展中的绊脚石。"诸多诺贝尔奖得主在同一件事上如此地众口一词，在美国的历史上并不多见。

经过笔者半年多的深入追踪了解，现在的临床证明，干细胞已经能用来治疗20多种疾病，随着科技的发展和进步，其应用价值将更大，应用领域将更加宽广。我

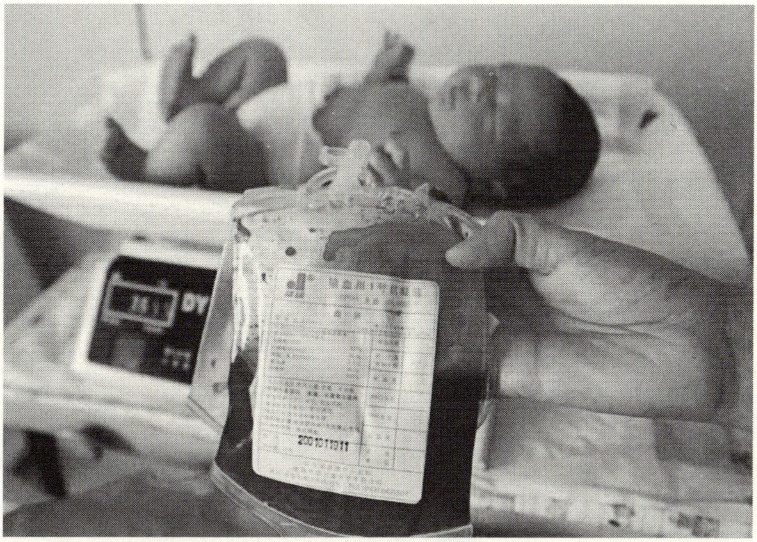

全国首对为子女做脐带血自体保存的夫妇季兴旺、葛欣与天津市干细胞科学研究中心脐带血干细胞库正式签订储存协议，这标志着我国干细胞基因工程由科研阶段步入产业化运行。图为 2001 年 5 月 8 日拍摄的全国首个做自体脐带血保存的孩子。

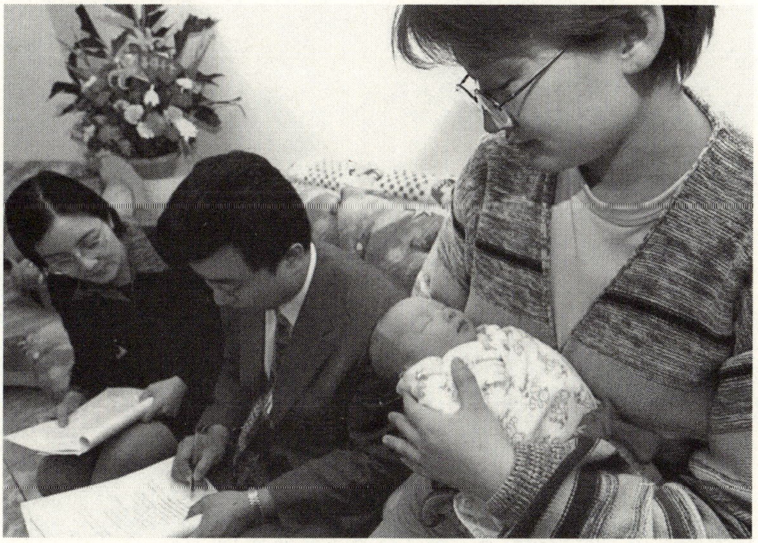

季兴旺、葛欣夫妇和天津市干细胞科学研究中心的工作人员签订储存协议。（刘海峰/摄，图片来源：新华社）

国目前有13亿多人口，而造血干细胞的库存资料却不足3万份，这个数字与国际上发达国家的差距甚远，要知道，仅中国台湾就有20多万份。而相比之下，资金支持状况差距就更大，美国仅一项组织工程制造心脏就投资10亿美元。但我们也有两点优势：一是政策法律层面较西方宽松；二是我们已拥有比较成熟的血液干细胞临床应用技术，仅协和医科大学血液病医院就已成功完成了300多例血液干细胞移植，在最近两三个月又完成了6例脐带血干细胞移植手术，除1例因配型太晚病人夭亡外，其他病人全部恢复正常。

小雪的故事

2001年1月8日至12月16日，一个名叫李雪的8岁东北小女孩，成为天津市媒体和社会关注的焦点。这期间你在天津街头随便问一个市民知不知道一个叫小雪的小女孩，对方的回答准保都是肯定的。在短短不到一年的时间里，整个天津市民的心随着这个小女孩的病情上下起伏，有孩子捐出1 000元压岁钱，有大学生捐出生活费，天津的一家企业包揽了小雪七八万元的手术费。而最感人的是一位年过六旬的退休工人，他捐出了几个月的全部退休金，甚至还要捐出自己的骨髓……天津人民用爱心为一个不幸的白血病小患者筑起了一条与死神赛跑的通道。

厄运突降：贫困的家庭塌了天

2001年冬天的黑龙江铁力市，大雪纷飞，天寒地冻，已是严冬季节。

从市燃料公司下岗多年靠一间小杂货铺维生的李智林夫妇，日子虽然过得紧巴，可刚8岁的女儿李雪却是他们夫妇贫困生活中的希望之光——孩子爱画画，学习也非常好，成绩在班里一直都是前三名，不但上进心非常强，而且从小听话懂事。李雪母亲讲了这样一件事：有一阵子，李雪的爸爸晚上要守护店铺不在家，小李雪当时才上幼儿园，可每天还没到晚上，就赶紧帮妈妈把门外的东西收回来，然后就催着妈妈快点关好门，因为东北天黑得早，她总怕爸爸不在家家里会出什么事儿。

有一天，一直听话懂事的李雪突然叫着浑身没劲儿，整天流清鼻涕，还时不时地发低烧。一开始，李智林两口子也没太往心里去，以为是感冒什么的，吃点药就会好了。可药越吃病越重，他们两口子这才领着孩子到铁力市医院去检查。医生告诉他们孩子得的是白血病，最多能活一个月！打死他们也不相信，孩子好好的哪能得那种怪病？一定是地方医院技术差诊断错了，他们连夜就往哈尔滨赶。

省城医院的诊断结果仍是白血病。这下，老实木讷的李智林夫妇真的傻了，人一下子就不行了，顺着医院的墙就往下出溜，眼泪怎么也止不住。不知内情的小雪还在一边劝着母亲：“妈妈，你看你哭啥呢，我的病很轻，不就是感冒嘛，等治好了咱们就回去呗。”

李智林、王忠文这对平素寡言少语的老实人，很快从天塌地陷的情绪中挣脱出来，根本不用商量就做出了决定：砸锅卖铁，倾家荡产，一定要找最好的医院给女儿治病！就这样，李智林接过姐姐的8 000元、父亲的5 000元、岳父的10 000元，带着自己的所有积蓄和妻女，冒雪踏上了艰难的求医之路。后来，最早报道小雪故事的天津《每日新报》记者劳楠讲起对他们夫妇的第一印象时不由感慨：“他们夫妇的状态让人非常震动，在接触过程中一直没讲过一句难或者苦什么的，这么大的事，要是遇到我家人头上，肯定会惊慌失措的，可他们的情绪一直保持着平静，问急了只说一句话——我们肯定要继续给小雪治病，一定要想办法救孩子。就这样。”

是呀，这对看似普通的夫妇，此后便用他们博大无私而又极富韧性的爱为女儿撑起了塌陷的天空！至此，救治女儿便成为他们继续活下去的信念了。

绝处逢生：医生、记者、市民齐伸援手

坐落在天津市的中国协和医科大学血液病医院，是中国在医治血液病方面最具权威性也是规模最大的专业医院。李智林几乎是不假思索就带着妻女赶到了这家医院。他们夫妇的执著与坚韧，使得最先接触他们一家人的儿科主任竺晓凡博士记忆如昨，尽管她每天要接待各种各样的病人。竺主任用她所特有的平和语气道出了她对小雪的印象——

小雪这孩子比较内向，没什么太多的话，化疗时问她难受不难受，她只是用摇头与点头来作答。可她却很爱美，因为化疗头发掉光了，每次来就戴着梳着两条长辫子的假发，斜背着一个小包。护士们碰上了一夸："哟，小雪真漂亮。"她就高兴地笑。挺懂事的一个孩子，在治疗上配合得很好。小雪当时病得非常严重，在我们这儿就算高危的病人了。治了一段时间，病情有了缓解，可小雪父母带来的钱已花完了，因为治疗白血病的费用非常高。一时凑不上钱，可该用的药还得继续用。医院有规定，不交钱不能取药，我就给她签字担保，要是万一往后还不上就从我的工资里扣！后来转到移植科遇上类似的情况，韩明哲主任也为小雪担保过。这些钱后来都还上了，小雪父母是那种可以信任的厚道人。

知道小雪一家困难，我们院里的医护人员也不时地捐钱捐物，可大家都是工薪阶层，捐的这点钱物对小雪往后所需的巨额移植费与治疗费来讲简直是杯水车薪。我们就商量，通过媒体，发动社会来献爱心救助小雪。没想到，后来这个活动还真的开展起来了。

见到姜宝成是在天津日报集团报业大厦他的办公室。这位来自山东烟台的年轻记者有着南方男子瘦小精干的外形，可一张口，山东汉子特有的义气与耿直便跃然纸上：

我们这张《每日新报》是专为老百姓讲话的报纸，我自己又特别喜欢搞与老百姓生活息息相关的新闻题材。第一次去小雪的病房里采访，天津的媒体几乎都去了，因为当时小雪的母亲已怀了第二胎（国家政策允许），专门是为了用新生儿的脐带血来救小雪的生命，加之脐血干细胞移植在当时又非常热门。

小雪的照片和文字在我们报上发表了之后，我们就接到很多热线电话，问我们小雪的情况，后来就有了一部分捐款。有些人很关心地问："她们家住哪儿呀？我们希望能够帮助她。"我觉得天津老百姓真的好，第一次就捐了6万多。

经济压力得到缓解，医院开始为小雪做脐血移植前的辅助治疗。我向医生咨询，得到的答复是非亲缘脐血配型概率极低，同胞姐妹间的脐带血配型也只有四分之一的概率，可这却是当时小雪获救的唯一希望。小雪的母亲怀孕后，身体和其他各方面一直都很正常。当时，整个天津市都在期盼着幸运之神能够降临在小雪的身上。就在等待结果的那几天，不仅仅小雪的爸妈在那里紧张，连我们报社的同事都紧张。他们天天问我。我走在走道里或者一下楼，我们的电梯小姐都问我：“她们怎么样了？”因为小雪母亲即将生孩子的事也是我报道的，人们见面就问我：“小雪怎么样了？她妹妹生下来没有？”过两天又问我结果怎么样。

小雪的母亲生小妹妹的那天晚上我也在场。我一般晚上两点钟睡，那天睡得稍微早一点，小雪的母亲也赶巧比预产期稍微提前了一两天。正好十二点半，小雪的爸爸给我打电话，说：“宝成，你能不能过来一趟？”我说：“怎么啦？”他说：“小雪她妈要生产了，手术费不够，我只带了一千多块钱。”我问还差多少。他说两千块钱吧。当时我的钱都在银行里，我的工资什么都在工资卡上嘛，手上还正好就将近两千块钱吧，那我赶快。因为我们门口出租车挺多的，正好打车去。我在车上边赶路边问他在哪个医院，他说在妇幼医院，我就赶快打车过去了。当时，小雪妈就坐在医院交费处走廊的椅子上，捂着肚子很难受。

我赶快过去交费。这钱后来单位报销给我了。当时交了可能一共三四千块钱吧。小雪爸妈当时还在争论到底是顺产还是剖腹产，因为剖腹产手术费高一些。她妈说顺产，她爸觉得顺产有点难，因为医生说胎儿比较大。我说：“那就剖腹产，孩子太大了，最起码你得保证母亲的安全，你不能说你生产完了最后母亲过去了，这个是咱们谁都不愿看到的结果，你不能为了救孩子连母亲都不顾了。”她母亲就说为了省点钱，我说那很危险的，该花钱就得花，这点钱还不是很多。我在去妇幼医院的路上，给劳楠打了电话，她当时都睡了。她说：“你干吗呀，半夜的？”我说小雪妈妈马上要生了。她说：“你先去吧，我过一会儿吧。”我说：“行，我看情形再给你打电话吧。”过了一会儿，医生说可能快生了，两点多钟，就是交完钱一个小时吧，我就给劳楠打电话：“医生说快生了，你过来吧，你过来有什么事还方便一点，能够照顾照顾，我在这儿也没什么用呀。”她就过来了。她是刚来报社的记者，人很热心，有关小雪报道的文字都是她做的。我们俩在这儿等到早晨快五点多，天都开始亮了，那是夏天嘛，五点多才生的，是个八斤多重的胖丫头。大伙一看挺高兴。

隔了一个礼拜，配型结果出来了，仍没配上，大家失望透了。结果在山东的鲁能脐血库找到配型五个位点的脐血，最后才勉强做了手术。至于捐款的事，主要是劳楠张罗，其中感人的事情还不少，你可以去问问她。

姜宝成是我见到的他这个年龄段中富有同情心和社会责任感的记者，临别时，我问他会不会像医生见病人见多了就对病人麻木了，他肯定地回答：“哪儿能呢！我选择这工作就铁定要有这个心劲儿，否则早干其他去了，我上大学时学的可是最热门的汽车设计呀！”我庆幸我们这个社会又多了一根支柱。

劳楠一见面给人的印象是：出身富足的家庭，从小在顺境中长大，可是却愿意帮助人，特别是那种来自社会底层的人。

你问整个过程中最让我感动的一件事或一个人，我觉得这当然就是杨大爷了。杨大爷60多岁了吧，已经退休了。我跟他接触，是通过报纸介绍小雪的事，那时候小雪还没有配上型。

知道这事后，杨大爷通过报社给我打电话，说是要给小雪捐骨髓。因为知道她没配上型嘛，所以希望能够捐自己的骨髓，希望能够配上。我问了问医生，医生说60多岁捐骨髓，需要有一定的承受力，体力呀什么的，各方面。然而他却义无反顾，就是想帮小雪，什么也不想，什么也不图，就是想帮小雪，后因各种原因，杨大爷最终还是没能捐成。

可从这以后，杨大爷就一直跟小雪联系，一直很帮他们一家，有时候带小雪去玩，有时给她买吃的，给她买各种东西。小雪进仓做手术之前，杨大爷从家里把VCD拿过来让小雪看，然后给她拿一些吉祥物呀什么的，一直都很关心她。

都这么大年纪了，60多岁的老大爷整天跑来跑去的，听了就让人非常感动。杨大爷一个月就是七八百块钱的退休费，总共就是七八百块钱。

杨大爷第一次见小雪呀，就把自己一个月的工资全给小雪了。可他家里的摆设却非常非常普通，很陈旧的那种家具，就是很老式的那种。

人是应该有点相互关爱的精神，这可能是人区别于其他物种的一个重要特质吧。

可亲可敬的天津人民，真正可称得上无私的爱——通过一个不能留下姓名的招商银行捐款账号，短短时间就收到20多万元善款，而在小雪手术成功出院时，协和干细胞公司的董事长李德福和总裁韩忠朝又替他们一家偿还了欠医院的7万多块医疗费！事后我问李德福先生捐款的目的，他用非常实在的口吻说：“钱这东西多了也没多大用处，人吃了喝了还能干啥？财富再多都是社会的。你要是给个贪官送个十万八万的，人家根本不当回事儿。可小雪就不一样，她家人为她治病花老鼻子了！你要是知道了不去帮帮也说不过去。凡是不考虑老百姓、不考虑你的客户的企业，什么事儿也干不长久，你说是不是？我觉得客户的需求就跟我自已的一样，你只要有这么一个理念，你事业的后续力量才会是源源不断的。这就是欲先取之必先予之的道理。比如说小雪这件事情，那时你给我打电话，我还在深圳，你说孩子需要出院却没有还所欠医院的6万块钱的能力而不能出院，我说我们担了吧。因为我知道这个过程。并不是所有的白血病人我都要给担，因为她的病情我非常清楚，她家里也已经穷得叮当响了。然后又是社会捐款，又是报社热线，接下来，那两口子又生了一个。费了半天劲，生完了又配不上型，弄了半天，他又背了一个负担，还是没有救得了小雪的脐血干细胞。我说这是人命关天的事，现在捐这点钱就能帮帮小雪一家。可这却不是长久之计，从长远来看，重要的还是干细胞。这个产业如果真能够发展到一定程度和规模，比如说我们的干细胞库，真能够储存到这100万份，到那时我就有了50亿的无成本资金。那么我拿出五十分之一来，作为这个产业化的移植基金，该当如何？真到了那个时候，那种规模，我就有能力挽救千万条生命！”

对此善举，我只能说句俗话：愿好人一生平安！

留恋人间：小雪最后留遗言“快找大夫，我不想死……”

早在访问《每日新报》两位敬业诚挚的记者之前，我已在血液病医院对面的一座灰暗的老式楼房二楼小雪家临时租住的房中见过了她的父母。那是一间十几平方米的房子，可就这么一丁点儿空间，他们住的还是“伙单”——天津方言，即进一个门之后住两家人，厕所、厨房等公共设施都是两家共用。一进门，入眼的便是斑驳的墙皮，糊着旧报纸的窗户，不大点的屋子里除了一张临时搭的床铺外，几乎没有任何家什，锅碗瓢盆随意地放在地上，刚出生几个月的小女儿躺在床上，一台吱呀呀乱晃的老式电扇对着床头吹着，同样寡言少语的李智林夫妇为家里没有坐的地方歉疚得手足无措。我们就站着交谈起来。

这对夫妇身上中国人那种典型的忍辱负重、以行代言的品格令人敬重。他们二人言语之少令人吃惊，就是问一句讲一句地回答，也是非常地节省言语。但交谈中，以下几点意思他们却表达得强烈而明晰：

其一，就是对女儿小雪的自豪与浓浓的爱意。小雪母亲谈到生下小女儿配型失败后，小雪说："妈妈，家里没有钱治病，反正已有了小妹妹了，你和爸就抱着她回东北得了，不用管我了。"这是小雪母亲对我讲的最流利也是最长的一番话，而话语至此，小雪母亲原本憔悴不堪的脸上已是泪流满面，不能自已了！

"天津人好呀，我一家算碰上好人了，从《每日新报》的记者姜宝成、劳楠，到血液病医院的竺晓凡大夫、韩明哲主任、护士长，再到那些为小雪捐款的不知名的好心人……"这一对忠厚老实、深受"受人滴水之恩，定当涌泉相报"格言浸淫的夫妇，对天津人的感激之情绝非言语能表达。这便是其二。

谈及自己高龄怀胎，宁舍性命也要用脐带血救女儿小雪的经过，母亲王忠文就像谈发生在别人身上的事一样平静，而谈及小女儿的脐带血配型失败后的自责与绝望简直令石人落泪："我对不起小雪呀，没配上型，我死的心思都有了，小女儿没出生我们就给她起名小双——就是盼着她的脐血能救姐姐一命，然后姐妹俩双双回家呀。"

父亲李智林的话更少，来回就一句："小雪移植还不错，医院让出院，可还欠医院六七万块钱，这可咋整？这可咋整？"

我虽然去过小雪的病房两次，可始终没能听她讲一句话。她那与年龄极不相称的成熟和忧郁使我难以相信，特别是她那双眼睛简直令我心悚：她眼里的东西和一般的孩子极不一样，愣愣地看着窗外，一动不动地好像看得很远，眼神充满了瘆人的茫然与空洞……

结束此次采访两个星期后，我接到协和医科大学血液病医院移植科主任韩明哲博士的电话："小雪走了！"这位平素显得浑厚内敛的朝鲜族汉子话语中表现出少有的伤感与无奈。

事后，我从各方面了解到：小雪是2001年12月16日午夜1时55分走的，天津市社会各界所聚集的浓浓爱意终于没有驱散死神笼罩在她头顶上的阴霾，虽然这爱心聚集的热能曾经一次次打败逼近她的死神。

小雪临死前清醒得令人惊异，她对守护自己的父母说："我是不是不行了？赶快

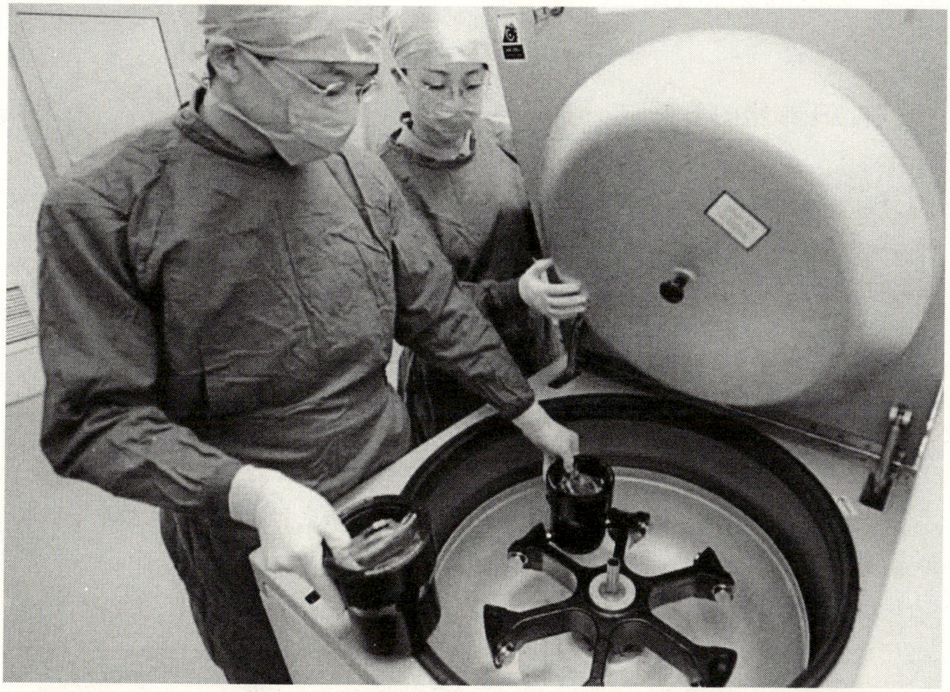

医学科研人员将采集的脐带血放置到低温超速离心机内进行医学技术处理。（刘海峰/摄，图片来源：新华社）

找大夫来救我，我不想死，我不想离开你们……”

李雪，1992 年 12 月 20 日出生时天上就飘着大雪，而八年后，离她的生日仅差不到四天的时间，这个坚强懂事的孩子无限留恋地离开了人世！就像一片晶莹的雪花一样静寂地融化了……

突然间，我想起了我结束对《每日新报》记者姜宝成访谈时间及面对小雪他最想说的话是什么，他说：“小雪的名字，就是因为我写的那篇文章才叫开的，她出生时天上正好下着雪花，我希望她在今年过生日的时候能够康复，然后穿上花裙子，在雪花中，在雪地里飞舞，像天使一样！”

雪天一色，满目皆白。和蔼可亲的圣诞老人赶着马车，红衣红帽的小雪坐在马车上，向着雪花飞舞的天堂飘去……真的，此时此刻，我祈祷真的有天堂存在。

脐血干细胞的前景

随后，就脐血干细胞的发展状况和未来前景，笔者登门专访了曾与诺贝尔化学奖得主杨振宁同窗、获得美国圣路易大学博士学位的著名细胞生物学和实验胚胎学以及生殖生物学家、中国科学院院士薛社普教授。年过八旬的薛院士一听这个话题兴头十足，侃侃而谈，神情根本不像他那个年龄，略带广东音的普通话也非常清晰：

干细胞去年被国际上列为第一个重点科研项目，我们国家在北京、上海都有干细胞研究中心，我们医科院在天津的韩忠朝教授，他在搞造血干细胞，半年前我到他那儿参观过，搞得很不错。他们是从新生儿的脐带血里提取干细胞，现在已经成立了造血干细胞库。这个很有用，比如说白血病啊，什么疾病都可以治疗，用处非常大。

现在还有个组织工程也是靠干细胞。中国科研人员让老鼠的背上长了耳朵，它是用高级分子的材料把细胞固架，再把干细胞的细胞粘到固架上，长上去形成一个器官，形成一个组织，国际上叫组织工程。器官工程，将来可能对人造器官、器官移植有用，现在用到临床上很少，这是一个很大的贡献。

国外已经有这种脐带血库，我们国内也开始搞了。我觉得这个非常好，我非常支持，就希望它将来在临床上起重要的作用。反正对小孩的疾病，对大人，尤其是白血病啊，不管是哪种血液系统的疾病、血液肿瘤系统疾病，都可以发挥作用，都可以治。但是目前这都是从理论上来讲，实践过程中一定要有严谨的科学态度，不能人为炒作，否则又会搞成一个新的泡沫。

而关于脐血干细胞的产业化问题，作为协和干细胞工程公司投资者之一的华银控股公司执行总裁刘刚先生，对笔者谈了一个“中国干细胞公司大联合”的概念，其思路和襟怀令人振奋：

现在，国际上发达国家干细胞产业化发展非常快，这一行业也被确认为是一项盈利前景看涨的行业，故而就有巨额资本流量支持。据我了解，从1996年至1997年，全世界有500多例脐带干细胞移植成功的报道，从临床试用的结果统计，脐带干细胞移植的成功率高达80%，比骨髓干细胞移植50%的成功率高出30个百分点。美国政府对此项目的开发和研究非常重视，从1996年开始，美国国立卫生研究院先后拨专款5 000万美元，用于脐带血干细胞的基础理论和临床的研究。以美国哈佛大学为龙头，在脐带血干细胞的收集、提取、储存、临床应用等方面，无论是技术或是设备，均已达到了市场化应用的高水平。目前，美国至少有10家类似这样的生物公司，他们一方面发展和完善一系列相关的技术，一方面加强临床应用范围的研究和试验，同时扩大宣传占领潜在的巨大市场。另外，仅美国纳斯达克股市在2001年8月之前，就有180多家以干细胞命名的上市公司，仅LMMUNEX公司的市值就达143亿美元，而经营脐血自体库的CRTC—CELL公司，在"9·11"恐怖事件后市盈率仍达1 125倍！在一个成熟的资本市场，市盈率代表投资者对公司前景极为看好。同时，该公司又大幅度降低自体库收费，目前的价格为首付275美元，年储存费为50美元。但对于其竞争对手1 095～1 500美元的初次收费，说明潜在市场规模将产生极大的扩张。同时也表明，干细胞库并非真正能形成技术壁垒的产业，其在国际间的残酷的竞争将不可避免！

在这一领域里，我国的优势在于技术相对成熟，几乎与世界先进水平无二。另外就是每年约有1 200万新生儿，脐血资源极为丰富，其他国家无法相比。但劣势也十分明显：其一是资金严重不足，国家拨款的科研经费简直就是杯水车薪，而企业的投入较之发达国家更是少得可怜。更为可怕的就是这点仅有的技术力量和资金还被分散利用。目前经卫生部批准建立的脐血干细胞库就有北京、天津、上海、山东、浙江、广州、成都等厂家，每家库后面都有不同的投资人和不同的科学家做技术支持。而这些科学家们也都是各自为政，这样就形成了科学研究上费时费力的重复研究和资本运营上的重复投资，形成人力物力上的极大浪费。这样发展下去，我们在产业化的道路上与发达国家的距离将越来越大，其后果将不堪设想！

在目前这种情况下，走联合七大库成立中国干细胞库的概念是干细胞产业发展的必由之路。要发展就应该放弃门户之见，充分利用有限资源，发展干细

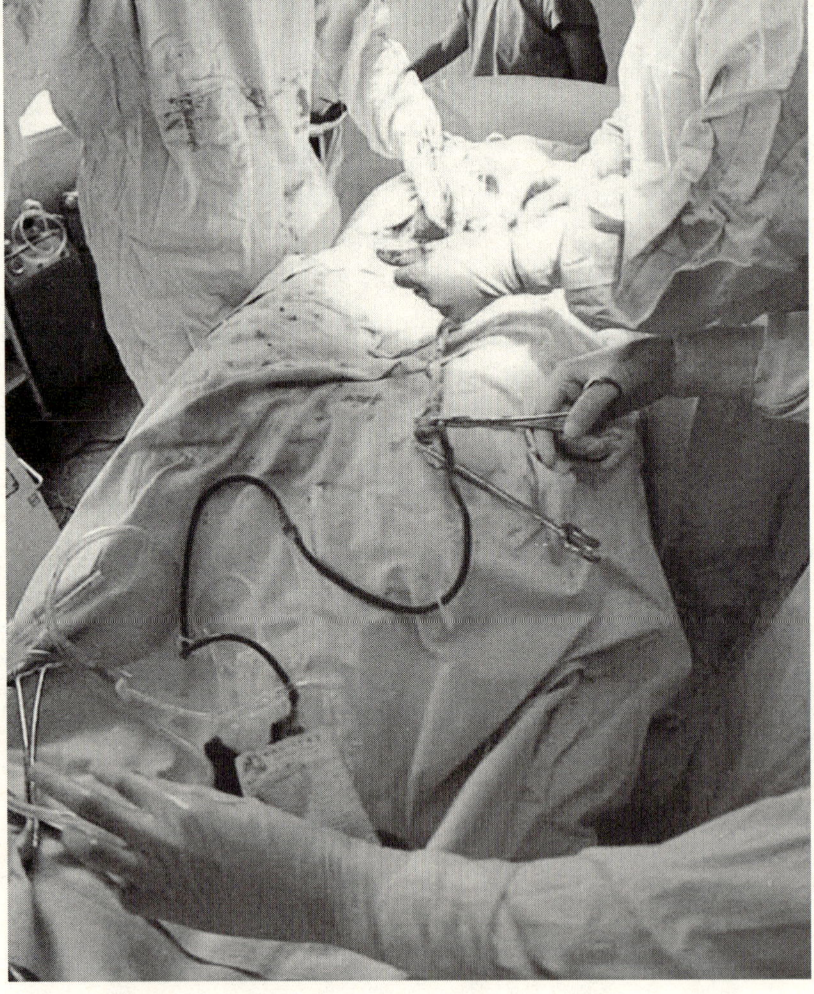

医学科研人员在产房采集脐带血。

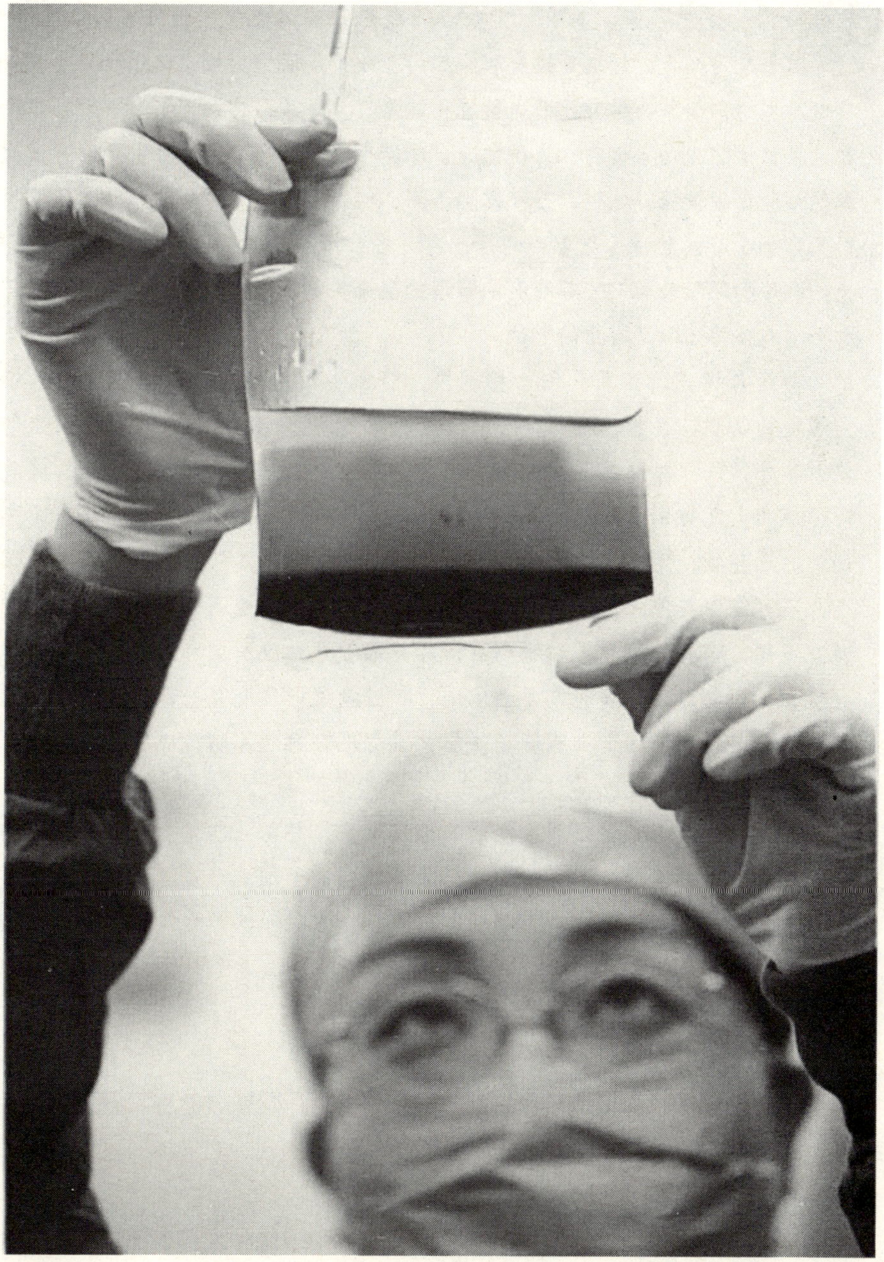

医学科研人员在观察分离后的脐带血浆。（刘海峰/摄，图片来源：新华社）

胞领域的民族化产业，争取用大联合的概念到香港上市，到美国上市！当然，这要靠大家的努力，特别是政府职能部门在政策层面的支持，单靠我们华银一家是做不成的，但华银愿为此做先行者和铺路石。另外，脐血干细胞用于自体移植和亲属移植的成功率极高，为了免除自体储存者的后顾之忧，可由干细胞库建设单位为储存者投保。这样，万一发生不测，储存者可获得可观的赔付，而保险公司又增加了新的险种。更重要的是，通过脐血保险，建立了一种对干细胞储户、干细胞库和保险公司三方都有利的新型的生命科学社会保障机制，这一点上，协和干细胞公司已做了有益的尝试。

与运营模式的产业化创新相适应，脐血干细胞库的行业管理模式也应做出积极的调整。目前，脐血是按血液制品对待的，按输血法规定，除卫生部授权血站外，任何单位或个人不得采集、供应血液。然而，脐血的采集、储藏和应用事实上又有别于一般血液制品。首先，来源不一样，脐带血一直是医院妇产科的废弃物，而其采集作为产妇生产过程的一部分，只能由产科医护人员进行，不可能由其他人员采集。其次，脐带血的分离、检测、保存应用也与普通血液不同，脐血是一种干细胞产品，其技术管理和应用均有着干细胞产品的自身规律。因而，行业管理方面也应进行相应调试。政府有关部门最好能协同研究，尽早出台相应的干细胞管理法规，避免现存血管体制造成我国宝贵脐血干细胞资源的大面积浪费。

同时，现有七家脐血库应由政府部门牵头，并由一些基金会介入，走向联合，以便信息共享、资源互补，共同推动我国的干细胞产业。相反，如果各库只从自身利益出发，形成割据局面，那么，地方保护、学术门户之见加上媒体的恶意炒作都会使方兴未艾的中国干细胞工程夭折，从而让国外同类行业乘虚而入，其后果不堪设想。

据悉，刘刚总裁已积极地与政府部门和一些资本运营领域的有识之士，开始启动这一造福子孙的宏大工程。但愿他们能得道多助吧。

带着对小雪去世的深深遗憾，笔者再次走访了中国协和医科大学血液病医院院长韩忠朝博士。他详细地做了解答：

白血病治疗有一个过程，第一步首先要进行化疗，取得一个缓解状态，然后才能考虑其他治疗方法。其主要治疗方法分为三种：第一就是骨髓移植。手术时首先考虑做同胞供者的骨髓移植或者外周血干细胞移植，这都叫做造血干细胞移植。另外一个选择就是做自体移植，相对来说，它复发率比异体移植和同胞兄弟姐妹移植复发率都高一些。第三种就是脐血移植。对于少年儿童患者来说，这种选择比较好一些。脐带血干细胞移植具有骨髓干细胞移植所不能及的优点，由于病人移植的是他自己或血缘同胞的脐带干细胞，他们抗原体完全相符，不存在免疫排斥现象。因为脐带干细胞采集于胎儿时期，这种细胞很少有机会被各种病毒污染，加之胎儿时期的细胞代谢非常旺盛，使得脐带血干细胞充满了活力。由此可见，由于脐带血干细胞克服了血型相配的难题，它在肿瘤病人和血液病人细胞移植的治疗中，发挥着巨大的作用。从理论上讲，目前30多种疾病都可以用此种基因疗法治愈。可对于脐带血移植手术来讲，从发病到手术时间间隔越短疗效就越好，最多不能拖过一年。小雪是2000年春节的时候来的，这个孩子当时病得非常重，血色素只有4克，我们正常人是12克。这孩子就是处于很严重的贫血状态。根据骨髓的诊断，她是一个杂合型的白血病人。一般我们说急性淋巴和急性非淋巴，就这两类。像她这种病，这两种白血病在她这儿都是存在的，属于杂合型的。这种类型的白血病，治疗也是属于高危的，普通放疗很难达到一个很好的缓解率和生存率，但是经过我们的治疗，缓解率还是达到了。可是由于我国目前脐血库的存量还非常少，找遍七家脐血库也找不到合适配型。随后，她母亲又重新怀孕生产，可她的小妹妹的脐血还是没配上型，期间，误了大量宝贵的治疗时间。这时，小雪的骨髓已经非常不好了，各种类型的化疗药物对她已经不起作用了。但是做脐血移植毕竟还是有治愈的希望，他们家决心也非常大，所以就开始给她进行预处理，同时在山东脐血库也找到了干细胞数量比较多的一份脐血。当时那个配的位点大概是四个位点相合的，那么细胞数是9乘10的7次方体重。进行完预处理之后呢，大概是9月20日回输的。在这个治疗过程中，白细胞最低降到零。她的白细胞开始恢复是在第15天后，白细胞就升到了1 000，中性粒细胞也达到了500，第25天就不需要输血小板，就达到20 000了。她也没有明显的出血，就不需要输血小板了。做骨髓检查，她的造血干细胞来源已经是脐血的来源了，就是说植活了，手术成功了。2001年12月2日，小雪出院回到了她父母租住的家中，最后致命的原因是长期化疗药的副作用所导致的高血压脑病。真的太可惜了，多么可爱的一个孩子呀！

是呀，面对一个花蕾般生命的凋零，我们有太多的遗憾——

假如小双出生后脐血能够给姐姐配上型，那么她的姐姐也就有了活命血。

假如我们国内脐血库的储存量足够大的话，就不会拖那么久的时间，在这里，时间可就是生命呀！

假如小雪出生时就留下了她自己的脐带血，那样不但在配型上是第一时间，而且移植后由于自体的原因不会产生免疫排斥现象，这样医疗成本就会最大限度地降低！因为整个治疗过程中费用产生最多的地方就是消除免疫排斥现象时所用的进口药物。

假如……

然而再多的假如也替代不了残酷现实带给小雪父母的彻骨创痛！逝者已逝，生者依然，我再次呼吁，呼吁那些健康地生活在阳光下的人们：储存脐血，珍爱生命！

在与中国医学科学院血液病研究所所长韩忠朝交谈期间，这位富有高度社会责任感的归国博士再次强调：

随着生态环境的日益恶化，包括家庭装修材料在内的许多外部因素都能诱发孩子患上白血病。目前在我国，白血病已经成为严重威胁人们尤其是青少年生命健康的疾病，“造血干细胞移植”是最有效的治疗手段之一。

我国每年有400多万病患者等待着造血干细胞移植，仅白血病患者，全国每年新增4万人，主要发病年龄在35岁以下，其中50%以上是儿童。而每年只有400到500人能够接受干细胞移植手术治疗。我国现在20岁以下的青少年及儿童基本上是独生子女，这就意味着很难在亲缘关系的亲生兄妹中寻找到造血干细胞提供者，而非血缘关系的造血干细胞抗原型号完全匹配的可能性只有十万分之一。只有当造血干细胞库存超过十万份以上，才可以初步适应临床要求。但寻找一份HLA配型相合的干细胞平均耗时135天，患者未必能坚持这么长时间；而且进口一份用于移植的骨髓或脐带血干细胞制品需1.5万～2万美元，费用昂贵。更重要的是，越是不同人种的配型率越低。

而我们国家的社会保障系统还不健全，家庭经济能力普遍还不高。在我们医院的门诊部，好多患白血病的儿童经过确诊后，家长就忍痛将孩子抱回去了！真正进行治疗的比例少之又少。目前，治疗白血病的难度主要就是高昂的医疗费用和脐血库存不足。前一个问题，协和干细胞库的一项称为“生命银行”的举措已能充分解决，即新生儿的父母储存脐血为他们的将来存一份生命保障，费用是，采集5 000元，储存每年另付500元保管费，同时可获赠一份最高限额为20万元人民币的恶性血液病保险单和最高限额10万元人民币的住院医疗保单！可脐血配型库存不足，只有呼吁整个社会行动起来。

目前，全世界各地的骨髓资料库共储存了700万捐献者的信息，提供了1.2万多份干细胞临床移植，被使用率在千分之二左右。美国的骨髓资料库是世界上最大、最规范的库，到2000年6月，共有450万捐赠者配型登记入库，共提供了9 577份干细胞进行移植，被使用率在千分之二左右。台湾的骨髓库有21万捐赠者登记入库，共提供了200多份干细胞进行移植，被使用率不到千分之二。国际脐血库组织（NETCORD）公布，到2001年5月止，该组织的14个脐血库共存了54 379份脐血，已提供1 986份脐血供临床移植，其中成人移植了近478例，平均被使用率为3.7%。其中，美国纽约库的使用率为7.4%，日本东京库为9.2%。如按使用人数和库的总消耗费用进行经济核算，资料库的花费远远高于实物库。资料库给捐赠者做一次检测需要1 000元人民币，而在需要时因为人口的迁移、人们身体状况的变化无法捐献，流失率高达60%～70%。如按千分之二的被使用率计算，花费了100万元人民币，只提供2份干细胞给患者使用，每份需投资50万元。实物库在储存时虽然需多花些费用，每份消耗成本为5 000元左右，但如按5%的被使用率来计算，花费30万元人民币，可提供5份干细胞给患者使用，每份需投资6万元。作为一个中国人，我们应该珍惜这一次历史赋予我们的机会，否则中国老百姓未来在治疗很多疾病时将要付出高昂的代价！

（选自2002年第6期《北京文学》，有删节，作者：周勍）

逃出漆黑的华尔街

——华人女记者“9·11”幸存记

世贸大厦与华尔街仅一街之隔，“9·11”那天，作为常驻华尔街的凤凰卫视记者，庞哲经历了生命中最漆黑的一天。在被撞毁的世贸大厦里，中资企业有18家，至少有40名华人华裔经历了这场生死劫难。

因为那场劫难，在之后的很长一段时间里，庞哲的呼吸都不能顺畅。而且一听到飞机声，她就心跳加快，呼吸急促，心脏仿佛被一种无形的恐惧感紧紧地攥住了。

“在洗手间的镜子中，我看到外面的空中闪着一道白色巨光。”

8：00

那天，我同往常一样去美国证券交易所上班。因为美国股市是9：30开盘，所以我会在8：00来到证交所。

我进入办公室开始阅读资料，为当天股市开盘做准备。

8：40

我开始准备化妆。在洗手间镜子的反射中，我看到外面的空中出现一道白色巨光。当时我以为是错觉，没有理会。但紧接着，又传来一声巨响，我立即警觉起来。

这时，镜子的反射中出现了漫天的飞纸。

纽约每年都有一场棒球队大游行的传统，按照传统，球队球员们会从华尔街一带的百老汇大街穿过，邻近的办公大楼中就会有人向街上投撒没用或过时的文件以示欢迎，那时就会出现满天飞纸的景象。想到当时还远不到这个日子，我立即打开窗子向街上看。

街上的行人全部站住抬头看向同一方向——世贸大厦，纸屑是从那个方向飞出来的。在和平环境中生活习惯的人，遇到反常现象时，往往不会向坏的方面寻找解释，所以我当时还以为在举行什么庆祝活动。但等我回到办公室，从电视中看到世贸大厦双塔楼当中的一座在冒着浓浓的黑烟时，我意识到出事了。

8：50

作为一个记者，我立即抓起电话，拨通了香港凤凰卫视的编辑部，通报了我所看到和听到的情况，并要求立即接通现场直播室进行现场联机报道。但编辑部是否准许我中途打断正在进行当中的新闻报道，我不能肯定。

当时，凤凰卫视从合作伙伴——美国新闻集团纽约总部向凤凰卫视传送的卫星电视画面中，还没有出现世贸大厦被撞的画面，我是唯一的消息来源，我非常担心总部编辑在无法验证我的消息属实的情况下，拒绝我的要求。我一再向当班编辑解释事态的严重，编辑表示要请示公司高层领导。在电话中，我从编辑与领导对话的口气中判断，我的请求似乎通过了。果然，台长王纪言果断地说：“马上接过来，做联机！”

我闭上眼，抱着头，绝望地等待着灾难降临。

8：55

我的办公所在地——美国证券交易所距离世贸大厦只有一街之隔，在得知世贸大厦出事后，这里的保安立即开始疏散现场人员。我被迫离开现场。但跑到证交所门口，我才意识到自己的手机不能拨国际长途，为了不与电视台失去联系，我毅然决定回办公室。

于是，我又想办法偷偷溜进了电梯，回到了七楼办公室。为了不被保安再赶出去，我将办公室所有的灯关上，躲在办公室门后，将电话抱在怀里，继续向香港总部提供最新情况。

9：02

正在报道世贸大厦附近的紧急疏散情况时，我又听到沉重的隆隆声快速地从头顶上移动，并且越来越近，越来越低沉。我的心肺有种强烈的压迫感。当我可以判断出声音是飞机时，却万万没有想那是另一架飞机正在以全速冲向世贸大厦的另一座塔楼。紧接着，一声震天动地的巨响让我的心一下子沉了下去……

这不可能是事故，更不可能是巧合。我随即打开电视机，不一会儿，美国总统布什就在电视上发表了声明："美国正在经历着历史上最黑暗的时刻，恐怖分子对美国人民宣战了！"紧接着，华盛顿五角大楼也遭到了袭击，同时，一驾飞机在弗吉尼亚州坠毁，美国全部机场立即禁止了所有飞机的起飞……随着事态的发展，我一一将最快的讯息报回了香港总部。

在这过程中，我只知道自己一直在机械性地进行报道。我甚至认为最可怕的事情已经过去了，但却万万没有想到，更危险的情况即将临头。

9：40

就在这时，又传来一阵更近、更沉闷、更有压迫感、更急速的呼啸声，我所处的整个大楼开始抖动，好像发生7级地震。虽然无法猜测即将发生什么，但我已深感即将大难临头。

于是，我抱起电话，一头钻到办公桌下。就在这同时，一阵震耳欲聋的巨响持续了将近一分钟。我闭上眼，抱着头，浑身不停地发抖，绝望地等待着灾难的降临。

要说与死亡擦身而过，我不是第一次经历了，但这次的经历是最恐怖、最严酷的，等待的时候我感觉到时间和生命都已静止。响声过去后，所有电灯电讯网络立即全部中断，四处硝烟弥漫，一片漆黑。屋里空气呛得我咳嗽不止。

说老实话，当时我虽然处在极度恐慌的状态下，但还是强迫自己冷静下来，想想下一步该怎么办。美国证交所的广播部工程主任肯·梅林是当时除了我以外唯一一个留在七楼的人，我跑到楼道向他大叫："肯，我们赶快离开吧！"我跑上前去，拉起他的手臂，径直冲向紧急疏散楼梯间。

但当我拉开楼梯间的门时，一股带着烧焦了的糊味的浓烟和飞尘热浪迎面扑来，将我们推得倒退了好几米。肯此时拒绝再接近疏散楼梯，我就用力拉住他，大声喝道："这里是唯一的出路，我们现在必须要离开！"我继续拉着肯冲进楼梯间，在硝烟中摸索着走下楼。

10：20

见到证交所的保安时，我虽然从他们的脸色与眼神看出，他们也跟我一样处于极度的惊恐中，但他们充满责任感的行动却让我感到些许安慰。他们组织在场人员不断向空气稍微好一点、空间稍微宽一点的地点转移。我当时正着急到处找电话与总部联系，但不幸的是，没有一条接得通的电话线。我与外界失去了联系。

世贸大厦倒塌后造成的粉尘浓度，在我所在证交所的周围是100%。从窗户望出去，我看到的是一生中从没见过的漆黑。相信当时很多人因来不及找到掩蔽处而闷死在街头。

11：40

我同所剩无几的交易人员以及证交所的高层主管转移到了证交所的地下室机房，与外界完全隔绝。一个多小时后，前来救护的消防人员打开了侧门，告诉我们，外面情况稳定下来，并要求我们有顺序地拉开距离，一个一个地走出去，撤退到安全地带。他们同时也警告我们，外面的空气条件相当恶劣，一定要采取保护措施。当时，有不少交易员将自己的交易制服撕开，蘸上水发给年老体弱的人。

来到街上，一片灰白世界。每走一步都像踏在极其细腻的面粉堆上，每迈一步都会荡起一团细细的粉尘，无孔不入地钻进眼睛、耳朵、鼻孔。就这样，我们在消防人员的指挥下，慢步行走了相当长的一段时间，才到达当时唯一的安全通道——哈德逊河。

我们刚刚行走了几步，只见一个全身粉尘的黑人，手中托着一摞用水浸过的餐巾，递给每一个过路而没有保护措施的人。但他自己则完全没有保护，已被粉尘蒙盖得面目全非。我接过他递给的餐巾时，心中感慨万分。在这条餐巾的保护下，我随着人群，慢慢脱离了危险。而那个灰头土脸、舍己为人的清瘦的黑人，一直深深地印在我的脑海里，我想，我一生都不会忘记。

在消防队员的指引下，我们来到了哈德逊河边。热心的渡船人发给我们每人一件救生衣，然后从河上把我们送到对岸码头的安全地带。在过河的途中，我回头看到曼哈顿下城完全笼罩在一个巨型烟球中。看着这个大烟球慢慢地离我们远去，我好像刚刚做了一场噩梦。

16：00

几经转折，下午4点左右，我终于到家了。我只想赶快洗掉满头满脸的灰尘。当温暖的淋浴水从头顶浇下时，我情不自禁地放声大哭。想到纽约的骄傲、纽约的象征以及我非常熟悉的商店、广场、景观等等就这样永远没有了，想到数以千计的世贸大厦工作人员目前还凶多吉少，想到无数家庭永远失去了亲人时，我想，纽约人的命运可能从此永远被改变了。

（选自2006年9月12日《世界新闻报》，有删节，作者：庞哲）

阿富汗战地纪行

2001年，“9·11”事件发生。10月7日，美国向阿富汗展开军事行动，开始捉拿被指为事件罪魁祸首的基地组织头目拉登。在美国的帮助下，阿富汗的反塔联盟取得节节胜利。11月13日，塔利班放弃喀布尔，在没放一枪一炮的情况下，北方联盟进入了喀布尔。喀布尔成为国际媒体最为关注的焦点，各大媒体纷纷派记者前往喀布尔进行采访，但是却没有华人媒体。就在这个时候，凤凰卫视的闾丘露薇请战进入阿富汗，开始了她工作以后最艰苦、时间最长、最仓促上场的一次采访。

2001年11月29日　巴格兰省
我们去拍扫雷。

一大早，像前几天一样，和香港通电话。进入喀布尔之后，因为我们只有一个卫星电话，而这个电话只能够架在我们住的地方，所以只要我们一出去采访，就会和外界失去通讯联络。因此公司规定我们，从每天早上起床到晚上睡觉为止，每隔五个小时就要和公司通电话，如果公司到时候没有我们消息的话，就要向管理层汇报。每天早上，我们会告诉香港大致的工作内容。而就在今天，公司告诉我们，一名加拿大的记者被绑架了，希望我们加倍小心。

我们来到国际扫雷组织的总部，准备和工作人员一起出发。工作人员绝大部分是当地人，因此出发之前，他们首先要做的是祈祷。这是我第一次看到那么多伊斯兰信徒跪在地上，虔诚地祷告。然后，60多名国际扫雷组织的工作者们从喀布尔出发前往巴格兰省，进行扫雷工作。

在喀布尔通往巴格兰省的这条主要公路上，可以看到布满黄色和红色的石头标志，也就是说，这里可能埋有地雷。

扫雷工作者先用探测器确认地下是不是有金属物体，听到刺耳的尖叫之后，就会用红色的绳子把整个区域围起来，然后用凿子慢慢地向下挖。

我忍不住好奇，向他们借用探测器，学习如何发现可疑物体。看到这么简陋的设备，总让我没有办法想象地雷爆炸的威力。不过就在这个时候，远处传来一声巨响，我整个人都震了一下。原来在不远处，在这个扫雷的工作范围内，一个平民踩响了一枚地雷。没过多久，一辆救护车从我们的眼前驶过，向着喀布尔的方向驶去。

就在我们进行拍摄的时候，他们也相当紧张，特别提醒我们不要靠近一些危险的地区。这些当地的扫雷工作者到今天为止，在这条路上已经发现了八枚地雷。我们来这里进行拍摄的前一天，这里刚刚引爆了一枚地雷。工作人员告诉我们，发现地雷的话，最好是能够完整地起出来，而最后的选择才是当场引爆。这里的工作人员在接受了扫雷组织的培训之后，每个月可以拿到100美元的工资。虽然这份工作充满危险，但是一位已经从事扫雷工作八年的阿富汗人表示，他做这份工作最重要的不是为了钱，而是希望为自己的国家做一点什么。

不过我们可以看到，工作人员的装备相当简单。这让我们担心，如果真的发生意外的话，这些装备是不是能够保护他们？我穿着我们带来的防弹衣。虽然我自己觉得，如果真的踩到地雷的话，这件防弹衣一点作用也没有，不过我的伙伴们对我说，至少可以阻挡碎片，所以虽然那么重，我还是穿上了。和他们的防弹衣比较，我身上这件钢片要厚得多。

阿富汗历史上长期动荡不安，1747年成立的阿富汗王国虽然曾经一度强盛，成为仅次于奥斯曼帝国的穆斯林国家，但是从19世纪之后，国力开始衰落，变成了沙俄和英国角逐的地方。从1838年开始，阿富汗人民进行了三次抗英斗争，并且在1919年从英国殖民统治下获得了独立，但是之后，局势一直非常动荡。1979年，苏联趁虚而入，结果这场抗苏战争持续了十年。对于阿富汗民众来说，没有想到迎来的却是大规模的内战。而塔利班政权在1996年攻占了喀布尔，开始了长达五年的统治。

由于战争的关系，阿富汗境内到处埋藏着地雷。根据国际扫雷组织的统计，平均每八个阿富汗人当中就有一个人被地雷炸伤。国际扫雷组织从1992年开始在当地进行扫雷工作，并且大量培训当地的扫雷工作人员，不过经费相当紧张，这使得扫雷组织估计，要解决阿富汗的地雷问题需要更多的时间。

离开的时候，看到沿途那些等候着指令的扫雷工作者们，看着他们手上那些简单的扫雷工具，我想那些红色和黄色的石块，什么时候才会在这里完全消失呢？

今天是值得庆祝的一天，因为我们独家采访了北方联盟的外长阿卜杜拉。整个过程非常神奇，因为我们正要到外交部去找他的助手的时候，他和一班手下迎面向我们走来。我想也没有想，马上大声地和他打招呼，并且伸出手去自我介绍：我们来自中国，希望能够采访他。

他看了看手表，然后说："这样吧，一个小时之后在我的办公室等我。"

阿卜杜拉虽然是一名政界人士，但也是一名职业医生，精通多国语言，包括英语。在我们到达喀布尔之前，我们已经透过传媒熟悉了他，因在北方联盟进驻喀布尔之后，他成了代言人，而在未来政府的组成方面，他的影响力也相当大。阿卜杜拉和被暗杀的北方联盟领袖马苏德关系密切，在阿富汗人的眼中，他执著地维护着北方联盟的利益。在波恩会议还在召开期间，特别是没有实质性突破的时候，北方联盟的立场是外界最最关心的，而唯一的途径，就是采访阿卜杜拉。

一个小时之后，我们再到外交部，但是没有人，于是我直接冲到他的办公室。一个看上去像勤务兵一样的人接待了我，我说你能不能给阿卜杜拉打电话，因为我们约好的。

虽然通信设施不健全，不过这些官员的身上都有卫星电话。电话接通了他的秘书，让我们在五分钟之内赶到洲际酒店。我们催赶着司机，居然只用了六分钟走完了平时十多分钟的路程。我们跑着进入酒店，忽然发现，我们并不知道到哪里去找他。于是我们把这个找人的任务交给了翻译。过了几分钟，翻译告诉我们，阿卜杜拉一会儿会来和我们见面。现在我们的问题是，如何在酒店里面找到一个能安静地做访问的地方。我转了一圈，发现在商务中心有沙发，还有足够的照明。虽然这里已经成了北方联盟士兵的休息室，但是借着阿卜杜拉的名义，我们把这些士兵赶了出去。

阿卜杜拉给了我们十分钟时间。他回答问题具有外交人员的风格，相当简短快捷，对于敏感的问题能够用外交辞令带过。这是这次北方联盟首次和华人媒体面对面接触，其实我做完了访问还是觉得非常奇怪，奇怪他为什么这么快答应我们的采访要求。唯一的一个原因，我想是因为我们来自中国，他有话要说。

我们向公司的管理层报告这个情况。老板亲自决定，把访问全程马上用卫星传回香港。

虽然今天休息比平时要晚，但是我们却都有点难以入睡的感觉。我一直觉得，在采访的时候，我的运气总是不错，这次更加觉得了。

2001年12月1日　喀布尔　晴
我们眼前是被炸毁的军用飞机，还有埋着炸弹的跑道。

“9·11”事件之后，美国正式展开对塔利班政权的反恐怖战争，喀布尔国际机场成为美军攻击的主要目标。我们从北方联盟外交部取得了许可证，终于可以开车进入机场。

当地人表示，美军对这里进行了不少于15次的轰炸。可以看到两个军用飞机机库已经完全被炸毁，跑道上每隔两三百米就有一个弹坑，这样，飞机就不能够正常起飞降落。跑道两旁全部都是被炸碎的塔利班的军用飞机，即使是在跑道上面，飞机碎片也布满了一地。

我是第一次看到被炸得粉碎的军用飞机。我爬上已经不完整的机翼，希望能够看看里面到底是什么样子。我甚至担心会不会还有飞行员的尸骨在里面。所幸，我看到的只是已经被弹片打烂、胡乱散落在机舱内的军服。那些碎碎的布条躺在那里，让人有点不寒而栗的感觉。

我们的车也因为压到地面的飞机碎片而爆胎，有几个北方联盟的士兵来帮我们换轮胎。就在我奇怪自己怎么遇到了“雷锋”的时候，他们已经向我伸出了手。我对当地人的幻想彻底地破灭了，告诉自己，在喀布尔，不管在哪里，都是一个需要付出金钱的地方。

这个机场是民用飞机和军用飞机共用的，虽然停机坪分开，但是跑道却是同一条。要重开机场，首要的任务就是清理和维修跑道。当我们的车开到主跑道的时候，发现一群排雷工作人员正在紧张地进行测试工作。来自英国的工程师告诉我们，美军在轰炸的时候，是每隔二三百米扔一个炸弹，这样就使得跑道完全不能够使用，而现在他们发现有一颗美军投放的炸弹并没有引爆，反而陷入了地下。现在，他们正在测量正确的位置，方法有两个：一个是起出来，还有一个就是引爆。关键要看炸弹的深度了。

我们的车再往前开，在跑道的尽头，可以看到民用飞机的维修工作正在展开。

阿富汗有两家航空公司，其中阿利亚纳航空公司负责经营国际航线，而巴赫塔尔航空公司负责国内航线。由于内战的关系，航班一直没有正常运行，加上联合国制裁的影响，阿利亚纳的国际航线也严重受阻。在美国向塔利班开战之后，阿富汗所有民航服务都已经停止，至于还要多久才能够恢复，除了等候跑道的修复之外，领空飞行权也需要美国方面的准许。尽管如此，他们还是在进行准备工作。

这天晚上，对于我的这些男同伴来说，是这些天最兴奋的晚上了，因为我终于同意到喀布尔电视台去看看那位16岁的女主持人。

还没有到达喀布尔的时候，我们就已经听说，在有限度恢复运作的喀布尔电视台里面，有一位16岁的女主持人。在这个女性曾经受到很多限制的地方，这位年轻的女孩格外引起我们的关注。于是我们决定到喀布尔电视台去采访，除了看看电视台的运作情况，也十分希望能够遇到这位16岁的年轻女孩。

因为电视台运作是有限度的，所以晚上6点才开始工作。我们到得太早，一开始只能够在办公室里面等。到了6点整，有人带我们到演播室。所谓的演播室，应该是整个电视台的运作核心，录像、播放全部在一间房间里面。我们进去的时候，已经有几个女孩子坐在那里，包括那位16岁的女主持人。不过坐在几个女孩子的中间，大家都没有太留意她，因为她的外表看上去实在不像16岁的样子，非常成熟，化了妆，很漂亮。虽然她还是一个学生，但是和其他女孩子不同的是，她喜欢这份在大部分阿富汗人看来抛头露面的工作，她的理想是成为一个出色的女记者。

在喀布尔电视台里面，年轻的女主持人并不缺少，30多名员工当中，三分之二是女职员。其实在塔利班统治之前，在电视台工作的女性就非常多，而且还出现了很多著名的女主持人，但是现在大部分都已经离开了喀布尔，到国外居住了，因此在电视台重新提供广播服务的时候，需要重新招聘女主持人。一位只有16岁的女教师因感兴趣而来到了这里，但是这份工作对她来讲，只是短时期的。

我们做完访问，正好是他们晚上7点的新闻节目。我们惊讶地发现，原来在这么简陋的条件下，他们的新闻也是用直播的形式。一男一女双主播，稿子是靠手写，很少有画面的片段，即使有，在画面质量上总是有这样那样的问题。尽管我们用专业的眼光去挑剔，但是他们能够做直播已经让我们非常佩服了。

新闻播报员的年纪相对要大一些，他们的稿子都必须由北方联盟派来的总编辑兼台长审核。

这个台长来自北方的北方联盟根据地，穿着皮衣，戴着茶色墨镜，很浓重的军人的感觉。我问他为什么所有的新闻都是北方联盟的活动，他说，这是宣传的需要。非常坦率。

离开的时候，我们看到喀布尔电视台残缺了一个角的卫星接收锅状天线，在月光下面有一个残缺不全的剪影，我们很想拍下来，可惜没有足够的照明。那种感觉，深蓝的夜空，惨白的月色，残缺的卫星接收器，只有在喀布尔才会看到。

2001年12月2日　卢格尔省　晴
我们遇到了塔利班。

今天我们着实自己把自己吓坏了。在喀布尔待了一个星期，忽然觉得应该出去走走。听同行告诉我们，相邻的卢格尔省会找到有意思的故事，于是我们出发去卢格尔。

卢格尔省位于喀布尔的南面，在这里居住的大部分都是普什图族人，不像喀布尔那样是不同的民族杂居。也因为这样，塔利班在当地有着强大的支持力量，塔利班一名重要的将领以及塔利班在贾拉拉巴德的省长都来自这个省份。

阿富汗一共有32个省份，在人口分布方面，普什图族人占了38%，其次是塔吉克斯坦族人，占了25%，其余的还有乌兹别克族和哈扎拉族等。在阿富汗，普什图族语和波斯语是官方语言，九成以上的居民信奉伊斯兰教。正是因为这样，如果由北方联盟的领袖来统领阿富汗的未来，普什图族人显得并不是很认同，因北方联盟的主要人物都是塔吉克族。

塔利班在撤离喀布尔之后离开了卢格尔省，北方联盟也已经派出自己的军队和省长，但是能不能够得到这个地方民众的真正支持，是我们关心的问题，因此我们决定去看一看。

虽然在卢格尔和喀布尔交界的地方，我们还是可以看到驻守的北方联盟士兵，但是进入卢格尔省之后，已经看不到北方联盟士兵的踪影了。在省政府门口，驻守的全部都是穿着打扮和塔利班没有两样、拿着武器的当地人。接待我们的人自称是当地武装的司令。而我们也了解到，塔利班撤离之后，把所有的武器留给了当地人。不少来自本地的塔利班士兵，因为不愿意去南部，也留了下来。他们有的待在家里，有的则变成了当地武装的一部分。目前光是在省城中心，就已经有了250多名士兵，当中很多都是原塔利班士兵。就在我们等待他们的省长的时候，他们告诉我们，就在之前一个晚上，美军轰炸了当地的一个小村庄，虽然没有伤亡，但是他们非常不满，塔利班已经撤离，为什么还要继续轰炸他们？于是，我们让他们带我们去看看现场。

我们踏上山路，去找被美军轰炸过的村庄。当地的武装部队司令在前面的车上带队。事先，他已经告诉我们，在他的这些手下里面有不少原来是塔利班士兵，他们在塔利班撤退之后投靠了当地武装。他们手里的武器，全部都是塔利班离开的时候留下的。虽然如此，一开始我们并没有太特别的感觉，我们的摄影师还坐上了士兵的车。

一路上，我从车窗看着前面拿着枪的士兵，忽然想，我是不是不应该跟着他们？小翻译在一边嘟起了嘴说："你凭什么相信他们？连我们阿富汗人也不相信阿富汗人。"我没有出声，每次前面的车子停下来，胖司令走下来望一望我们的时候，我总是担心会不会有事情发生。但是，每次胖司令看我们一眼之后，又重新上车往前开，让我更加摸不着头脑。

车子渐渐驶入荒无人烟的山路，连为我们开车的北方联盟的老兵也开始用敏锐的眼神向四周扫视，神情变得非常严肃。当车子在这个空旷的山地停下来之后，我们走下车，望着四周把我们团团围住的山和空无一人的山地，对着镜头一向十分镇定的我，讲话都不利落了。

当地人介绍，就在这些山头里面，仍然有隐藏的塔利班士兵，因此美军飞机经常在附近盘旋。而在毗邻的霍斯特省，更是因有大量的巴基斯坦籍以及阿拉伯雇佣兵在山洞里面匿藏，美军经常进行轰炸，不过没有想到轰炸了他们的地方。

老司机催了我们两次，我也不再坚持。看到我们说要走，护送我们的当地士兵也松了一口气。在回省政府的路上，这些士兵的心情和来的时候大不相同，开始高声地唱起歌来，拿着的火箭炮跟随着歌声一起摆动。我坐在后面的车上，别的不担心，就担心经常把枪口无意地对准我们的这些士兵会不会走火，因为他们看上去实在不像是专业的士兵。

虽然塔利班撤离，表面上战争已经结束，但是北方联盟并没有真正控制这些地区，不管是军事上还是行政上。虽然北方联盟在塔利班撤离之后马上派出一名代表出任省长，但是卢格尔省人比他们早了八天，已经用投票的方式选出了一位当地人来担任省长。而我们来采访的时候，他们召集了省内七个区的代表来讨论区内安全的问题，没有包括北方联盟任命的代表。

胖司令让我不要待在户外。在这个普什图族人聚居以及有很多塔利班支持者的地方，我自己都感到我的出现，不像在喀布尔带给他们的是好奇，在这里，我的出现，似乎是骚扰了他们。同伴提醒我披上头巾，因为即使在室内，还是有一些士兵站在窗外，用一种恶毒的眼光看着我。对于他们来说，女性是不应该抛头露面的。我和胖司令做访问，我习惯性地坐到他的身边，他马上站起来，尴尬但很坚定地说："对不起，你不能坐在我的旁边。"最后，这个访问只能够由翻译帮我拿着话筒，坐在他的身边。

卢格尔省民选省长是一个看上去70多岁的老头，走路都已经不太利索，但是应该相当有威望。我们问他，在这样的情况下，最后是不是只会有一个省长？他不肯做出直接的回应，只是一个劲地表示，会和对方好好合作，一起来管理好卢格尔省。他还说自己和对方私交不错，因为对方同样是在卢格尔土生土长的。但是实际上，北方联盟派来的代表最后只能够控制自己居住的一个区，而喀布尔派驻的1 000多名士兵，目前只能够待在那里，没有办法控制卢格尔省。而这种情况，在其他普什图族人聚居的省份同样出现。当地人表示，不会承认北方联盟政府，他们等待的，是波恩会议尽快地有一个方案，让他们自己来选出自己的领袖。

虽然老省长口口声声说欢迎我们的到来，但是他自始至终没有正眼看过我一眼，就算道别的时候，他也拒绝和我握手。

访问的时候，他口口声声地说他们不反对妇女参加投票，但是我能够相信他们讲的吗？

今天下午回到洲际酒店，在平时贴新闻通告的地方，"BAD NEWS"几个字怵目惊心。原来就在前一天晚上，就在喀布尔，一个同行被入屋行劫的当地人开枪打死了，听说这个开枪的人只有十几岁。看到这个消息，我和我的同伴们变得沉默起来，虽然我们不认识这个遇害的同行，但是在这里的记者们，大家都已经有了一种生死与共的感觉。

2001年12月3日
阿富汗的孩子，他们的未来有希望吗？

离开家已经两个星期，我开始挂念我的小若梵了。不过我没有怎么打电话回家，因为这是我的工作习惯，不希望自己的情绪因为家庭而受到干扰。到现在为止，我打过一次电话回家，就是安全抵达了喀布尔之后的第二天，周兵命令大家，一定要打电话回家报平安。不过若梵不知道阿富汗在哪里。

我们四个人经常议论说，阿富汗什么都缺，就是不缺孩子。走在喀布尔的每个地方，总是能够看到孩子在你的眼前晃来晃去。周兵的口袋里面老是揣着一包糖，对于乞讨的孩子来说，虽然拿不到钱，拿到糖也是不错的选择。

阿富汗的孩子都长得很漂亮，大大的眼睛，长长的睫毛，弯曲的头发。虽然国家很穷，但是孩子们的脸看上去都是胖乎乎的。在街上，经常可以看到五六岁的孩子像抱玩具一样抱着比自己小不了多少的弟弟妹妹。

车子经过这些孩子的时候，我总是会望着他们出神，我只想回去告诉我快要5岁的小若梵：你真的很幸福。

战争和贫穷，使得阿富汗的孩子们没有办法预见自己的未来。在阿富汗，孩子的出生死亡率是15%，即使能够成长，也要面对饥饿、贫穷和战乱。阿富汗的教育事业落后，根据世界银行的统计，文盲大约占了总人口的64.9%，妇女的识字率更是只有两成。

不过在喀布尔的一家聋哑人学校里面的孩子就幸运多了，因为他们得到了联合国儿童基金会的帮助，可以在这个特殊学校里面上学。

虽然阿富汗有免费教育，但因内战不断的关系，更多的孩子只能够在街头流浪，或者是小小的年纪就要帮助家里人来挣钱养家。

联合国儿童基金会表示，为了帮助阿富汗的孩子们，他们首先要做的就是帮助这里被炸毁的学校进行重建，同时发展家庭学校，使得孩子们在过渡期内仍然有机会接受教育。第二步的工作就是要让更多的女孩子上学。而第三个步骤，就是要为阿富汗培训符合资格的教师。但是到目前为止，这些计划只能够是短期的。

单单是半年的计划，联合国就估计需要600万美元。至于新政府成立之后的中长期五年计划，基金会正在为经费的来源而发愁。他们已经走访了多个国家，包括美国、英国、法国和日本，希望这些国家的政府能够捐助联合国儿童基金会，让更多的阿富汗孩子可以和这些孩子一样有接受教育的机会。

和别的孩子比较，出生在这个战乱的国家已经是一种不幸，更何况是残疾的孩子。在喀布尔街头，总是会看到无家可归的流浪儿们。大人们连自己都顾不上的时候，又如何来照顾这些将来长大都很难自立的孩子！不过孩子总归是孩子，在我们的镜头面前，这些有残疾的孩子还是和正常的孩子一样，在母亲的怀里撒娇。聋哑孩子的手语表演，加上他们专注的神情，会让你相信这些孩子同样也有生存和受教育的权利，即使是在战乱的地方。

在喀布尔这段时间，吃饭是困扰我的问题之一。一开始，我们还有几包方便面，但是两天就吃完了。还好有杂货店，但是总不能够每天都吃干粮。于是，我们开始在喀布尔寻找餐厅。

我们没有想到的是，在喀布尔这个外界以为寸草不生的地方，也有装潢讲究、设施也算齐全的餐厅。这里的菜单非常简单，只有烤羊肉、烤牛肉、烤鸡肉、羊肉饭、羊肉球和所谓的沙拉——只有几片水分都已经蒸发完了的萝卜沙拉。对于不吃羊肉的我来说，唯一的选择就是烤鸡。一个多星期下来，每天两顿烤鸡肉，实在让我的胃难以承受，于是我决定，今天绝食一顿，清一清我的肠胃。

因为没有选择，每天都要到这里吃饭的关系，我们认识了这个餐厅的老板，然后才知道，原来这家餐厅是电影院改建的。走过厨房，可以看到被塔利班破坏得不成样子的电影院。老板说，他很想重建，但是重建需要5 000美元。

经营餐厅的老板来自马沙里扎里夫，原来是一个销售员，塔利班占领和控制那个城市之后，因为把胡子剪短了，违反了塔利班的规条，他被投入了监狱，之后逃到了喀布尔。当时因为可以免费利用这里经营餐厅，于是他在这里开始了他的生计。之后，塔利班要求将这里改建为清真寺，他虽然不愿意，但是也只能够关闭餐厅。等到塔利班离开喀布尔，他再回到这里，发现整个餐厅已经被塔利班士兵洗劫一空。他花了很长时间来重新装修，现在才刚刚开张。

老板当然不喜欢塔利班，不过现在，为了安全，他还是要雇用当地的北方联盟的士兵为自己看场子。在他的餐厅里面，还有一个会讲俄语的阿富汗人，因为他喜欢唱歌跳舞，所以在塔利班的时候也给关进了监狱。不过今天晚上，他可以尽兴地表演给我们看。

虽然这里经常充满笑声，但是目前的局势对他来讲不算稳定。新政府的问题还在遥远的波恩进行讨论，作为一个普通的阿富汗人，老板只是希望能够有一个得到阿富汗人民支持的新政府，来帮助他们尽快展开新生活。

经过这些天，我觉得阿富汗人还是蛮懂得经商的。看到这么多外国人在这里，像洗衣店、杂货店还有出租车行业，都特别发达。不过他们也有一个很大的弱点，就是数学特别差。有一次我们去买水果，和对方讲价，我们提出每公斤50万阿富汗尼可不可以便宜10万阿富汗尼，打点折。他们觉得自己吃了亏，死也不肯让步。但是等我们换一个方法，说不如这样，我们买多一些，要七公斤，不过我们就给他250万阿富汗尼怎样，他居然答应了。

今天已经是我们第三次让中国驻塔吉克斯坦大使馆的夏参赞给我们改从杜尚别到阿斯塔纳的机票。之前的两次是因为我们觉得应在这里多花点时间，但是现在这一次却是非常无奈，因为从喀布尔到杜尚别的直升机自从11月28日之后就再也没有飞过，我们问了几次塔吉克斯坦外交部，他们每次都是说，等一等消息吧。

香港的其他传媒都已经坐联合国的飞机直飞巴基斯坦的伊斯兰堡了，整个喀布尔这个时候真的只剩下我们这四个华人了。为了给自己多留几条后路，今天中午，我去订了联合国的飞机。等我填完表的时候，我们能够买到的已经是12月20日的航班了。想想不知道什么时候能够离开这里，大家的情绪开始变得有点低落起来。至于我自己，我倒觉得无所谓，因为对于我来说，既来之则安之。林明也和我一样，我们说，船到桥头自然直，大家还是快快乐乐地打牌吧。

今天我们打了三个小时。在我们的培养下，David的牌技已经大大提高，结果大家已经有点难分难解。我们在集市上花了20万阿富汗尼买的两副中国浙江生产的扑克牌已经成为我们晚上睡觉前唯一的消遣。因为喀布尔晚上10点钟之后宵禁，其实从8点钟之后就漆黑一片，我们每天晚上的活动就是待在房间里面，剪完片子，一边传送一边打牌。

2001年12月6日

我们去采访医院，没想到却困难重重；之前还发生了病人向记者开枪的事件。这样，我们倒越发希望去医院看一看。

我一直想到医院去看看，但是每天都有很多的采访题材，医院的内容让我一拖再拖。今天我们选定了一家由红十字会赞助的当地公立医院。但是来到医院的门口，却遭到了阻拦。翻译告诉我们，这家医院的院长说，因为在昨天，在其他医院发生了病人向记者开枪的事件，所以卫生部刚刚发了通知，所有的公立医院不能接待没有拿到卫生部许可证的记者。

于是我们去卫生部申请许可证。没想到非常简单，负责人问我要的许可证是要到哪几家医院，我说就一家，他说那就简单多了，他找个人陪我。在卫生部工作人员的陪同之下，我们终于能够进入医院进行拍摄了。不过这次，我们先去了一家事先已经联系好的私家医院。

这家医院是由意大利私人机构赞助的，位于喀布尔市中心。住在里面的包括很多北方联盟的伤兵，虽然受了伤，但是也许因为已经习惯了战争的生活，有的士兵向我表示，他不害怕战争。

虽然这家医院从外表来看非常漂亮，设备也很齐全，但是仍然能够在这里找到战争的痕迹。

在成为医院之前，这里是一家由德国人赞助的幼儿园。内战的炮弹，炸死了这里的五个孩子。在出事的地方，医院种上了玫瑰花，提醒大家在这个平静的医院里面曾经发生过这样的悲剧。

和私人医院相比，喀布尔的16家公立医院显得格外残旧。我们重新来到那家由国际红十字会赞助的医院，里面住的全部都是平民病人，不单医院的楼房本身年久失修，使用的器材也相当残旧，即使是在重病房里面，也不过是多了一些输点滴的设备。

而在儿童病房，有一半的小病人是因误踩了地雷或者是误拿了燃烧弹而受伤入院的。一个4岁的阿富汗孩子就是因为把美军投放的燃烧弹当成是空投的饼干而被烧伤的。就在我们对他做完访问之后，他突然说了一大串话，陪同我们的医生翻译给我们听，说他问我们能不能给他一点钱。

我愣了愣，没有想到只有4岁的孩子已经知道向别人要钱。看着他瞪着大眼睛，我不知道他明不明白钱到底是怎么回事。我相信这一定是坐在他旁边的大人教他的。病房里孩子太多，我知道我帮助不了这么多，于是我等到走出病房，才拿出20美元，委托医生交给孩子的家里人。

在阿富汗，医生是人们最向往的职业。但是由于战乱，政府在经费方面出现严重困难，即使是这些得到国际机构资助的医院，虽然在药品方面每个月还能够维持基本的供给，但是在这里工作的医生已经有好几个月没有拿到一分钱的工资了。

资助的经费有限，大量的病人又需要大量的医生，可是新聘请的医生因为不在预算范围之内，因此他们的工资开支成为医院最伤脑筋的问题。为了维持家庭开支，这些医生有的已经开始变卖家里的地毯、家居用品。尽管如此，他们还是觉得自己应该在自己的工作岗位上治疗病人。

临走的时候，陪同我们的医生用一种非常为难的语气对我说："你能不能给我一些钱？"我知道他十分尴尬，但是当我看到一个大男人在向我这样一个女人开口要钱的时候，我比他还要窘迫。我看看我身边的小翻译，他一天可以赚100多美元，但是这里的医生因为救死扶伤的责任心，没有因为可以到外面赚钱而离开自己的岗位。为了避免他更多的尴尬，我特地和他走到一个角落，把钱给了他。虽然我们在喀布尔这段时间，因为有太多的乞丐，我们已经下定决心不再施舍，但是这个医生，我觉得自己不能够拒绝他。

2001年12月9日　喀布尔

联合国派发粮食，我们的摄影队受到骚乱民众的围攻。当地的民怨可谓一触即发。

联合国世界粮食组织设在喀布尔的粮仓，专门负责向喀布尔以及阿富汗中部地区的民众提供粮食援助。从8日开始，粮食组织准备一连七天向喀布尔有需要粮食的家庭派发粮食。在派发工作进行前，我们率先采访了世界粮食组织。

领取粮食首先要进行登记，由粮食组织的调查员上门进行，每个符合条件的家庭可以获得一张领粮券。粮食组织估计，这次可以帮助2万到2.5万个家庭，也就是大约10万名喀布尔需要粮食的民众。在这个仓库里面，一共有1 300万吨从巴基斯坦运来的粮食，每个家庭可以分到50公斤的粮食。而粮食组织相信，可以维持一个六个人的家庭一个月的需要。虽然这次派粮只是一次性的，但是粮食组织会根据调查资料，有选择地向那些特别困难的家庭提供持续的援助，比如寡妇、老人等等。

粮食组织还计划在12月底前完成向阿富汗中部地区派发粮食的工作，这样就可以让民众有足够的粮食来度过长达三个月的冬天。不过由于战争还没有完全结束，粮食组织表示，一开始在运送粮食的过程当中还存在危险，塔利班和反塔联盟在停战问题方面没有取得共识。但是在2001年两次的间接会谈当中，双方同意在国际红十字会的监督下交换战俘并且开放公路，为国际人道主义援助提供便利。尽管如此，运粮的车队还是经常会受到袭击。虽然现在交通安全情况已经改善，却又面临另外一个困难，就是天气冷了，如果下雪的话，所有的路都会被雪封死。

听说昨天第一天派发粮食的工作相当混乱，于是我们决定今天去现场看一看。我们挑选了位于市中心的派粮点。9点钟不到，已经可以看到很多民众一早就来到这里等待。他们手里面拿着一张领粮券，凭券就可以换取50公斤的粮食。想到马上可以有粮食过冬，很多人显得非常兴奋，特别是孩子们，在空地上追逐游戏。而有的就围着我们，好奇地观看。胆子大一些的，还会上来和我们用英语聊两句。但是到了早上10点多，还看不到粮食组织运送粮食的卡车的踪影，而且连曾经出现过一会儿的粮食组织的工作人员也不见了。人群便开始骚动起来。当地民众告诉我们，昨天，也就是派粮的第一天，因人太多，而且没有人来维持秩序，结果在这里只发出一卡车的粮食就匆匆收场。这也使得第二天前来领粮的人越来越多。

为了怕发生意外，男同胞们让我先上车避一避。最后情况确实到了不能收拾的场面，连David也受到民众石子和鞭炮的袭击。还好David当机立断，决定撤离这个地方。

我们到第二个发粮地点，发现情况也是一样，挤满了已经显得非常不耐烦的人，一看到我们就大发牢骚，有的人早上5点多就来排队，但是一点结果都没有。

为了了解情况，我们马上赶到世界粮食组织在喀布尔的仓库，结果发现一车车装满粮食的卡车停在仓库内，司机们表示他们也在等候消息，不知道今天到底还发不发粮食。负责人让我们到总部去了解情况。

到了总部，发现门口也挤满了民众，有的是来询问到底还发不发粮食，而几十名妇女则是来问，为何他们的家庭就领不到派粮券。而在总部内，工作人员正在和警方以及军方召开会议，之后，他们决定第二天还会继续派发。

从我们的观察来看，这次发粮的失败，在于没有和政府合作，尤其是军队和警察。在喀布尔，因为民众正处于一种无政府的状态，加上怨气，所以一点点的刺激，如果控制不好的话，都会酿成一定程度的骚乱。

晚上我们正准备外出吃饭，一班法国国家电视三台的人闯了上来。他们说，听说我们拍到了派粮非常混乱的场面，想向我们过带子。我觉得非常神奇，原来在同行之间真的没有任何秘密，不过不管怎样，作为一个电视台，别的行家向你拿片子，就证明自己的新闻判断没有错。想到我们凤凰卫视的名字会用法语出现在法国电视三台的屏幕上，倒是一件相当有趣的事情。

这天晚上，David 显得特别严肃，我想是因为我的问题。我在连线的时候告诉观众，我们的摄影师遭到袭击，于是 David 的太太便相当紧张，David 要花很多的时间来解释自己并没有发生什么事情。

对于我们四个人来说，在喀布尔的日子，相互之间没有一点的秘密，因为我们除了上厕所的时候，其他的时间都在一起。我们已经习惯了在被窝里面脱衣服，或者是早上起来，当别人穿衣服的时候，把头蒙在被子里面。而当我要换衣服的时候，就会让其他的三个人背转身去，一切都很自然。

2001 年 12 月 10 日　喀布尔
原来当地的民众真的需要通过适当的暴力来维持秩序。

我们决定继续跟进派发粮食的情况。我们来到市郊的这个派粮点，发现秩序明显比以前要好，发粮工作正在进行。和以前不同的是，今天可以看到手持武器的北方联盟士兵，而他们只要一看到不遵守秩序的场面，就会采取行动，不管男女，拿起皮鞭或者是枪杆子就打。

也许正是因为这样，排队领粮的队伍相当有秩序。人们听从安排，前一天的混乱荡然无存。

而在领取粮食的时候，程序也相当严格，除了派粮券，还要在手上打上手印，确保不会出现钻空子的情况。

其实对于喀布尔当时的情况来说，治安维持属于真空状态。因为距离临时政府的上任还有一段时间，北方联盟只有为数可怜的警察队伍。我们的车每天在市中心经过，看到的都是那些年纪已经不轻的警察，来来去去就那么几个。而即使临时政府运作的时候，也还没有自己的军队。在这样的情况下，国际社会提出要向喀布尔派驻由英国统领的多国部队来维持喀布尔的秩序。不过多国部队的人数问题又成为多个国家和阿富汗未来的临时政府之间争论的焦点，还有，到底是只能驻守在喀布尔还是也可以到其他地方的问题也在争论。

就在多国部队的问题还在纠缠不清的时候，我们没有想到，在荒废了很久的美国大使馆，我们居然看到了美国海军陆战队的士兵。

他们相当高调，在使馆大楼的顶部筑起工事，并且架起了机关枪。在使馆内的空地上，透过大门上的弹孔，可以看到拿着武器的美国便衣特工。而在使馆边上的空地上，荷枪实弹的美国士兵甚至走出使馆门外和别人聊天。他们说是12月9日深夜进入使馆的。而一个当地人打扮的美军，更是讲一口流利的普什图语，如果不是他的美国口音，还真的难以分辨。

9日夜晚对于我们来说，是来到喀布尔以来最不平常的一个夜晚。差不多晚上十点多的时候，已经躺下睡觉的我们，忽然听到夜空里面传来隆隆的声音，不过我们分辨不出来到底是什么声音，然后随之而来的是从远到近的狗叫声。David特地爬起来到窗口趴着看发生了什么事情，但是他说只看到一片漆黑。现在，我们终于明白了，那种声音应该是美军直升机的声音。

相对于美国大使馆，英国使馆就要低调得多。使馆的外貌看来并没有怎样受到战争的影响，清洁工人正在进行清理工作。使馆的墙内堆砌了高高的沙包，很多地方用军用帷帐围了起来。第一批英军是在11月18日抵达喀布尔的。虽然在这里看不到英军士兵，但是使馆外空地上的英军干粮的包装，让我们觉得他们应该就在里面。

随着临时政府在22日正式运作，不少国家已经派出先头部队到达喀布尔。德国大使馆正在进行装修工作。在战争期间，即使是使馆也留下了战争的痕迹。

使馆人员告诉我们，由于使馆外观受损的程度相当大，因此维修工作需要一定的时间。

法国大使馆要幸运得多，并没有受到任何的损坏，我们希望能够拍摄里面并且采访大使，不过没有成功。

日本大使馆同样位于使馆区，由于长年被废置，整个使馆显得非常荒凉，不过可以看到使馆大门外刚刚装上的铁锁，显示不久前曾经有人到访。事实上，日本政府在12月初就已经派出一个工作小组到了喀布尔，商讨重建使馆的问题。而我们还从日本记者那里得知，在20日，日本会派出一个高层代表团来观礼。

这两天，在波恩会议有了结果之后，我一直在追踪北方联盟领袖拉巴尼的反应。

拉巴尼，北方联盟领袖，1992年的时候，出任阿富汗伊斯兰国过渡政府总统，在塔利班撤离了喀布尔之后，他回到了喀布尔，并且住进了总统府。拉巴尼也是一位学者，写过许多有关伊斯兰以及阿富汗问题的书籍，他被外界视为温和派的伊斯兰组织领导人。虽然北方联盟在临时政府里面占了绝大多数，但是身为领袖的拉巴尼却没有任何职位。波恩会议期间，从一开始强硬反对，到最后妥协，拉巴尼怎么想的，是我们最为关心的问题。

为了约拉巴尼访问，我们每天都要到拉巴尼的发言人的办公室走一走。每次他都会问我们：中国怎么还没有表态？于是我们反过来问他：作为阿富汗，希望中国做什么？

他说，希望中国在阿富汗和巴基斯坦之间能够起到一个调解人的角色。除了希望中国能够在阿富汗问题上发挥更多的作用，为阿富汗的和平创造条件，他还表示，中国和阿富汗是邻国，虽然中国不是伊斯兰国家，但是中国也有很多伊斯兰信徒，两国有着很多共同的利益，阿富汗愿意和中国保持友好的关系，他希望我们把这些话转达给中国。

而北方联盟领袖拉巴尼在波恩会议有了结果之后，再也没有公开露面。不过每天他都在和各界人士开会，因为虽然他没有在临时政府得到任何职位，但是他仍然是反塔联盟的领袖。

而在今天，他们刚刚就多国部队的问题拟订了一份声明。

和联合国维和部队不同，多国部队是在得到了联合国安理会的批准之后协助对方维持治安的部队，除了美国希望派出军队，以英国为首的国际安全援助部队也就是ISAF也正在和阿富汗商讨有关派驻军队的问题，希望能够进驻喀布尔协助临时政府进行治安工作。

北方联盟的声明内容包括：

同意多国部队进驻；
驻期至临时政府任期结束；
必须是由不同国家的部队组成；
必须接受联合国的管理和指令；
驻地必须和阿富汗军方以及治安部门商议决定。

拉巴尼在波恩会议期间曾经表示过，多国部队的人数应该维持在200人到300人之间，但是现在却并没有明确提到人数的问题。就在这一天，联合国驻阿富汗特使卡拉西米来到了喀布尔，和拉巴尼、国防部长法希姆开会。卡拉西米在记者会上表示，对于向阿富汗派驻多国部队，人数并不是一个问题，他说，多国部队是来帮助阿富汗人民的。

这位联合国的特使，在此前就曾经为阿富汗的和平而努力过，虽然失败了，但是这次他显得相当有信心。

2001年12月13日
我们亡命追车，快把司机逼疯了。

听外交部的官员说卡尔扎伊今天可能去拜祭马苏德，于是我们在他下榻的总统府门口等候。突然，我们看到四辆车——两辆吉普和两辆军车从总统府驶了出来，直觉告诉我，这应该就是卡尔扎伊的车队。车队向着喀布尔郊外开去，等候在门口的传媒，包括我们，马上驱车追赶。不过能够跟上车队的传媒的车并不是太多，我算了一下，应该只有我们，还有CNN和美联社。一路上，我们三辆车你追我赶，都希望能够紧贴住卡尔扎伊的车队。

半小时之后，卡尔扎伊的车队突然在喀布尔和鲁哈省的交界处停了下来。卡尔扎伊下车，和早已经在路边等候的当地官员以及军方代表一一握手。这是我们第一次亲眼而且也是近距离看到这位临时政府的领袖，戴着毡帽，很年轻也很有精神的样子。

卡尔扎伊的车队向着北方联盟根据地潘杰希尔谷地开去。路越来越难走，之后干脆就没有路了。因为我们三辆车紧随在他的车后面，加上车速快，我们的前面全部都是汽车轮子掀起的尘土，司机只能够凭着直觉开车。开到一半的时候，我们的司机说要加油。看着他加油的样子，我都快急疯了，因为我可不想花了半天的工夫而功亏一篑。

而卡尔扎伊的目的地，便是北方联盟已故领袖马苏德的墓地。还好看到后面传媒的车还没有全部跟上，卡尔扎伊的车在马苏德墓地下面的空地等我们到齐，并且给我们足够的时间到墓地前摆好机器。这个时候我们发现，原来已经有几家媒体比我们先到了这里。

卡尔扎伊在北方联盟国防部长法希姆的陪同下，进入还在建造当中的马苏德的墓地，并且进行祷告。

虽然马苏德被暗杀已经有一段时间，但是回想起这位将军，不少人还是热泪盈眶，就连卡尔扎伊也忍不住流下了眼泪。

不过我们来这里的目的不是拍他拜祭马苏德，我们需要的是他回答我们的问题。看到祈祷仪式马上就要结束，我马上让David跟着我到墓地的出口处等他。

这个时候，CNN的记者已经摆好了架势，等着卡尔扎伊出来采访他。由于对方没有拿麦克风，用的是鱼竿吊咪来收音，所以我犹豫了一下：会不会是CNN和卡尔扎伊约好了做访问？我如果拿着麦克风冲过去会不会不太礼貌？不过也就是几秒钟犹豫的工夫，看到卡尔扎伊没有回答CNN的第一个提问，我马上把咪递了上去，而他诧异地看了看我，对于我的提问马上作出回答。看到他居然回答我的提问，半岛电视台的女记者也马上递上了话筒，于是凤凰和半岛电视台的标志，双双出现在卡尔扎伊的面前。

有的时候，我觉得凤凰和半岛有相似的地方，就好像进行采访的时候，我和半岛的记者特别会把话筒放在最前面，也许这就是刚刚冒起的电视台的常规动作。

看着卡尔扎伊上车，我感叹这次亡命追车没有白干。而这个时候，还有其他的记者才陆续到达，不过卡尔扎伊的车队已经离开了。我想我们真的算是很幸运。

不过现在我开始为回去发愁了。因为我必须在两个小时之内赶回喀布尔，还有卫星连线在等着我。这条路就是我们第一天进入喀布尔的路，当时用了五个小时，刚才来的时候，虽然已经很快，但是也要两个半小时。我掏出100美元对司机说：如果你能够在两个小时之内回到我们住的地方，这100美元就是你的了，如果不行的话，一分钱也没有。

司机二话不说，踩起油门就往回赶。我看了看他的时速表，时速达到了120公里。结果，司机用了不到两个小时的时间把我们送了回来，还有10分钟，我的卫星直播就开始了。

2001年12月19日
我们中国代表团来了，第二批采访小组也来了。我们采访了英军。

代表团在早上10点抵达喀布尔，同行的还有凤凰卫视第二批采访队，以及新华社首批进入的记者。

我们因为和当地的外交部在一起，所以能够进入停机坪。看到中国工作小组组长张敏，我马上递上话筒。张敏表示，这次他们的任务是为大使馆的重开做准备。

这次在喀布尔的访问，让我和中国外交部亚洲司的官员打上了交道。就在我们到了喀布尔一个星期的时候，我接到外交部的电话，向我们了解喀布尔的情况，因为中国正准备派出工作小组，但是他们不知道该带什么，不应该带什么，而当时我开玩笑说我们四个人忘记了带拖鞋。这次他们真的给我们带来了。

张敏等几个官员坐上当地外交部的车离开机场，其他的成员也上了另外一辆面包车。不过同机来的新华社的同行却不知道到哪里去。我说，不如坐我们的车，到我们的住处去吧。周兵和林明陪着我们的同事先回住的地方，我和David留下来拍摄英军。虽然英军很早已经到了喀布尔，但是他们从来没有公开露面，这次让传媒拍摄，主要是配合重大消息的公布。

英军在示范如何确保跑道的安全。一位在一个月前抵达喀布尔巴格拉梅军用机场的士兵表示，在恢复跑道安全工作的时候面临很多困难，除了语言障碍，每天还要面对大量没有清理的地雷。

和美军一样，他也表示自己和北方联盟的士兵相处得还不错。不过以英军低调的性格，我们也相信这是事实。英军还特地安排了他们和美军一起在机场巡逻的场面让我们拍。

英军特地安排传媒采访在巴格拉梅机场内的士兵，而这个安排曾经一推再推，并且在消息的发布时间方面做出很多的限制，这让我们感觉到有点不同寻常。英国在喀布尔的使馆工作人员表示，是接到伦敦的通知，传媒消息的公布必须配合英国伦敦稍后重大消息的宣布。虽然他们没有说到底是什么消息，但是我心中有数，看来多国部队进驻喀布尔为时不远了。

今天晚上是我们在喀布尔最热闹的一个晚上，九个人打地铺，头挨着头，人都动弹不了了。没有想到，在喀布尔的最后一个夜晚，我会和八个大男人这样度过。

2001年12月20日

离开喀布尔，忽然发现对这里的人、这里的事有点依恋。

早上6点，我们就拿着行李上车到联合国办事处，其他的同伴也陪着我们一早起床。结果我们住的地方又停电了，我们要靠电筒才能够安全地走下楼梯。

告别之后，我的眼前是宁静的喀布尔。20多天，我第一次看到了喀布尔的清晨，鲜红鲜红的朝霞，让整个喀布尔的街道也变成红色的了。

我们在喀布尔清晨的街头，留下最后一张合影。

在阿富汗的采访结束了，我终于要登上归程的飞机。那一天，阿富汗的天空是那么晴朗，湛蓝的天际只有白云在安详地飘浮着。我从空中又一次俯瞰这一片几近废墟的土地，心中无端地竟然浮起许多不舍和依恋。欢乐的阿富汗音乐在机舱里面回荡，与这片土地的哀愁那么不和谐。当我们所有人离开之后，阿富汗的人民又要面对怎样的未来呢？

飞机越飞越高，那些山峦和村庄也越来越小。我在心中静静地为这一片土地祈祷，和平的祝福在我的心头涌起，我希望它能够弥漫到世界的每一个角落。

祝福阿富汗，我们不说再见，因为牵挂，我也许还会再来……

（选自昆仑出版社《凤凰卫视闾丘露薇采访手记》，
2002年11月出版，作者：闾丘露薇）

在夏威夷参加张学良老校长的葬礼

2001年10月15日，101岁的张学良将军在美国夏威夷病逝。他没能等到“西安事变”纪念日的到来，但他的爱国精神将永远为后世所景仰。张学良先生曾担任过校长的东北大学的师生，留下了这些深情怀念的文字。

2001年9月28日，张学良老校长患肺炎住院抢救。从10月6日得到老校长病危的消息开始，东北大学每天与夏威夷保持着密切联系，随时了解老校长的病况。广大师生急切盼望老校长转危为安。然而，盼到的竟是10月15日14点50分老校长逝世的噩耗。那一刻，白山呜咽，黑水低吟，东大校园一片悲痛。10月19日，我们迈着沉重的步伐踏上了前往夏威夷送别张学良老校长的行程。当地时间19日上午10时，我们乘坐的飞机抵达夏威夷上空。

追思老校长

刚到夏威夷 Waikiki Resort 宾馆，我们顾不得长途跋涉的疲劳，放下行囊就去拜访老校长的亲属，向他们转达东北大学领导、老师、学生、校友以及东北家乡人民对老校长的思念之情和对各位亲属的问候。老校长的亲属对学校派人专程参加葬礼非常感动。

在夏威夷，我们见到了从大陆专程赶来的阎明复夫妇及其姐姐阎明光。明光和明复的先父阎宝航是老校长早年的挚交，姐弟二人又双双是东大校友。明复现在是中华慈善总会会长，又是东北大学北京校友会会长。明光现在是上海申大集团董事长。东北大学是从祖国大陆来的仅有的单位代表。我们与阎会长是老朋友，经过商议，决定由阎家和东北大学共同举办一个张学良校长追思会。

经过近两天的筹备，22日18点30分，追思会在ALA MOANA酒店举行。张学良老校长的女儿张闾瑛女士，儿子张闾琳和夫人陈素贞，闾琳的三个儿子及儿媳，老校长的妹妹张怀敏，四弟张学思的夫人谢雪萍，五弟张学森的夫人及女儿张闾蘅、张闾芝和在夏威夷时期一直负责照顾老校长夫妇的赵夫人的亲戚赵荔女士等应邀出席。我们还邀请了跟随老校长50年、当初是看守人员后来是老校长朋友的林渊泉先生，以及从老校长到夏威夷开始就一直在他身边工作的沈萍女士和她的丈夫共计50多人。

追思会由阎会长主持。阎会长深情地说，张汉公的一生是伟大爱国者的一生，江总书记对张学良先生的逝世十分重视，亲自发唁电、送花圈。国内很多地方都举行了悼念活动，深切怀念他老人家。阎会长请东北大学代表讲话。我们介绍了学校师生对老校长的深厚感情，并当场播放了来之前赶制的反映学校师生悼念活动的片子。伴着沉重的哀乐声，一队队老师、学生到老校长遗像前三鞠躬。看到灵堂外一排排挂在树上的学生自己做的千纸鹤，很多亲属泣不成声。我们还展示了东北大学全体师生和校友总会送的挽幛，并把学校悼念老校长活动的相册等纪念品分发给全体与会人员。整个会场的气氛十分真挚感人。

追思会上，林渊泉先生回忆说："张学良先生1946年刚到台湾时，看守他的宪兵有一百余人，直到1988年恢复自由之前，看守他的宪兵吃饭时还有四桌人。我跟随他50多年，直到他离开台湾。他非常怀念家乡，曾经三次提到要我陪他回大陆。第一次是1992年在台湾。第二次是1997年我来夏威夷看他。他让我单独推车带他到外面散步。他问我：'你有空儿（时间）吗？'我说：'干吗，去公园？'他说：'不是，是去那边儿。'我以为他说去那边公园。他用手指着海对面很远处说：'我想去那边儿（指去大陆东北），你陪我去。'第三次是1998年，他在散步时又说要去大陆看看。只是夫人怕他身体不行，一直未能如愿。"

林先生还回忆说，张学良先生常常讲起东北大学，说办个大学不容易，现在在沈阳还有东北大学，心里十分想去看看，看看东北家乡。

阎明光在回忆时说："汉公是个很幽默的老人。2000年6月生日晚会上，汉公问我：'明复在干什么？'我告诉他明复在做慈善事业，为穷人捐钱。汉公说：'你爸爸过去也办慈善，我也捐过钱。'然后，大家鼓掌让汉公唱京戏《武加坡》，他特别强调说唱的不是《武加坡》是‘五加皮’（中药），逗得大家大笑。他唱得很好，一个字不差。大家鼓掌叫好。他说：‘好就得给钱啊，不能白听戏。’一共收了40多元钱。他笑着说：‘这回有钱了。’还说：‘这事儿不能让你大娘（赵夫人）知道啊。’逗得大家哄堂大笑。”

在老校长身边工作过七年、负责照看老校长和夫人生活起居的护士沈萍，含着泪水回忆说：“老人家非常爱学习。他每天都让我给他读报、读杂志。他还非常关心别人，每次推他去散步，遇到路边有椅子的地方，他就要停下来，让我坐下来歇会儿，怕我累着。老人家对东北大学很有感情，在散步时，特别带上东北大学送给他的带有学校标志的遮阳帽，常常说到东北大学，很想去看看。”

是啊！老校长生前一直思念他的家乡和他亲手兴办的东北大学。他从1928年开始主持东北军政，就亲自兼任东北大学校长，一直到被蒋介石软禁。他捐献出他父亲留下的大部分遗产兴办东北大学，使东北大学一跃成为当时国内一流大学。此后数十年，他一直关心东北大学的生存与发展。1992年，他亲自题写校名，促成东北大学复名，并亲自出任东北大学名誉校长和校董会名誉主席。从1993年开始到现在，学校一直盼望他老人家能回到东北、回到东北大学看看。为此，学校每年都来看望老校长，汇报学校的发展变化。老校长每次都热情接待学校的代表，亲自过问学校的重大建设，还为东北大学题写“教育英才”四个大字。广大师生校友日夜盼望他老人家荣归故里……可是，我们盼到的却是……

隆重的公祭活动

夏威夷作为远离美国本土的一个州，坐落在太平洋中间。中华民族千古功臣张学良的公祭活动在这里举行。

10月23日上午，参加公祭的人流涌向博思威克殡仪馆。他们当中，有被人搀扶的白发老人，也有背着书包的孩子；有来自海峡两岸的贵宾，也有夏威夷当地的平民；有黄头发、蓝眼睛的外国友人，也有中华民族的子孙。殡仪馆门前，全副武装的当地警察正在维持秩序。人们自动排成一行，签名后走进殡仪馆正门。迎面正对着的是张学良老校长的大幅遗像，他慈祥的面容，迎接并感激着每一位来宾。

公祭大厅的中央，安放着老校长的紫铜棺。上百个花圈中间，摆放着一个最大也最引人注目的花圈，飘带上写着：张学良先生千古，落款是：中国共产党中央委员会总书记、中华人民共和国主席江泽民敬挽。在江主席花圈的左侧，依次摆放的是李瑞环、王兆国、何鲁丽、孙孚凌、万国权、吕正操等党和国家领导人以及中国驻美大使馆送的花圈。在紫铜棺的右侧，依次是蒋宋美龄、蒋方良等送的花圈。

公祭仪式开始之前，中国政府代表、中国驻美大使馆临时代办何亚非首先到紫铜棺前三鞠躬，向张学良先生表示悼念，并向家属表示问候。

公祭大厅内座无虚席，夏威夷州州长夫人、阎明复、阎明光和东北大学代表作为贵宾在前排就坐。身着黑色旗袍、胸佩红色小花的张闾瑛和身着深色西装、同样胸佩红色小花的张闾琳率张家主要亲属站在紫铜棺一侧。老校长的孙子及其他亲属站在紫铜棺另一侧。

安放张学良老校长遗体的紫铜棺，雍容华贵又不失庄重肃穆。紫铜棺的内侧用白色丝锻镶衬。下半部分棺盖上摆放着张家亲属送的花圈。棺盖上半部分敞开着，张学良老校长安详地躺在里面。他身穿深蓝色西服，这是在他过100岁生日时赵一荻夫人亲自为他定做的，还一直没有穿过。张学良先生头戴那顶平时常戴的、也是赵夫人亲手钩织的黑色无檐帽。老校长的面容平静如常，似乎在告诉人们：他的一生无怨无悔！

公祭仪式开始前，近500名自愿前来参加公祭的各界人士首先到老校长遗体前行三鞠躬礼。接着，是在前排就坐的贵宾鞠躬。之后，公祭仪式开始。公祭仪式由曾给蒋介石和张学良做礼拜的周牧师主持。他身佩白色花环，按宗教的传统程序主持张学良先生的公祭。首先，是唱祝福诗。然后，他带领大家唱圣歌《坚固保障歌》，之后是全体静默。接下来由周牧师介绍张学良生平。他概述了张学良出生及成长的历史背景，着重介绍了张学良28岁成为少帅以后实行东北易帜、武装调停中原大战和发动“西安事变”的历史性贡献。周牧师介绍说，赵夫人生前对张学良的评价是“爱国爱民，没有私心”。周牧师最后说，张学良最大的损失是失去了大半生的自由，但他的晚年能在夏威夷度过，是上帝的恩赐。

家属代表张闾瑛讲话说：“今天这么多嘉宾到这儿，家父在天之灵看到一定会很喜悦。我要说对主的感谢，也有对各位朋友的感谢。”张闾琳讲话（用英文）的大意是:“今天，大家都说我父亲是个爱国无私的人，我要说的是他的另一面。我知道我的父亲是一个热情而有爱心的人。他当不了医生，看不了别人受苦。他在外面看到小孩很喜欢，对几个孙子也很疼爱。当然大家也都爱他。家里人都感到他是一个有吸引力的、幽默的和有爱心的老人。”

公祭仪式结束，家属围站在紫铜棺周围，向老人家三鞠躬，之后盖棺，由孙子扶灵送往墓地。

庄重的葬礼

在夏威夷的东海岸，有一片绿树覆盖、绿草成茵的幽静之地，三面环山，面向大海，山色秀丽，风景奇美，这就是著名的神殿之谷纪念陵园（也称众墓谷陵园）。世界船王包玉刚和张学良的五弟张学森就安葬在这里。

三年前，张学良老校长与赵一荻夫人来到这里，亲自选定了一个地势非常好的小山坡，面对大海，前面不远处是一个寺庙，寺庙里的钟声不时传来。两位相依了半个多世纪的老人决定买下这块墓地，作为他们的最后归宿。他们约定，不论谁先走，对方都要常来看望。为此，沿着山坡修了一条轮椅可以通行的小路。两年以后，2000 年 6 月，夫人赵一荻先到那里，安然地等候着对方。又一年后，张学良老校长也向这里走来，与夫人重归一处。

10 月 23 日中午，一辆白色礼殡车载着这位世纪老人缓缓来到山坡下。工作人员轻扶铜棺，沿着小路来到墓地。紫铜棺的两侧按原来的顺序摆放着从公祭大厅转来的花圈，正中央仍是江主席送的花圈。东北大学校长和东北大学师生送的花圈依然放在显著位置。

安葬仪式拒绝包括记者在内的所有来宾参加，但唯独邀请了东北大学的两位代表及阎会长作为贵宾。安葬仪式仍由周牧师主持。他带领围站在紫铜棺周围的家属同唱《与主接近歌》，然后，家属和贵宾依次向老校长三鞠躬。家属也向贵宾三鞠躬致谢。最后，由家属把紫铜棺移放到赵夫人身旁的墓穴之中。

参加葬礼的人群渐渐散去，我们却不忍离开。带着全校师生和校友的心愿，我们再次向老校长三鞠躬告别。此时此刻，我们用湿润的眼睛凝视着老校长的墓地，思绪万千。老校长啊，您为了中华民族的解放，为了国家的富强，不惜牺牲自己的名誉、地位、富贵和权力，乃至人身的自由。如今，中华民族强大了，国家富强了，您一直关心的东北大学也发展壮大了，可是您却没能看到。现在，您远离大陆家乡，远离亲人，长眠在这太平洋的孤岛上，我们怎能放心得下？一个世纪的风风雨雨，一个世纪的冬去春来，一个世纪的无私无畏，一个世纪的爱国情怀，您得到的是华夏子孙对您的无比崇敬、东北乡亲对您永远的怀念和东北大学师生对老校长的深深的爱！

告别檀香山

夏威夷有三个名字——夏威夷、檀香山和火努鲁鲁。我们的老校长张学良也有三个名字——张学良、中华民族的千古功臣和伟大的爱国者。

张学良老校长的葬礼结束了。按计划，我们将于第二天早上回国。当天晚上，张家亲属在檀香山的京苑酒楼举行答谢会，特别邀请我们到会。席间，张学良老校长的女儿张闾瑛和儿媳陈素贞女士带领长子张居信来到我们的桌前，特别感谢东北大学派两位校长前去参加葬礼，感谢东北大学师生和校友给老校长举行了那么隆重的悼念活动并发来那么多的唁电。他们代表家属把在殡仪馆门前摆放的张学良老校长在100岁生日时照的大幅照片赠送给东北大学全体师生，还委托我们把在公祭仪式上分发的糖块带给东大的老师和同学，以表达他们的感谢之情。

午夜2点，我们应邀前往老校长生前的住所。老校长生前居住在一座很普通的老年公寓里，他就住在第14层一间不足80平方米的寓所内，房间布置非常简单朴素。经张家亲属特别允许，护士沈萍小姐把老校长的部分生前遗物共29件赠给东北大学，准备放在将要建成的“汉卿会馆”内。

飞机经过滑行，缓缓升空。俯首隔窗望去，依稀可见神殿之谷陵园中安放老校长墓地的小山坡。我们看见，张学良老校长在遥望着祖国，思念着祖国人民，思念着东北家乡的亲人，思念着东北大学的师生员工，祝福着东北大学的明天。

缤纷的山花啊，不要摇落你惜别的泪，挺拔的棕榈树啊，不要举酸你送行的手……张学良老校长安息吧，东北大学的师生员工会永远想着您！

据说，檀香山上的檀香木可以百年不朽。我们说，檀香山上的张学良老校长，他是中华民族的千古功臣，他能永垂千古！

（选自2001年第12期《百年潮》，有删节，
作者：赫冀成、王宛山，整理：魏向前）

经历 APEC

APEC，亚洲及太平洋地区经济合作组织英文全称的缩写，由 Asia-Pacific Economic Cooperation 中第一个字母拼写而来。APEC 是亚洲－太平洋地区级别最高、影响最大的区域性经济组织。2001 年 10 月 21 日，APEC 第九次领导人非正式会议在上海举行。这是 APEC 进程中的一次历史性盛会。APEC 给了上海青年一次机会。黄浦江畔，十万青年志愿者为这次盛会庄严宣誓：用我们火热的心和温暖的手去塑造中国上海的崭新形象！

蓝天，水洗过一样，纤尘不染，耀人眼睛。

绿地，芊草茸茸，好似能工巧匠悉心织染而成。

我站在上海国际会议中心前面，但见楼阁巍峨，花鲜木秀。一座白色的宫殿，晶莹剔透，富丽堂皇。它的一端，一个巨大的球形建筑，好似被一道长虹托起，另一端，一个略小一些的球形建筑，好似镶嵌在圆圆托盘上的珍珠。太阳照射着它们的玻璃墙面，越发显得金碧辉煌，令人遐想联翩。这座现代化的广厦，有着浓郁的中国古典园林风韵。大厦前的广场周围，起伏的草坪上，散植着女贞、香樟、桂花、广玉兰和落羽杉，更有成片的栀子花，乔木、灌木高低错落，枝繁叶茂，相映成趣。果然是“好花须映好楼台”。

我看见了新世纪第一年的 5 月 31 日，一群穿着红色 T 恤衫的青年，把这里变成了生机勃勃、热气腾腾的海洋。

“中国，APEC，2001。”

镂空的金色大字，在草坪上竖起来了，赋予上海国际会议中心以节日的喜庆。

APEC，亚洲—太平洋地区级别最高、影响最大的区域性经济组织。1997 年，在加拿大温哥华第五次经济体领导人非正式会议上，中国国家主席江泽民代表中国邀请经济体领导人出席2001年在中国上海召开的领导人非正式会议。这将是APEC进程中的一次历史性盛会。上海人民期盼着在中国举行这一前所未有的盛会。

APEC给了上海青年一次机会，10万名青年志愿者将为这次盛会提供服务。

黄浦江畔，青年志愿者举起右手宣誓：

> 在这庄严的时刻，我们以2001年APEC会议志愿者的名义宣誓：
>
> 用我们的勇敢和坚定，在国家和人民需要的时候挺身而出；
>
> 用我们的真诚和友爱，全心全意服务好参加会议的中外来宾；
>
> 用我们的青春和智慧，为会议的圆满举行作出应有的贡献；
>
> 我们是光荣的文明使者，志愿用我们火热的心和温暖的手去塑造中国上海的崭新形象！

这声音来自心灵，来自历史的深处，却又如此年轻；

这声音回旋激荡在浦江两岸，汇集着红土地和大漠的回声。

“奉献、友爱、互助、进步！”

一声声高呼，如海潮澎湃，响彻云霄。

江泽民在接见APEC会议的包括志愿者在内的工作人员时，伸出大拇指，表扬上海青年干得好！

盛会落幕了，余音未绝。我在浦江两岸，结识了一群年轻人，他们的名字是志愿者——上海志愿者大军。

他们是一群什么样的青年人？

我们代表着上海青年的形象

唐磊，上海理工大学学生，一个活跃在大学校园的共青团员，一个道地的上海人，从1990年起，他就是一个志愿者。但是，要成为APEC会议的一个志愿者，却并非易事，经历了“过五关斩六将”的激烈竞争，才有幸被选中。

进入21世纪的第一年，APEC，WTO，2008 OLIMPIC，这几个英文新名词，在中国出现的频率最高，成了中国人耳熟能详的常用语。

上海的老人们奔走相告："侬晓得不，'爱派克'要在阿拉上海开哩！"

尽管他们读不准 APEC 会议的英文缩写，但不会把它同最早接触的舶来品"派克"钢笔混淆。他们也可能把世界贸易组织的缩写读成"打嚏阿"，把中国申办2008 年奥运会简化成"北京新奥运"，把带领中国足球队夺得世界杯足球赛决赛权的教练称作"米箩"，但丝毫不妨碍他们关注国运的兴盛。特别是 APEC，着实使上海人感到了机遇与节日临近的紧张和兴奋。

唐磊，和他的同龄人一样，企盼着 APEC 上海会议的召开。

早春的上海，"草色遥看近却无"。万物在生发，在萌芽。

共青团上海市委公开招募 APEC 会议志愿者，唐磊最早前去报名。迎风飞舞的红旗，醒目的招募横幅，令人热血奔涌。人头攒动，争先恐后，上海青年踊跃报名。几天之内，竟有 7 000 多人报名，这是组织者始料所不及的。

可是，第一批只能录取 100 人，入选的真是"凤毛麟角"，可以优中选优，然而，这也给组织者出了一个难题：如何面对如此之多的，却又热情似火的落选的向隅者呢？

唐磊是幸运者，闯过了笔试、面试、再面试关，和他的 20 名同学有幸被录取了。

2001 年 6 月 6 日，APEC 经济体贸易部长会议在上海召开。这是 2001 年 APEC 会议的第一个会议，拉开了 APEC 中国年会活动的序幕。

万事开头难。唐磊和他的四个志愿者同伴，第一项任务是接待来上海采访贸易部长会议的中国和海外记者。谁都知道，记者的要求多种多样，也最难逆料，而且，他们的要求，往往是刻不容缓的，往往也是最苛刻、最挑剔的。毋庸讳言，记者们的满意度将决定他们的笔杆子如何转。接待好一个记者尚且很难，何况这次来上海采访的各方记者有 300 人之多！

唐磊至今回忆起来还心有余悸地说："当时，真有点如履薄冰，战战兢兢。"他随即又纠正说："不，应该说和战士第一次上火线的感觉相同。"

浦东国际机场，中国最大、最繁忙的机场之一，进港、出港的航班络绎不绝。一个国家的记者前一个航班到达，几分钟后，又一个国家的记者接踵而至。唐磊和同伴迎上去，用娴熟的英语欢迎他们："旅途辛苦了！欢迎到中国上海采访 APEC 贸易部长会议。我是会议志愿者，义务为您服务，有什么需要帮助的吗？”

志愿者们核对来访记者的姓名、身份，核对他们携带的采访器材，帮助他们顺利通过海关查验，安排他们登车前去宾馆，让他们感到宾至如归。甚至于在他们到达宾馆后，无需在大堂等候，便可以立即前去指定的房间休息，由唐磊和同伴们为他们办理必需的登记等等手续。

300 名记者集中在短短的一两天时间里先后到达。有一些记者没有按预定航班到达，而且不知道他们将在何时乘坐什么交通工具抵达上海，要无一遗漏地妥善接待，确非易事。

所有这些预先想到和多次演练过的事情，像设定好的程序，顺畅如流。但是，任何事情都有万万想不到的意外。一位记者临时多带了一件摄影器材，没有列入报关单，怎么办？及时为他补办报关手续，以免他离境时引起不必要的麻烦。某一个国家临时增派了几名记者，没有来得及事先通知，赶紧为他们调整房间和工作场地……

机场接待，堪称顺当，唐磊和同伴们为“小试牛刀”获得成功而欢喜。

唐磊和同伴们希望自己的服务是无可挑剔的。

当我问唐磊做 APEC 会议志愿者最大的感受是什么时，没有想到他的回答是：“感到自己的不足！”

他给我讲了下面的故事。

从设在东方明珠电视塔旁的新闻中心到国际会议中心，有一段路程。为方便记者及时采访贸易部长会议开幕式，6 月6 日开幕前，唐磊郑重地草拟了一份书面通知，请记者们按时在新闻中心门口集合，由志愿者引导，前往会场。他以为这样做便于记者们及时行动。为了慎重，他把拟好的通知请负责人审定。他满以为把工作做得这样仔细、周到，应该说是万无一失了。这位负责人是外交部一位资深的工作人员，他看了通知书后，笑着问唐磊说：“新闻中心一共有几个门？”

唐磊答道：“两个门。”

这位负责人说：“是啊，你很熟悉新闻中心，可记者们大多是第一次来上海，第一次到新闻中心，他们不熟悉，他们怎么知道是两个门中的哪一个呢？”

唐磊马上醒悟了，连忙说：“我疏忽了，应该写清楚是哪一道门。我马上去写清楚。”

唐磊转身要走，这位负责人叫住他说：“你别忙走，你看你写的这个英文通知，是按照中国人说话的习惯遣词造句的，中国人能看明白，可是，外国人有他们自己的用语习惯，你的这个英文通知，他们可能会全看不懂。”

这一下，唐磊震惊了，他这才初步领悟了“外事无小事”的道理，并为自己的不足而汗颜。

经受过为贸易部长会议志愿服务的锻炼，到10月，迎接APEC峰会，也就是经济体领导人非正式会议的召开，唐磊仍然被分配在新闻接待组工作。这次要接待的记者达3 000人之多，比6月间的贸易部长会议的记者增加了十倍。他感到在贸易部长会议期间所做的一切，不过是一场演练。他相信自己的沟通交流能力和英语水平有了提高，驾轻就熟，一定能够发挥更好的作用。可是，唐磊这次的角色变了，他不再直接去接待八方来的记者，不再出头露面了，只是在幕后做工作预案，做人员调配的安排。

这大大出乎他的意料。拒绝吗？要求调换吗？

但转念一想：志愿者是什么？志愿者就是志愿做人们所需要你做的、对他人和公众有益的事情。而且，应是无条件的，不计工作大小难易，不以个人好恶而有所偏废！

唐磊硬着头皮上岗了。

可是，角色的转换，谈何容易，既要抑制自己的向往，更有许多令人尴尬的棘手难题。

新闻接待组有280名志愿者，你要让人人都有事做，都有工作岗位，你要让人人都能发挥聪明才智，“一人向隅，满座不欢”，你知道这责任重吗？

280名志愿者分别来自几个学校不同的年级，仅上海外国语学院就有四个班要在不同时间由学校赶到工作地点换班，如何既不影响他们的正常学习，又能保证两个班次间的衔接？如何合理、经济地调派接送车辆？

工作千头万绪，更有难题在后。3 000名记者，将分住在10个宾馆，其中7个在浦东，3个在浦西，有的宾馆住500名记者，有的却只有几十人，甚或几个人，如何一一周到地照顾，为他们提供工作便利？

世界各地来的记者，来自不同的种族，有各种不同的宗教信仰，有各种不同的习惯爱好，丝毫马虎不得。

一个参观项目，一条参观路线，如何使各有打算的上千名记者一路同行？如何引起他们的兴趣，让他们满意？

一项活动，几份预案，三易其稿，不行，往往八易其稿，才算差强人意。

最难办的是280名志愿者，各有个性，各有自己的爱好，各有自己的穿戴习惯，突然要求他们统一着装，穿起大红的长袖T恤衫，挂起志愿者标识的胸牌，谈何容易呵。

女孩子们振振有辞地争辩："我们就是应该穿上最漂亮的衣服，显示中国青年的风采，为什么一定要穿统一的服装？"

男孩子们干脆我行我素，不理会统一的规定，或西装革履，像参加正式宴会，或一身牛仔装，自由不羁。

唐磊一而再地重申规定，强调纪律，有人撇嘴，有人依然故我。

唐磊真有一点气馁了：你何德何能，可以号令大家？

唐磊只好先找来几个女同学，推心置腹地跟她们说："老实说，这身红T恤衫，是没有你们五颜六色的衣服得体、好看，穿上真有点委屈你们了。"

不等唐磊把话说完，女同学们嘻嘻哈哈笑了，七嘴八舌地说："你还有点审美观！"

唐磊不管她们是真的赞许还是调侃，话题一转，说道："不过，你们穿着各人平时的衣服，一个一个看去，的确很美，可在集体场合，作为一个整体，看上去就未见得了。不知道你们注意到国庆节的阅兵式没有？解放军一色绿，整齐划一，威武雄壮，那才叫做美哩！假如一支队伍里，各色各样，真不知道会给人什么感觉了。别忘了，我们代表着上海青年的形象。"

同学们不说话了。

这以后，不少人按照规定着装了。但是，还是有人不以为意。一天，几位不按规定着装的志愿者一概被挡在门外，不得进入工作场所，才使大家感到这真是一个需要严肃对待的问题了，着装问题才最终得到统一。志愿者们进一步理解到，自由绝非随心所欲、我行我素，而是在规范约束下的自在。

工作很琐碎，很耗时间，也很累人。会议还没有正式开始，外宾也没有到达，中午饭后，难得有半个小时的休憩，有人忙里偷闲，想要轻松一下，有人拿出了电子游戏器，有人玩扑克牌。唐磊虽觉得不影响工作，但又觉得会有某种负面影响。管吗？肯定是一个"黑脸"角色。不管？由此引发的涣散，后果不堪设想。思之再三，唐磊还是伸头说话了。

所有这些，都是唐磊从前做梦也没有遇到过的问题。

唐磊，一个出生在上个世纪80年代初的上海青年。他们出生的时候，父辈所曾经历过的折腾和动荡已经过去了，穷困和物质匮乏也成了往事，他们赶上了好时候，在中国实行改革开放、经济飞速发展的20年中长大。他们“红旗下出生，蜜罐里养大”，“独生子女，唯我一个”，“父母宠，爷爷、奶奶爱，外公、外婆疼”，无疑，属于通常人们所说的“小皇帝”，从小到大，他们没有什么要忧虑的，生活的道路就像一条平坦的大道铺在他们的面前。也正因为没有坎坷，没有风雨，他们也就少了些磨炼。现在，这许多琐碎而又沉重的事情使他们措手不及，使他们感到担子沉甸甸的，更使他们感到责任。

唐磊记得，从出生以来，他没有一个国庆节不是在休假中度过的，而2001年的国庆节，他却为上述种种问题挠头，他不敢掉以轻心，更不要说休息。他的家就在市中心的徐汇区，离工作地点不过咫尺之间，但他连家也不回了，索性睡在工作地点的地下室里。他忙得忘记了今天是星期几，脑子里只有距离峰会开幕日的倒计时。

经济体领导人非正式会议前一天的中午，唐磊的手机响了，打开一看，一条短信息在闪亮：“儿子，我和你妈妈很久没有见着你了，很想你。知道你很忙，不必回电话，只要知道你很好就行了。努力把APEC的工作做好！自己保重！爸爸。”

唐磊看着看着，鼻子酸了，眼泪流出来了。

他这才计算出自己已经是一个多月没有回家了。他吓了一跳，竟有一个多月没有见到爸爸、妈妈了！从小长到这么大，几乎是从来没有离开过爸爸、妈妈的身边，何曾有过如此之久的别离？！

唐磊反复读着这条短信息，深深感谢爸爸、妈妈的支持，感谢上海人民的支持！他真切地感受到上海人民、中国人民对APEC会议在中国、在上海举行的期待和自豪！

也为自己走入社会在做准备

姚约茜走进来的时候，我注意到她黑亮的头发刚好披肩，面色姣好，红中透白，再看那帽子，一顶白色的毛线帽，很流行的那种，相互映衬，给人一种强烈的视觉冲击。她整个人给人的感觉是如此清纯，如此透明，无一瑕疵，看上去极像是一个中学生，真不敢相信她是 APEC 会议青年节活动中的一位联络官，上海交通大学学生会的副主席。

姚约茜是极乖巧、敏感的，她一定是感觉到了我对她着装的关注，说道："我是同学们选出来的学生会副主席，算是一个公众人物吧，应当注意形象。我不喜欢邋邋遢遢，这也是对别人的尊重。"

姚约茜说话字斟句酌，语速也很慢，没有少女那种生怕被别人抢了话头的急节奏。很显然，这是经过长期有心磨炼形成的习惯。

APEC 2001 年活动，经中国和加拿大倡议，在领导人非正式会议之前，举行一次青年节，主题是"青年迎接新经济的挑战，促进共同繁荣"，7 月 9 日至 14 日分别在北京和上海两地，围绕着科技创新、电子商务、知识经济、经贸合作举办论坛和在线博览。

代表团除政府官员外，多数是中小企业的青年企业家。可以说，与会的都是亚洲、太平洋地区的青年精英。其中有加拿大的被誉为"神童"的凯斯 · 佩里斯。他只有 12 岁，但是，电脑网页做得很出色，是加拿大一家软件公司的总裁，也是世界上年龄最小的公司总裁。

姚约茜希望自己接待一个白皮肤、高鼻梁、蓝眼睛的美国或是加拿大的代表团，那她娴熟的英语便可以派上用场，更可以借此进一步锻炼英语沟通的能力。然而，要她负责接待的是大韩民国代表团，她略感失意。但她一想：韩国是我们的近邻，他们也不是通行英语的国家，或许更需要自己的帮助，何况"来的都是客"，我代表着上海青年，代表着中国青年，应当有文明古国、礼仪之邦的风范。这样想着，那一丝失意便"灰飞烟灭"了。为了熟悉代表们的姓名和他们从事的事业，姚约茜和所有联络员几乎是夜夜枕着各种相关材料睡觉的，在梦里还在念叨着一个一个代表的名字。

联络员即将去北京迎接各经济体参加 APEC 青年节的代表团。出发前，担任俄罗斯代表团联络员的方颖得知外公病重，病中不停地呼唤她的名字。外公从小疼爱她，她为外公的健康担心，连夜赶往宁波看望外公。方颖站在外公床前，看着奄奄一息的外公，想着他老人家随时都会撒手而去，她先是忍泪抽泣，终于痛哭失声了。妈妈和家里的所有人都希望她留下来，多陪陪外公，外公却挥挥手说，孩子的事重要，不要守着他耽搁了正事。方颖忍痛告别了外公。就在方颖离开的第二天，外公去世了。方颖自责：为什么没有为外公送终，没有陪伴他走完人生的最后旅程？她深感内疚，痛哭一场，含悲忍泪和其他联络员一道飞往北京……

7月8日，姚约茜在北京机场急切地等候韩国客人的到来。

机场通告，由汉城飞来的航班已经抵达。姚约茜来到飞机舷梯旁，她看到韩国代表团如期准时到达，集体依次走下舷梯。

姚约茜迎上前去，她胸前挂着的胸牌上醒目地标示着："APEC Volunteer""APEC志愿者"。她用APEC规定用语，以娴熟、纯正的英语向韩国代表们说："我是APEC青年节、韩国代表团的联络员，我叫姚约茜。欢迎你们到中国来，希望你们在北京和上海度过愉快而有意义的节日！有什么需要我帮忙的吗？请不要客气。"

韩国代表团团长有礼貌地说："谢谢！我们正发愁人生地不熟，见到你，我们就放心了。"

姚约茜一一核对了来客的人数和名字，与预先通报的完全吻合。一切顺利！她兴奋地引领韩国客人们向出口走去。

姚约茜向我叙述到这里时，用一种自责的口气说道："这时，我犯了一个错误。"

"一个错误？"

姚约茜接着说："我当时太兴奋了，没有经过安全检查，就把韩国代表团直接带出来了。刚走出来，我就发觉错了，赶紧停下来，又把他们带回去进行安全检查。我向他们说：'对不起，由于我的疏忽，给大家添了麻烦！'"

我说："哦，一个疏忽。"

姚约茜坚持说："不，是一个错误。海关，就是国门，那是严肃的，是国家的尊严。"

韩国代表团一到北京，就急着要去参观故宫，这是他们久已向往的地方。姚约茜早已有所准备，她带他们参观故宫，尽自己所知，向他们介绍中国七大古都之一的北京。她向他们介绍说："故宫，紫禁城，明朝永乐四年（1406年）开始建设，永乐十八年（1420年）基本建成，是中国明、清两代帝王的宫殿，是世界上规模最大的一座皇宫，是中国劳动人民智慧的结晶。"

韩国青年为故宫的宏伟建筑赞叹不已，纷纷说："不虚此行！"

果不出所料，韩国代表中有些人不能熟练地运用英语，而且有浓重的地域口音，需要仔细辨别，才能准确了解他们所说的英语的含义。姚约茜以她学法律的严谨、善与人同的沟通能力、娴熟的英语，帮助韩国朋友活跃在APEC青年节的各项活动中。

澳大利亚代表团只有九个人，却是在三天内分六个航班先后到达的。上海外国语大学的志愿者庞洁，负责同澳大利亚代表团的联络。她连着三天守候在北京机场，客人没有按预先通报的航班到达，她就一次次从住地到机场来回奔波，务必使客人一到中国就感受到周到、热情的接待。有一天，因为香港受台风影响，澳大利亚代表团没有如期按时到达，而墨西哥代表团却提前到达了，她便临时充当了墨西哥代表团的联络员。

客人们一走进中国国门，迎接他们的便是姚约茜、庞洁、方颖和众多联络员的灿烂的笑容。

菲律宾代表团到达北京时，行李却没有随机同时到达，负责接待的联络员卢怡就守候在机场，四个小时后，新的航班到达，才把行李运到北京。当卢怡把行李如数稳妥地送到菲律宾客人手里时，他们高兴地连声道谢。

7月9日下午4时45分，香港港龙公司的航班载来了中国台北代表团，联络员余润上前热烈欢迎他们来到首都北京。彼此血脉相连，共与盛会，倍感亲切。

余润陪着他们有说有笑地去提取行李。在行李自动传送带前，其他旅客提取了自己的行李后高兴地离开了，最后一名旅客也早已离开了，却迟迟不见中国台北代表团的行李。

余润急得满头是汗，他仍然笑着安慰客人说："我们一定负责把行李找到。大家从台北转道香港，再飞北京，绕了一个大圈子，旅途很累，很辛苦，现在先请大家去下榻的酒店休息。"

余润为台北代表团安顿好了住处，随后，就不间断地同机场联系，到了晚上8点30分，机场回答说："还没有找到台北来的行李。台北和香港方面也没有回答。"

按照日程，7月10日上午，国家领导人会见参加APEC会议青年节的代表，根据预先的约定，代表们需着正装，而台北代表团的行李还不知道在何处，必须立即为代表们准备服装。事已十分紧急，刻不容缓！余润征得台北代表团负责人的同意，立即带领代表们直奔北京燕莎商店选购衣服。

代表们走进商店的时候，已近晚上9点钟了，商店即将打烊关门。余润向商店经理说明了情况，经理热情地说："请大家随意仔细挑选，一定要让顾客满意，不要着急。"

代表们选购了衬衫和必需的日用品，回到酒店。组委会又送给代表们每人一件T恤衫，以便换洗。从上海来的联络员们知道遇到了难题，大家不约而同地送来了自己使用的领带，挑选了自己最好的、适合女代表穿着的套装，供台北来的同胞选择，借给他们穿着，以便出席明天的活动。至此，代表们才安心休息了。

余润无法入睡，他眼睛熬红了，嗓子急哑了，他守着电话机，不断地同机场联系。

晚上11点30分，电话铃声响起。余润一把抓起电话听筒，果然传来了消息："刚从香港到达的航班，带来了上一个航班的12件行李，有可能是台北客人的。"

余润同机场方面一一核对行李标签上的名字，高兴得大叫一声："就是台北代表团的！行李找到了。"

在一旁陪余润守候的联络员们一起欢呼起来。

10日凌晨2点30分，机场方面终于把12件行李如数送达。

余润想着明天的重要会见，他必须保持充沛的精力，他躺在床上，告诫自己说："不许睡过了，早晨6点准时起床！"他念着念着入睡了。

10日早晨6点刚过，余润脑子里似有生物钟，一下就醒来了。他静静地把一件件行李放在台北代表各自的门前。

6点30分，代表们起床了。

余润轻轻敲响他们的房门。代表们打开房门，看到自己的行李完好地摆在面前，惊喜万分。他们赶紧换上自己喜爱的服装，曾经有过的不快，或许还有过的一丝疑惑，都烟消云散了。

7月11日，上海阳光灿烂，APEC青年节暨杰出青年企业家论坛开幕，与会的亚洲、太平洋地区青年企业家们来到开会的大厅。一个蓝色的地球模型，吸引了与会者的目光。中国共产主义青年团中央书记处第一书记周强，共同倡议发起青年节活动的加拿大代表、加拿大税收部长马丁·科雄和作为东道主的上海市副市长周慕尧三人举起手来，同时点击，触动蓝色的巨球。地球模型转动了，闪闪发光，大屏幕上显示“在线博览”开通。人群中发出一阵欢呼：“亚太青年勇于迎接新经济的挑战，就具有触动地球的力量！”三个人同时点击，共同触动星球，使它转动，是一个极富象征意义的设计。这一设计，也是上海青年志愿者的创造。

来自21个经济体的青年企业家们，同时在五处场馆进行交流，客人中多数只会英语，需要帮助以便交流；在新闻中心，有记者要通过TSDN接入internet，有记者要通过modem接入，有的要使用点到点的传输，各个要求不同。对这一切，志愿者们早有准备，一一满足他们的需求。然而，也有若干“突发事件”。俄罗斯的一位代表临时要求增加主题发言，志愿者及时反映，协调安排。加拿大一位代表提出说：“加拿大官方网站无法登录，我怀疑是中国政府封锁加拿大网站。”志愿者立即查明原因，从技术上帮助加拿大代表顺利登录网站。韩国代表提出网站没有设

2001年7月12日，正在上海参加亚太经合组织青年节暨杰出青年企业家论坛的日本代表在上网查寻资料时遇到语言界面的难题，为论坛服务的上海志愿者（右一）及时为他解决。此次共有82名来自上海各大学的学生志愿者为论坛服务。他们热情周到并精通各国语言，成为论坛之外的活跃人物。（陈飞/摄，图片来源：新华社）

朝鲜文输入，志愿者立即加装朝鲜文、日文语言包，以便于工作。加拿大的代表“小超人”凯斯·佩里斯毕竟年龄很小，常常随意离开会场，陪同他的父亲急得四处寻找。还有一次，凯斯竟撇下正在购物的父亲，同代表团其他人离开了商店。志愿者们热情帮助照顾这位年龄最小的代表。

姚约茜告诉我说：“这次青年节，不是联欢节，是亚太青年对未来使命的探讨。到2010年，亚太地区30岁以下的人将占地区总人口的75%，青年将成为领导人民实现变革的主体。在新世纪开始的第一年，把这样巨大的命题提到亚太青年面前，这有多么重大的意义。想到这一点，能不热血沸腾吗？”

7月13日晚，东方明珠电视塔顶上的旋转餐厅，欢声笑语，觥筹交错，有人放声歌唱，有人翩翩起舞，有人殷殷嘱托，有人娓娓交谈，所有人几乎同时关注一个焦点：2008年奥林匹克运动会主办权究竟“花落谁家”？今晚，人们在等待午夜时分莫斯科的消息。

澳大利亚青年向中国青年说：“中国一定会获得主办权！”

俄罗斯青年以真诚和十足的信心向中国青年说：“中国一定胜利！”

美国青年向中国青年说：“我敢打赌，2008年奥运在中国北京！”

日本青年向中国青年说：“北京会胜过大阪取得主办权。”

加拿大青年向中国青年说：“即使多伦多输给了北京，我也祝贺中国！”

韩国青年郑重地向姚约茜说：“我预先祝贺北京获得2008年奥运会主办权，祝贺你们！”

姚约茜和她的伙伴们同声向各方来宾连声道谢：“谢谢，谢谢你们的祝福！”

宴会进行到深夜，谁也不言散去，各经济体青年代表都不约而同地和中国青年一道等待那最后的决定。

午夜将临，忽地欢声爆起，电视大屏幕上显示国际奥林匹克运动委员会主席萨马兰奇宣读投票结果，他那两声清晰的“北京，北京”的声音还没落下，人们便沸腾了。

中国青年欣喜若狂，外国青年也感同身受，共享快乐。

直到今天，姚约茜谈起来还沉浸在美好的回忆里，她说：“作为志愿者，同大社会接触，特别是参加国际活动，扩大接触范围，这是大学校园无法比拟的。一项活动，可能很短暂，但留给我们的影响，可能是永恒的。像暑假中去边远农村支教，做调查研究，深切体会到国家，特别是贫困地区、弱势人群与发达地区的巨大差距，我们青年负有改变现状的责任，我们任重道远。大家都认为做志愿者的机会难得，比出国的机会更难得！”

“这与当学生会副主席不一样吗？”

“不一样，我们学生会的定位是维护学生权益，为同学服务，反映学生要求，可以说还是为自己；而做志愿者，体验到的是社会需要我，体现个人对于社会的价值，也为自己走入社会在做准备。”

“听说你们学生会干部是通过竞选产生的，而且竞争很激烈？”

“是的，竞选的同学要做广告、演讲，很热闹的。我的竞选口号是‘要做学生干部，不做学生官僚’！得到很多同学赞赏，也就当选了。我们交通大学有人最先组织邓小平理论研究小组，最近又组织大学生‘三个代表’思想实践团，竞选产生学生会干部也是一种实践吧。”姚约茜还强调说：“学生会有许多工作，但还是不能和志愿者活动比。”“我读高二的时候就入党了。”

面对这样一个清纯的女孩子，面对这样一个年轻的“老”党员，我不知道应当如何把两者的印象完全统一起来，但可以肯定，姚约茜和她的同伴，代表着今天青年的主流。

我们是志愿者，我们不要报酬

何巍烨，上海外贸学院国际商务学院的学生，学生会的副主席。他志愿参加了APEC外贸部长会议的工作，又参加了青年节的工作，接着又参加了经济体领导人非正式会议的工作，先后三次参与APEC活动，这在志愿者中是少有的。此外，正因为参与APEC志愿者活动，他还获得志愿为中美贸易会议工作、志愿陪同马耳他青年代表团访问北京和西安的机会。

何巍烨不无自豪地说：“2001年我连着参加志愿者活动，几乎可以说是马不停蹄地忙碌和紧张。外贸部长会议是APEC第一次活动，我们志愿者从4月被招募，参加培训，5月20日正式上岗，从6月6日起到8日，经济体外贸部长开会三天，各种准备工作紧张得叫人喘不过气来。这期间还正赶上我们学校期末大考，我缺了两个多月的课，而6月20日就要大考，会议一结束，我就没日没夜补课，12门功课，每一门都不能少，我但求及格通过，就谢天谢地了，结果，出人意料，考了个高分，获得了学校特等奖学金。不是我撞大运了，也不是我蒙对了题，是什么？我一回学校，老师和同学全都来帮助我，把他们的学习笔记，其中包含着他们自己的学习心得，全部毫无保留地提供给我，任我抄录、复印，细心地为我答疑解惑。他们为什么？对志愿者活动的支持！在上海，形成志愿者活动热，社会逐渐形成了风气，争当志愿者。志愿者是百里挑一,千里挑一，志愿者光荣，被人羡慕。”

何巍烨还无限感慨地说:“参加APEC活动，感受良多，最让人揪心地感到痛楚的是，外国人太不了解中国，我们有责任帮助他们了解真实的中国！”

他说得那样急切，说得那样痛彻心肺，一定是积郁久在心了。

何巍烨说:“我们中国人，知道美国的南北战争，知道林肯，知道比尔·盖茨；对于法国和英国，我们也可以说出许多许多。可是，外国人了解中国吗？有一个美国朋友第一次来上海，一下飞机，他大吃一惊，问道:‘这是上海吗？上海不是四周是水、中间种田的农村吗？怎么也像纽约一样有摩天大楼？怎么街上走的人们不是拖着辫子，没有裹着小脚？’……这就是他们所了解的中国，一个早已成为历史陈迹的中国，一个被歪曲了的中国。我们要让世人看到今天的中国！”

中国和加拿大共同负责举办青年节的中小企业家论坛。经过商定，由加拿大方面负责组织论坛发言。加拿大在国内临时雇用了工作人员来中国组织这项活动。这天中午过后，何巍烨最后一个赶到餐厅吃饭，负责安排发言的印度裔加拿大工作人员急匆匆地找到他说:“下午1点30分，预定由中国香港的一位企业家发言，可是，这位企业家至今没有露面，你们为什么没有接到这位代表？”

何巍烨觉得委屈，但他还是笑着向他说:“按双方约定，论坛发言由加拿大方面负责，你没有能妥善联系他按时到会发言，责任在你。但是，我们还是要共同把事情办好，我们协助你来寻找这位代表。”

何巍烨问了这位代表的姓名和邀请他出席论坛的详细情况，立即着手寻找这位行踪不定的代表。

何巍烨向所有中国联络员发出了通告，一时还没有回音。加拿大工作人员焦急万分，眼看就要到下午1时了，加拿大工作人员几乎绝望了。就在这时，上海交通大学的一位联络员通报说:“香港的这位企业家已经来到上海，他正在赶往会场的途

2001 年 10 月 15 日，在上海 APEC 国际新闻中心信息台，两名青年志愿者面带笑容回答记者的问题。(孙参 / 摄，图片来源：新华社)

中，预计将按时赶到会议发言。”

何巍烨看看表：1点差5分！他大大松了一口气。

何巍烨和加拿大工作人员一起到大门口等候这位代表。

当这位香港企业家按时走上论坛发言时，何巍烨才发现自己还空着肚子，错过了午餐的时间。

加拿大的工作人员不无歉意地说："对不起，我过于着急了。但是，今天，我看到了中国人的高效率！"

在会议代表注册处，志愿者兢兢业业各司其职，热心细致地为代表办理各种手续，每一个人都笑容满面，每一个人都心情舒畅。一位日本女子在旁边观察了许久，走上前来问道："你们都是大学生？"

何巍烨有礼貌地回答说："是的。"又指着胸前挂着的写有"Volunteer"的胸牌说，"我们都是志愿者。请问有什么需要我们帮助的吗？"

那日本女子说："我是日本领事馆的田中，我看你们工作很认真，很快乐，我觉得很有趣。"

"谢谢田中小姐的称赞，谢谢你的鼓励。"

田中小姐继续提出她的问题："你们都是义工？真的没有任何报酬吗？一点点钱也不给吗？"

好几个志愿者回答说："我们是志愿者，我们不要报酬。"

何巍烨详细告诉她说："我们会有一点津贴，补助我们吃饭和交通费用。"

田中"啊"了一声，又问道："你是上海的大学生？"

"是的，我是上海外国语学院二年级学生。"

田中转向另一位志愿者问道："你也是上海大学生？"

"是的，我是上海交通大学的学生。"

田中一一问了在场的志愿者，连声说："不可思议，不是亲眼所见，简直不敢相信。"

何巍烨向她说："我们知道，在日本也有许多你们称作义工的志愿人员，我们和他们做着同样的工作，为社会作力所能及的贡献。"

田中小姐连连点头，高兴地同志愿者们道别。

外贸部长会议结束了，6月8日，代表们都将返回。大会连夜赶制出会议活动影集，送给部长们作纪念。有一位部长匆忙赶去机场时，仓促中把影集遗忘在宾馆里了。何巍烨及时发现，带着纪念影集赶往机场。

航班将在9时起飞，何巍烨向汽车司机说：“十万火急，我们必须在外宾登机前赶到机场。”

汽车高速飞驰，直奔机场。

何巍烨计算了时间和距离，对司机说：“能不能再快点？不然，恐怕赶不上了。”

司机点点头，加大油门，为了抢时间，为了不使那位部长离开上海时带有哪怕是一丁点的遗憾，司机谨慎而又大胆地驾车奔驰。

8时30分，机场在望，何巍烨心更急了，不禁喃喃念道：“一步之差，一步之差！小心小心，千万千万，但愿最后关头，一切顺利！”

8时40分，汽车在机场入口处戛然停住，何巍烨捧着影集跑向贵宾室，向在机场值班的志愿者说明原委。那位志愿者也急了，说道：“还有5分钟就要登机了，咱们快去。”

那位部长在最后一刻拿到了珍贵的纪念影集。何巍烨看着他走进登机通道，大大地松了一口气。

那位部长转身向何巍烨连连挥手致意。

8月，马耳他共和国青年代表团应共青团上海市委邀请，来上海进行教育、体育交流活动，急需一位英语翻译陪同他们去北京、西安参观。团市委征询何巍烨的意见，问他愿不愿意志愿担当这一任务。何巍烨虽然因为赶考补习功课身体还没有完全恢复，又正值暑假将至，原打算回江西弋阳去看望父母，但是，他还是接受了这一任务。

在北京的万里长城，在西安的秦始皇兵马俑博物馆，中国导游一口流利的英语和生动的讲解，使马耳他的青年兴趣倍增，他们不断提出各种问题，希望有深入的了解，只是他们所讲的英语，有些连何巍烨也听不明白，导游则更是一头雾水，觉得茫然。何巍烨尽可能详尽翻译，满足客人的要求。然而，无论是秦皇汉武、唐宗宋祖，自己都知之甚少，无法帮助外国朋友更好地了解中华民族的悠久的文化瑰宝，他说：“通过志愿者活动，我越发深刻认识到自己的不足。要使世界了解中国，我们自己先要了解中国的历史和现实。”

9月上旬，中美贸易会议在上海举行，上海外贸学院国际商务外语学院的几个大学生志愿者为会议担任翻译工作，美国联邦商务部临时需要两个人担任口译，何巍烨很好地完成了这一工作。美国代表在9月10日乘车去杭州游览著名的西湖，临行时，按照他们的习惯，拿出不菲的小费以表谢意。何巍烨和同伴们婉言谢绝说："谢谢你们。我们是志愿者，主办单位已经给了我们生活津贴，我们是不收小费的。"

美国官员不解地看了他们一会儿，便从衣襟上解下一枚纪念徽章送给何巍烨说："为了表达我对你的感谢，送给你一枚纽约市徽，这上面有纽约标志性建筑图案，就是世界贸易大厦的双子大楼。我的办公地点就在这幢摩天大楼的第六层。有机会去美国，到了纽约，一定要登上双子大楼。我把我的电子信箱地址留给你，我们以后可以联系。"

何巍烨和美国朋友郑重道别。

9月11日，纽约传来了遭受恐怖主义袭击的消息，那两座相连的摩天大楼瞬间先后倒塌，从地平面上消失了。何巍烨震惊了，他拿出美国朋友赠送的纽约市徽，看着那上面摩天大楼的图案，怎么也不相信人类智慧和劳动的结晶就如此被毁掉了。他立即给美国朋友发去电子邮件，向他表达对美国朋友的慰问，向他表达对美国人民的同情。他还告诉美国朋友说："你送给我的有着双子大楼图案的徽章，更具特殊意义，将成为永久的纪念。"

美国朋友立即从杭州向何巍烨发来电子邮件，感谢他在美国人民遭遇困难的时候给他的慰问，他很庆幸这次中国之行，如果不是来中国，他多半会在那个灾难的时刻与双子大楼同遭毁灭，他侥幸逃过了这场劫难，他将永远记得中国之行，永远记得中国朋友。

（选自人民文学出版社《发现青年》，2002年10月出版，作者：黄传会等）

后记

上世纪末，文汇出版社曾出版了18卷本的《20世纪中国纪实文学文库》，在读者中产生了广泛而深远的影响。现在推出的《21世纪中国纪实文学大系》正是上世纪“文库”的延续，是对21世纪中国客观、真实的记录。由于某些原因，我们在这套丛书的编辑思路及框架设计上作了如下调整：

一、为了使记录更加及时、更为精准，决定以“一年一部”的节奏，每年出版一部记录上一年重要事件及相关人物的“年编”，力求内容齐全，文字准确真实。

二、考虑到《20世纪中国纪实文学文库》收尾在1999年，本套丛书特将2000年一并收入，以弥补上世纪“文库”之不足，体现内容的完整性。

三、为了凸显文学价值，每一部年编都对当年中国纪实文学的新特征作了梳理和评析，并力图作出前瞻性的研究。这样，每一部年编在“一书一述”的基础上，又增加了“一书一评”的内容，其兼具“史料”和“文学”双重价值便成为可能。

在本套丛书的选编过程中，著名文学理论家钱谷融教授不顾九十多岁的高龄，欣然应允担当本丛书的顾问；著名文学评论家杨扬教授，则为本套丛书的编辑、出版提出了诸多建设性意见，并花费了大量时间阅读文本，带领他的团队撰写了一篇又一篇有关纪实文学的评论文章；上海市新闻出版局的阚宁辉副局长和许乃青处长对本套丛书的编辑、出版作了许多重要指导，并给予了很大的鼓励；新华社上海分社副社长叶国标、图片中心副主任金丽莉为本套丛书的图片提供给予了巨大的支持；文汇新民联合报业集团信息中心的姚高东主任和图片中心的高峰主任，则为本套丛书图片的选择提供了有益的建议……在此，对于每一位对本套丛书的编辑、出版予以帮助的前辈、领导和朋友，我们谨表示深深的谢意！

今后，我们每年都会编辑、出版一部《21世纪中国纪实文学大系》的年编，我们将加倍努力，及时推出能够让读者朋友喜爱的读本，为中国的出版事业贡献出我们的绵薄之力。

（编　者）

致作者

编选者在编选本书时，已经获得部分作者授权，谨在此表示衷心的感谢。

同时，因时间仓促，作品来源辗转，故仍有部分作者未能取得联系。在此，我们深表歉意。请未取得联系的作者及时与我社联系，我们将按照国家有关规定支付稿酬，并奉上样书。

文汇出版社

2012 年 8 月 18 日

联系地址：上海市威海路 755 号 18 楼

邮　　编：200041

联系电话：021-52921234 转总编办

图书在版编目（CIP）数据

21世纪中国纪实文学大系．2001卷：非常时刻／桂国强主编．—上海：文汇出版社，2012.9
ISBN 978-7-5496-0603-0

Ⅰ．①2… Ⅱ．①桂… Ⅲ．①纪实文学-作品集-中国-当代 Ⅳ．①I25

中国版本图书馆CIP数据核字（2012）第178882号

21世纪中国纪实文学大系（2001卷：非常时刻）

丛书主编／桂国强
责任编辑／陈润华
特约编辑／江林新
装帧设计／周夏萍

出版发行／文汇出版社
上海市威海路755号（邮政编码200041）
经　销／全国新华书店
排　版／南京展望文化发展有限公司
印刷装订／上海宝山译文印刷厂
版　次／2012年9月第1版
印　次／2012年9月第1次印刷
开　本／720×960　1/16
字　数／250千
印　张／19.25

ISBN 978-7-5496-0603-0
定　价／32.00元

21世纪中国纪实文学大系

运筹帷幄__2000卷

非常时刻__2001卷

百年一梦__2002卷

众志成城__2003卷

中国动脉__2004卷

民生问题__2005卷

高原之路__2006卷

十年回眸__2007卷

地动人泣__2008卷

学生“村官”__2009卷

世界盛会__2010卷

蓝天作证__2011卷

21世纪中国纪实文学大系

2001卷

顾问：钱谷融
主编：桂国强

2001年重要事件与人物：中国『申奥』成功、『入世』如愿，双喜临门；博鳌亚洲论坛宣告成立，并通过《博鳌亚洲论坛宣言》；『中美南海撞机事件』使南中国海成为世界关注的焦点；厦门金门实现直航，咫尺天涯成为历史……

文匯出版社